A Menina que Semeava

LOU ARONICA

A Menina que *Semeava*

É PRECISO *noite* PARA SURGIR O *dia*

Tradução:

Maria Angela Amorim De Paschoal

Editora Novo Conceito

1ª Impressão — 2013

Edição: Edgar Costa Silva
Produção Editorial: Lívia Fernandes, Tamires Cianci
Preparação de Texto: A Florista Editorial/Luciana Bastos Figueiredo
Revisão de Texto: Sandra Brazil
Diagramação e projeto gráfico: Futura
Impressão e Acabamento RR Donnelley 100513

Este livro segue as regras da Nova Ortografia da Língua Portuguesa.

Dados Internacionais de Catalogação na Publicação (CIP)
(Câmara Brasileira do Livro, SP, Brasil)

Aronica, Lou
A Menina que semeava / Lou Aronica ; tradução Maria Angela Amorim De Paschoal. -- Ribeirão Preto, SP: Novo Conceito Editora, 2013.
Título original: Blue

ISBN 978-85-8163-240-7
1. Ficção norte-americana I. Título.

13-04469 CDD-813

Índices para catálogo sistemático:
1. Ficção : Literatura norte-americana 813

Editora Novo Conceito

Rua Dr. Hugo Fortes, 1885 — Parque Industrial Lagoinha
14095-260 — Ribeirão Preto — SP
www.editoranovoconceito.com.br

Para Molly, que me ensinou um tipo muito verdadeiro de magia que eu nem pensei que existisse.

Este livro demorou muito tempo para ficar pronto, e muitas pessoas ajudaram de várias maneiras no processo.

Minha família — minha esposa Kelly e meus filhos Molly, David, Abigail e Tigist — sempre soube o que essa história significa para mim e sempre me apoiou.

Os primeiros leitores me ajudaram a não sair dos trilhos. Um agradecimento especial para Peter Schneider, Keith Ferrell, Debbie Mercer e minha irmã Fran Alesia por seus incentivos e comentários.

Rick Levy e Lisa Tatum tiveram um papel importante num momento crítico de mudar o rumo do livro. Eu não teria enxergado isso sem vocês dois.

Danny Baror e Scott Hoffman, por sua participação em questões vitais, pela qual agradeço profundamente.

Obrigada a Barbara Aronica Buck — que eu quero deixar bem claro aqui, *não* foi a inspiração para a Polly dessa história — por projetar a capa, e a Brooke Dworkin por impedir que eu cometesse erros editoriais idiotas. Se você encontrar algum erro editorial idiota, pode culpar minha teimosia.

Finalmente, gostaria de agradecer a Ray Bradbury, principalmente porque todos nós deveríamos fazer isso, mas especialmente porque ele me mostrou, em primeira mão, como um escritor deve ser.

1

O zunido suave do aparelho de DVD era o único som que se ouvia na sala. Chris estava sentado no sofá em frente da televisão, com o controle remoto na mão, embora não pretendesse usá-lo. Ele deixaria o aparelho continuar rodando ininterruptamente.

Na tela, o vídeo da vida da sua filha Becky girava para a frente. O sorriso que ele acreditava ser o primeiro. Sua obra-prima: *Natureza morta com purê de peras e bolachas recheadas na bandeja.* O corpo de criança relaxando temporariamente para um cochilo no peito dele. Os dois correndo debaixo do jato da mangueira d'água. O casamento lindamente preparado para o ursinho de pelúcia e o cachorrinho de brinquedo, quando Chris serviu de padrinho e dama de honra ao mesmo tempo. A cabecinha coberta por uma bandana na festa de aniversário de seis anos. Desfilando um novo penteado quando o cabelo voltou ao normal depois que o tratamento acabou. Sua ex-esposa Polly, parecendo magra demais e cansada — ou simplesmente com raiva de alguma coisa — ao sair do auditório com Becky no final da apresentação da peça do segundo ano. Mergulhos de costas na piscina do resort em Berkshires. Becky revirando os olhos para a câmera durante o piquenique da escola. A risada forçada na reunião de família. O filme que ela fez dele dormindo na cadeira do jardim, naquele que se tornaria seu último final de semana inteiro na casa. Becky e Lonnie caminhando em direção ao quarto de Becky nesse apartamento, antes de fecharem a porta e o deixarem para fora.

Horas e horas de atividades se passaram em alta velocidade. Como uma demonstração da crescente irrelevância de Chris na vida de Becky.

Chris tinha assistido a essas velhas fitas com bastante frequência nos últimos quatro anos. Fez isso diversas vezes até finalmente transferi-las digitalmente para um DVD, há seis meses. Era algo com que se distrair nas noites de sexta-feira. Ao ouvir a voz infantil da filha na tela pela primeira vez, ele chorou imediatamente. Sentiu uma falta desesperadora daquela voz, mais ainda do que achava ser possível. Sentiu saudades do jeito como ela falava com ele, como a maneira dela de pronunciar a palavra "papai" fazia parecer que tudo ia dar certo. Como ela lhe dera motivos para acreditar que todas as promessas poderiam ser realizadas, todos os obstáculos, superados. A voz de Becky tinha um tom distraído quando ele ligou para a casa dela. Ela tinha compromisso com alguns amigos e estava atrasada. Não podia competir com a sua maquiagem, seu delineador, muito menos com seus amigos de escola que estavam esperando por ela.

Para piorar ainda mais as coisas, Polly tinha atendido ao telefone. Sempre um grande acontecimento. Pelo menos quando o segundo marido dela atendia, ele dizia alguma coisa engraçada. Quando Polly atendia, ela sempre aproveitava para mencionar alguma nova obrigação financeira, ou sugeria que o funcionamento da sua casa não corria tão bem quando ele telefonava. Havia cerca de um mês, ele deixara de ligar para Becky à noite, pela primeira vez desde o divórcio. Ele tinha tido um dia terrível no trabalho e simplesmente não teve energia emocional. Deixou de ligar mais duas vezes depois disso. Se Becky notou, não mencionou nada.

As últimas imagens do disco tinham menos de um ano. Foi quando os pais dele vieram da Flórida para uma visita. Polly deixou Becky ficar com ele durante todo o final de semana, e eles passaram o sábado em Essex e Old Saybrook. Ele comprou uma pulseira em uma loja de artesanato e ela ficou balançando a bijuteria em frente da câmera, rindo despreocupadamente. Chris detestou ver seus pais indo embora naquele domingo. Talvez estivesse na hora de voltarem para cá.

O telefone tocou e Chris apertou o botão de pausa no controle. Na tela do aparelho de TV, Becky caminhava alguns passos à sua frente pela Main Street, em Essex.

A ligação era de um serviço de telemarketing que queria lhe dar a oportunidade de comprar uma propriedade de veraneio em Victoria Island, na British Columbia. Chris já conhecia Victoria e achava o lugar lindo, mas não entendia como uma pessoa que morava em Connecticut ia querer comprar uma casa de praia do outro lado do país. Ele educadamente recusou a "oportunidade". Ligações telefônicas inúteis pareciam ser as únicas que recebia em casa. Havia muito tempo ele planejava incluir seu número na lista nacional de telefones para os quais as empresas não poderiam ligar sem uma solicitação prévia, mas acabava se esquecendo.

A interrupção o deixou irritado e agitado. Teria sido melhor deixar a secretária eletrônica atender a chamada, mas ele nunca conseguia fazer isso. Mesmo que conseguisse, o toque da campainha seria o suficiente para distraí-lo, para desconcentrá-lo da sua experiência visual.

Ele olhou para a televisão e viu as costas da filha. Pela primeira vez, notou uma mulher vindo em direção à câmera. Ele não se lembrava de tê-la visto antes. Provavelmente porque estava sempre prestando atenção em Becky. A mulher era jovem, de vinte e poucos anos, bonita. Seu rosto era estranhamente familiar, embora Chris não pudesse se lembrar de onde a conhecia. Ela se parecia um pouco com sua sobrinha Riley, talvez fosse isso. Obviamente, ele tinha visto a mulher todas as vezes em que tinha assistido ao vídeo, mas a tinha registrado apenas no seu subconsciente. Chris pegou o controle remoto, tirou o DVD da pausa e observou a imagem da tela voltar à velocidade normal. A mulher passou em frente à câmera e desapareceu.

No momento seguinte, Becky se virou e lhe fez uma careta que dizia: "Você não acha que já assistiu muito essa coisa por hoje?" Alguns segundos depois o quadro sumiu e a tela ficou azul.

* * *

— Duas paradas mais e vamos comprar um sorvete — Al disse, parecendo mais um garoto de oito anos do que um adulto. Becky achava hilário o fato de ele não conseguir passar mais de uma hora sem fazer um lanchinho. Ela não tinha ideia onde cabia tanta comida. Na verdade, ele até que estava em forma, para um cara velho.

— Eu realmente preciso ir à American Eagle — ela declarou.

A mãe fez um sinal concordando.

— Precisamos também ir até a Papyrus comprar alguma coisa para o aniversário da Patrícia.

Lonnie, a melhor amiga de Becky, levantou a mão como se estivesse numa sala de aula.

— Ela fica ao lado da Body Shop. Preciso muito ir lá. Se não comprar um novo hidratante, minha pele vai simplesmente se descolar do meu corpo.

— São mais de duas paradas — Al reclamou num tom parecido com um gemido. Becky sorriu.

A mãe se curvou e deu um beijo no rosto dele, sem diminuir o passo.

— O sorvete pode esperar, meu bem. Ele é guardado no freezer e não vai derreter.

— Se vamos ter de ir a mais duas lojas, então vou tomar duas casquinhas. — Ele rodopiou e apontou para Lonnie. — E você não vai ganhar nenhuma. Faz mal para a sua pele.

Lonnie deu uma risada e colocou os braços carregados de sacolas em volta dos ombros de Becky.

— Tudo bem, a Becky vai dividir o dela comigo.

— Não, ela não vai não — Al disse, ainda fingindo estar chateado. — Porque vou comer a dela também.

A mãe de Becky tocou de leve o braço do marido e se virou para Lonnie.

— Você pode tomar quanto sorvete quiser, Lonnie.

— Obrigada, mãe — Lonnie chamava a mãe de Becky assim desde que as meninas foram escoteiras juntas, mas todas as vezes que Lonnie a chamava assim seus olhos ainda brilhavam.

Eles viraram para a esquerda e foram em direção à American Eagle. Apesar de relutante em admitir, Becky sentia que precisava descansar um pouco, muito embora não estivesse muito a fim de tomar sorvete. Eles já estavam no shopping havia algumas horas, experimentando sapatos, olhando livros na livraria, comprando algumas camisas novas para o Al, um casaco leve para a sua mãe, alguns presentes de aniversário, e uma meia dúzia de coisas para Lonnie. A única coisa que Becky comprou para si mesma foi um exemplar do novo romance do Neil Gaiman que ela estava louca para ler. E isso tinha sido o bastante. Ela sempre gostou mais de ir às compras do que de realmente comprar coisas.

Enquanto os outros pareciam dispostos a continuar ali o dia inteiro e a noite também, o que Becky mais queria agora era se sentar um pouquinho. Mas ela jamais diria isso. A gozação que todos fariam seria infindável e implacável. Naquela família, maratona de compras era uma questão de honra e esse não era um quesito em que Becky gostaria de se destacar.

No entanto, antes que pudessem realmente parar para descansar, ela precisava urgentemente comprar uma calça jeans. No último mês, várias das suas calças tinham deixado de ser consideradas apenas gastas para serem simplesmente chamadas de surradas. Não podia mais usá-las para sair, portanto a situação estava à beira de uma emergência. Eles chegaram à American Eagle, e Becky soube que estava no lugar certo. Ela sempre dera sorte ali, e em alguns minutos havia escolhido várias calças jeans para provar.

— Essa não — Lonnie disse, apontando para uma que estava nas mãos de Becky. — É enfeitada demais.

Becky levantou o jeans. Não parecia enfeitado demais.

— Você acha?

— E esse bordado azul-esverdeado nos bolsos? Para com isso, Becky, você não tem mais oito anos.

Becky examinou a calça jeans novamente.

— Gosto dela.

Lonnie sacudiu a cabeça e arrematou.

— Problema seu.

Becky olhou de relance para a mãe.

— Vou experimentar todas essas.

— Vamos ficar aqui fora esperando você — Al completou. — Sonhando com uma xícara de café expresso com pedaços de chocolate dentro.

Becky sorriu para ele. Al era um palhaço. Era divertido sair e fazer compras com ele, na verdade ele tinha muito bom gosto, apesar de não ficar alardeando isso. Era difícil acreditar que, aos catorze anos, ela ainda sentisse prazer em ir ao shopping na companhia da mãe e do padrasto.

Becky teve de aguardar alguns minutos até poder entrar num provador. O shopping estava lotadíssimo, e essa loja em particular estava bombando. Enquanto esperava, deu uma olhada na loja e viu um cara incrivelmente lindo do outro lado do balcão (tinha quase certeza de que ele estudava na mesma escola que ela, apesar de estar mais adiantado e de nunca ter prestado atenção nela) ao lado de uma garota usando uma roupa maravilhosa que trabalhava nessa seção. Talvez ela conseguisse um emprego ali quando fizesse dezesseis anos. Não seria um modo ruim de ganhar dinheiro, além do que teria descontos enormes nos produtos da loja.

Assim que entrou no provador, Becky pendurou as calças que planejava experimentar, tirou o tênis e as calças que estava usando, e pegou o par de jeans com o bordado azul-esverdeado. Ela não entendia porque a Lonnie tinha achado enfeitado demais. Becky achou que o jeans era bem estiloso, talvez até mesmo um pouco ousado. Às vezes Lonnie era meio convencional em relação à moda.

Quando Becky se abaixou para experimentar o jeans, de repente, praticamente do nada, quase levou um tombo. Parecia que o provador estava girando à sua volta. Ela esticou um dos braços para se apoiar na parede, mas a tontura continuou. Sua cabeça estava rodopiando e ela não conseguia se concentrar em nada.

Por alguns minutos só conseguiu se segurar na parede, e então vagarosamente deixou seu corpo escorregar até o chão, sentindo-se enjoada e zonza. Uma segunda onda de mal-estar tomou conta do seu corpo e ela se encostou de lado, tentando respirar fundo.

Dessa vez foi bem pior que nas vezes anteriores.

Logo depois a tontura desapareceu. Mas ainda demorou alguns segundos até que ela se sentisse bem o suficiente para se levantar. Ela o fez ligeiramente, apenas o bastante para se sentar no banco do provador. Colocou as mãos no rosto e tentou respirar com calma, usando uma técnica que havia aprendido num livro. Finalmente sua respiração se acalmou e ela começou a voltar ao normal.

Becky não quis pensar muito no que poderia estar causando isso. Estavam fazendo compras havia um longo tempo. Ela não tinha comido quase nada no almoço. Provavelmente só precisava se deitar e descansar um pouco. Becky se levantou cuidadosamente, feliz por não estar se sentindo mais tão fraca, e tirou as calças que estavam na altura dos seus joelhos. Ficou com medo de se curvar novamente, então jogou o jeans para cima com os pés, agarrou-o e o colocou no cabide. Ficando o mais ereta possível, vestiu novamente a calça que estava usando e saiu do provador, respirando fundo mais uma vez antes de abrir a porta.

— Nada? — Lonnie perguntou quando Becky voltou para a frente da loja com as mãos vazias.

— Você tava certa, aquele par era enfeitado demais. Os outros simplesmente não caíram bem.

— Que pena. Você sempre se dá bem com as roupas daqui.

— Acho que hoje não é o meu dia.

Al e a mãe se aproximaram.

— Estou tentando convencer sua mãe que vou ficar ótimo num daqueles casacos com capuz ali.

— Confie em mim, meu bem — a mãe comentou —, você ia ficar meio estranho usando isso.

Al franziu as sobrancelhas e estava prestes a dizer alguma coisa quando Becky disse:

— Mãe, estou realmente cansada. Você acha que a gente pode ir pra casa agora?

— Sorvete primeiro, certo? — Al perguntou, esperançoso.

Becky simplesmente fechou os olhos. O que ela mais queria agora era se deitar no sofá e assistir televisão.

— Al, temos sorvete em casa — a mãe disse, observando Becky mais atentamente. — Vamos, vamos embora.

Becky se sentiu aliviada, mas esperava não ter criado um problema. A caminho do estacionamento, sua mãe passou um dos braços pelos seus ombros.

— Você está bem? Parece um pouco pálida.

— Só tô um pouco cansada. Vou ficar bem.

— Tem certeza?

Becky acenou com a cabeça.

— Vou ficar bem.

Eles entraram no carro, e Lonnie e Al (que aceitaram a recusa do sorvete incrivelmente bem) começaram a tagarelar um com o outro sobre a mulher que estava dando amostras de perfume na Nordstrom. Ela tinha sido motivo de assunto o dia todo. Por alguma razão desconhecida, eles ficaram obcecados pelo jeito com que a mulher tinha dito "Posso perfumá-los com Channel?".

Enquanto Al saía do estacionamento, a mãe se virou e tocou a mão de Becky. Becky lhe sorriu de volta com um jeitinho tranquilizador. A mãe apertou novamente sua mão e então se virou para a frente para ter certeza de que Al estava prestando atenção na rua. Ele não era um motorista muito atento.

Enquanto se aproximavam de casa, Becky percebeu que estava se sentindo bem novamente. Ela tinha certeza de que isso ia acontecer.

O mal-estar sempre passava depois de certo tempo.

* * *

Era terrível e eletrizante. A cada passo que Miea dava na plantação, mais ela tinha certeza de que algo muito errado estava acontecendo por ali. Mas, ao mesmo tempo, ela não podia deixar de sentir um pouco de empolgação, simplesmente por estar naquele lugar novamente. Por estar realmente fazendo algo, em vez de estar presidindo tudo.

Ela se ajoelhou para examinar as manchas amarelas cancerosas num ramo de folhas. Alisou as estrias verdes escuras de outro ramo. Ela entendeu o significado de tudo aquilo e esse saber pesou sobre ela.

Apesar de tudo, uma pequena parte do seu íntimo estava leve. Alguma parte escondida do seu cérebro sentia um toque leve de animação, pelo simples fato de estar retornando a um lugar onde podia estar em contato tão próximo com a terra. Lembrou-se dos milhares de dias da sua juventude passados nesses mesmos campos, plantando, cuidando, cultivando, e especialmente aquele verão libertador, onde irremediavelmente suja de terra e coberta de fuligem como todos os seus outros companheiros, estava abençoadamente ignorante das mudanças que aconteceriam poucos meses à frente.

A leveza evaporou-se e a total gravidade da sua função atual retornou. Miea era jovem demais para se recordar da Grande Praga com clareza, mas havia lembranças em todos os lugares. Nas esculturas de cores sombrias de Naria Solani. Na poesia de tons dissonantes da *Era da Peste.* Nas dezenas de volumes de história, nas análises e revisões que foram feitas solenemente nessas páginas desde então. O que ela realmente se lembrava daquela época eram as conversas entrecortadas entre seus pais, o modo como eles se desafiavam, se questionavam e criticavam um ao outro enquanto o mundo deles oscilava. Miea se sentia incomodada perto deles, não habituada a vê-los agir desse modo. Ela se lembrava de desejar intensamente que houvesse menos tensão entre eles, que sua casa pudesse ter de volta a harmonia que sempre acreditou existir ali.

Então, subitamente isso aconteceu. A Praga foi embora. Sem explicação. Depois de duas primaveras, o barro ébano dos campos tinha gerado brotos azul-celeste, azul-escuros e tons de azul que jamais tinham sido vistos. Miea acreditava que seus pais nunca se esqueceriam de como tudo esteve tão perto de desabar, e provavelmente sempre se lembrariam de que quase tinham se afastado um do outro para sempre. Na verdade, as coisas nunca mais foram as mesmas entre eles depois disso. Indiferente ao que acontecera, a vida do outro lado da Praga tinha sido próspera e cheia de esperanças.

Mas agora essas manchas amarelas. Essas estrias verdes.

— Isso não significa nada necessariamente — Thuja disse, em tom solene.

Miea voltou o rosto para encarar o mal-humorado ministro da agricultura, quase quarenta anos mais velho que ela. Ele não queria a presença dela ali. O ministro tinha usado toda a sua influência para evitar isso, não compreendendo o quanto era importante para Miea observar tudo por si só.

— Isso é difícil de acreditar.

— Doenças, males insignificantes, acontecem o tempo todo. Principalmente nesses confins distantes. Vamos descobrir as causas e achar a cura.

Miea inclinou a cabeça.

— E qual é a causa dessa doença especificamente?

O homem desviou o olhar. Certamente ele detestava ter esse tipo de conversa com alguém tão jovem. Mas ele simplesmente teria de lidar com os fatos.

— Ainda é cedo. Logo, logo iremos descobrir.

Miea deixou seus dedos roçarem suavemente a terra escura. O solo era tão rico, tão úmido com os nutrientes oriundos da chuva matinal característica do território de Jonrae. Era difícil acreditar que algo tão destrutivo pudesse estar florescendo ali. Mas era ainda mais difícil negar seus instintos.

— Se houver alguma chance de eliminarmos isso antes que se espalhe, devemos nos esforçar para fazê-lo.

— Temos gente trabalhando nisso durante todas as horas do dia. Fazendeiros, cientistas, especialistas. — Thuja disse aquilo com a voz mais rápida do que de costume. Uma indicação clara de que, apesar de suas palavras encorajadoras, ele estava preocupado sobre o que tinham conseguido descobrir até então.

— Quero relatórios duas vezes por semana.

Miea percebeu que Thuja recuou ligeiramente ao ouvir o tom de sua voz. Mas ele acenou com aparente respeito.

— Assim será feito.

— E voltarei aqui em breve.

Thuja aparentou estar examinando as coisas a sua volta.

— Isso talvez não seja um fato muito produtivo. Não pretendo desrespeitá-la, Vossa Majestade, mas acredito que a sua presença deixa as pessoas nervosas. — Ele sorriu de um modo afetado e estendeu a mão para ajudar Miea a se levantar. Ela desviou o olhar do dele, contemplando os vinhedos murchos.

Ao fazer isso, ela se lembrou da indignação da mãe ao tomar conhecimento de sua decisão de passar alguns meses naqueles campos. "O verão todo?", a mãe havia perguntado. "Fique alguns dias se insiste tanto. Passar o verão todo é ridículo. Existem muitas outras coisas para se fazer. Outros lugares para você visitar." "Mas nenhum outro lugar em que eu realmente *queira* estar", ela havia respondido.

Sua mãe franziu o cenho e se afastou. Mais uma vez Miea ficava insegura depois de uma conversa com a mãe. No jantar daquela noite, seu pai conversou com ela sobre os planos de passar o verão em Jonrae e a mãe não fez objeções. Talvez tenha percebido o quanto essa viagem era importante para Miea. Talvez ela não tivesse entendido tudo. Essa era mais uma das coisas que ficariam para sempre sem resposta.

Miea segurou uma folha murcha entre os dedos. Será possível que ela mesma tenha plantado a semente dessas plantas? Esses ramos de videira poderiam ter facilmente quatro anos de idade. O supervisor de campo, sempre tentando protegê-la, na medida do possível havia lhe determinado trabalhos mais perto do portão principal, tomando cuidado para que ela não ficasse brava por receber um tratamento especial, de modo que ela sempre trabalhara ali perto de onde estava agora. As lembranças — todas elas: seus dias no campo, o supervisor inquieto, a planta doente, e sua mãe morta —, tudo isso trouxe lágrimas a seus olhos. Lágrimas que não poderiam cair. Ela não permitiria que Thuja a visse chorar, e seria errado deixar que os outros testemunhassem sua tristeza.

Miea se abaixou para beijar a folha. Para incutir um pouco da sua força e espírito na superfície azul.

A folha se soltou em suas mãos.

Ela curvou a cabeça e a guardou na palma da mão. Fechou os olhos com força e fez uma súplica silenciosa para ter coragem e respostas. E então depositou gentilmente a folha morta no chão. Ela se levantou, evitando fazer contato com os olhos de Thuja, mas descobriu que era impossível deixar de perceber o *olhar* preocupado dos seus assistentes.

Durante a Grande Praga ela tinha sido uma criança ciente das dificuldades dentro de sua própria casa, mas ignorante das enormes e terríveis implicações que existiam no mundo à sua volta. Agora não era mais criança. Se a Praga retornasse, o que seria diferente dessa vez?

— Precisamos ir embora — ela disse baixinho, quase que para si mesma.

* * *

Não era o momento ideal para escutar, mas, apesar de tudo, Gage escutou. O equilíbrio daquele momento era tênue, e havia muita coisa que ele precisava fazer, mas escutar era essencial. Escutar era o futuro. Escutar permitia que as histórias começassem.

Das profundezas do seu íntimo, Gage se concentrou e se posicionou no mundo da ilha, se alongando pela vastidão para ouvir. Abafou os gritos — havia tantos gritos — e maximizou os sussurros. Ele sabia que os gritos sustentavam histórias. Sussurros, no entanto, davam início a elas. Os sussurros mereciam ser ouvidos e receber a sua atenção.

Como sempre, havia centenas de sussurros. Alguns eram tão baixos que não era possível escutar. Outros — muitos, muitos outros — não revelavam nada. Mas havia outros que diziam algo importante, algo parecido com um lamento, mas revelavam essas coisas tarde demais. Os gritos abafavam outros tantos, muito embora Gage tivesse isolado a gritaria.

Mesmo assim, ele privilegiava todos os sussurros. Poucos entendiam o seu dom. Menos pessoas ainda aceitariam esse dom e se imaginariam vivendo com ele. Às vezes, no entanto, havia algumas surpresas.

Gage se concentrou ainda mais. Enquanto se concentrava nas novas histórias, nas possibilidades do mundo da ilha, sentiu uma enorme sensação de significado e objetivo. Não importava que muitas promessas não fossem realizadas. O que importava era que a esperança continuasse a existir.

Nesse estado de profunda concentração, ele ouviu dois sussurros. Eles foram murmurados juntos, com diferentes vozes. Uma das vozes era jovem. A outra sentia saudade da juventude. Havia muita tristeza ali. Confusão. Rebeldia. Elas sabiam que sua história era a história errada. Percebiam que sua verdadeira história ainda nem tinha começado. Essa não era uma percepção habitual. Uma percepção que valia a pena ser encorajada. Se elas compreendessem isso tudo, talvez conseguissem fazer algo com inspiração. Gage tinha ouvido outros nesse momento, com o mesmo potencial, mas algo chamou sua atenção para esses dois.

Do fundo da sua alma, ele imaginou um dom e o ofereceu aos dois sussurrantes. Gage ia voltar a eles, ia novamente se concentrar neles. Havia motivos para acreditar que iam enriquecer esse dom. Se eles assim o fizessem, uma nova história poderia surgir. Uma história que valesse a pena.

Infelizmente, não uma história simples.

2

O tráfego se arrastava lentamente pela ponte estreita que ligava Moorewood e Standridge. Chris ia chegar atrasado de novo para pegar Becky. Primeiro foi a conversa interminável que teve com Jack sobre "apertar os cintos", e agora o congestionamento na ponte. Essa parte de Connecticut não deveria ter congestionamentos. No entanto, quanto mais negócios se mudavam para o estado, mais e mais pessoas consideravam que essa área ficava a uma distância razoável de seu trabalho. Por isso o constante afluxo de carros na ponte, e mais uma noite em que ele chegaria mais tarde do que havia previsto.

Becky nunca reclamava dos atrasos. Será que ela compreendia que o trânsito era um problema? O pai de Lonnie vinha nesse mesmo sentido todas as noites, então provavelmente ela tinha escutado sua melhor amiga comentar como a viagem podia ser demorada. Ou isso ou ela não se importava com a hora em que o pai chegava. Ela não reclamava de mais nada para ele.

Chris tinha se mudado para o apartamento em Standridge fazia exatamente quatro anos na data de hoje. Ele queria morar o mais perto possível de Becky, mas não achou que aguentaria continuar morando em Moorewood. Pelo menos em Standridge ele não ia encontrar alguém que conhecesse ele e Polly todas as vezes que fosse ao supermercado ou ao correios. Mesmo agora ainda se sentia mal com esse tipo de encontro, sabendo que enquanto conversavam com ele provavelmente estavam pensando *Polly o mandou embora.* Só depois que seu casamento acabou foi que ele percebeu que praticamente todos os seus amigos em Moorewood eram na verdade amigos de Polly, e que ele simplesmente foi um acessório durante todos aqueles anos.

Quatro anos mais tarde, Chris ainda se sentia confuso com o repentino fim do casamento, assim como nos primeiros dias em que tudo aconteceu. É claro que ele havia cogitado se separar dela. Eles tinham discutido praticamente todos os dias desde que Becky havia adoecido. Antes disso sempre tinham conseguido lidar com suas diferenças de opiniões, mas a leucemia da filha os tinha separado de várias maneiras.

Mas Chris sabia que jamais pediria o divórcio. Não era uma questão de querer "ficar juntos por causa da filha". A questão era que ele não queria passar nenhuma noite longe da filha. Sabia que em breve Becky entraria na adolescência e não estaria mais tão disposta a passar o tempo junto com a família como antes. E ele queria que Becky soubesse que estaria sempre disponível para ela. Aqueles momentos espontâneos ainda aconteceriam normalmente entre eles. Ele seria tão legal para ela quando adolescente como o foi durante sua infância. Ele tinha de estar por perto para ter certeza de que tudo seria assim.

Polly obviamente não tinha esse tipo de preocupação, e certamente não se preocupava nem um pouco com ele. Para falar a verdade, eles já tinham se separado emocionalmente bem antes de terem realmente se separado de casas. Ele nem conseguia se lembrar da última vez em que passaram uma noite juntos ou que ele sentisse vontade de ficar sozinho com ela. Polly quase sempre ia para a cama uma hora depois de Becky, enquanto Chris lia ou ficava assistindo algum evento esportivo na televisão. A outra opção seria conversar, e bater papo era algo geralmente desagradável.

Deve ter havido uma época em que eles gostavam da companhia um do outro, não? Ele tinha vagas lembranças de gostar da presença de Polly, de ficar encantado com suas opiniões, e ainda mais fascinado pelo seu toque. Houve um tempo em que ele chamava Polly de seu "grande amor", não chamava? Houve uma época no relacionamento deles que ele sentia tanto a falta dela que chegava a doer fisicamente quando estavam separados. Ele tinha certeza disso.

No entanto, assim como tantas outras coisas que aconteceram antes de Becky ficar doente aos cinco anos de idade, essas lembranças eram difusas. Desde aquela época — e ele se lembrava disso claramente —, Polly e ele pareciam nunca concordar com coisa nenhuma. Eles se desentendiam sobre qual tratamento fazer e se deviam ou não procurar outros especialistas. Brigavam sobre o que contar para Becky e como lidar com a situação. Discutiam por causa do grande otimismo dele e sobre como lidar com os terríveis pesadelos que costumavam acordar Polly no meio da noite. Quando Becky entrou no período de remissão, eles ainda se questionavam sobre se deviam acreditar nisso ou não.

Àquela altura, eles nem precisavam mais de nenhum problema ameaçador para dar início a uma enorme briga. Eles brigavam até por causa do tempo.

— Não aguento mais isso — Polly disse a ele certa noite.

Ela tinha ido para o quarto havia cerca de meia hora, e Chris ficara surpreso por vê-la de volta na saleta onde estava. Ele mal levantou os olhos do livro que estava lendo.

— Ficar nessa casa com você é doloroso demais pra mim — ela declarou, sentando-se diante dele.

Chris abaixou o livro.

— Você quer que eu desapareça? — perguntou com sarcasmo.

— Não era essa a solução exata que eu estava imaginando.

Chris deu uma risada nervosa.

— O quê?

— Quem você está querendo enganar, Chris? Se realmente acha que estamos felizes juntos, vou me internar num hospício.

— Não acho que estejamos felizes juntos, Polly.

— Então por que você ainda está aqui?

Chris olhou de soslaio em direção ao quarto de Becky no andar de cima.

— Achei que isso fosse óbvio.

Polly olhou na mesma direção e fez uma careta.

— Isso não é casamento.

— É uma família.

Polly fechou os olhos e não disse nada por uns instantes.

— Essa não é minha ideia de família.

Chris respirou fundo.

— Você está querendo me dizer alguma coisa?

Os olhos de Polly o encararam firmemente.

— Quero que você se mude daqui.

Chris sentiu sua pele se eriçar.

— Não posso me mudar.

Polly franziu o cenho e inclinou a cabeça para a direita.

— Eu quero que você saia dessa casa. Não quero que as coisas piorem entre nós e não quero brigas. Vamos compartilhar a guarda de Becky. Você pode ficar com ela uma noite da semana e metade do fim de semana.

Chris deu uma risada pelo surrealismo das coisas que sua mulher tinha acabado de dizer.

— E você acha que isso é compartilhar?

— Ela precisa de um ambiente doméstico estável. Becky tem muitos trabalhos e projetos da escola agora. Ela não pode ficar indo pra lá e pra cá a semana toda.

A raiva de Chris evoluiu tão rapidamente que ele nem mesmo a sentiu irromper.

— Tudo bem. Você se muda e eu vou tomar conta de Becky e dar a ela um ambiente doméstico estável.

Polly se curvou para a frente na sua cadeira, numa atitude casual.

— Você sabe que as coisas não serão resolvidas assim caso entremos na justiça. Eu trabalho meio período. Estou disponível para levá-la à escola e estou em casa quando ela chega. Meu advogado me afirmou que nenhum juiz daria a guarda total pra você.

— Já falou com um advogado? — Chris ficou tão surpreso que as palavras quase não saíram de sua boca.

— Tinha que me proteger e me garantir antes de falar com você.

— Se proteger? — Chris se levantou e caminhou até o lado oposto da sala antes de se virar para ela novamente. — Quem você pensa que eu sou, um perseguidor? Também vai pedir uma medida cautelar? Não posso acreditar que você foi procurar um advogado antes mesmo de a gente conversar sobre isso!

— Não há nada pra conversar.

— Não vou simplesmente desistir dessa casa.

Polly o encarou por alguns segundos antes de falar novamente.

— Chris, entenda o que estou dizendo. Não há nada pra conversar.

As duas semanas que se seguiram passaram como se estivessem numa névoa. Contratar um advogado. Procurar outro lugar para morar. Controlar-se para não contar nada para Becky sobre isso, porque ele não queria que ela soubesse o quanto estava chateado, e também porque não sabia se podia esconder a raiva que sentia de Polly. Longas conversas com sua grande amiga Lisa sem falar de outro assunto que não fosse esse. Organizar as últimas coisas antes de partir, incluindo o horrível e insatisfatório acordo de guarda temporária, que acabou se tornando o acordo definitivo. Contar a notícia para sua filha e tentar resistir enquanto ela soluçava e aventava sua raiva ao mesmo tempo. Então, finalmente ir embora em seu carro, olhando pelo espelho retrovisor para ver Becky levantar a mão e murmurar "adeus". Ele se afastou do bairro antes de entrar num estacionamento e soluçar descontroladamente, vendo aquela palavra se formando nos lábios dela repetidamente, sentindo-se impotente, como se sua vida tivesse acabado um pouquinho cada vez que ela murmurava adeus.

Se era para ser honesto consigo mesmo, a vida — pelo menos a vida que ele amava profundamente — realmente tinha acabado naquele dia. A vida com Becky tinha sido um misto de descobertas instantâneas e pequenas pérolas de tempo.

Agora estava tudo reduzido a planos e momentos agendados. Pegá-la para jantar todas as terças à noite. Fazer o máximo possível em três de cada quatro finais de semana que terminavam às quatro horas da tarde do domingo. Tentar manter um nível de continuidade e relevância através de conversas telefônicas e ocasionais mensagens de texto. Ele rapidamente se transformaria num convidado na vida da filha. Alguns meses antes do divórcio, ele nunca teria imaginado isso.

O tráfego continuou pesado durante todo o caminho, só melhorando quando estava a alguns quarteirões da casa. Quando encostou na entrada da garagem, estava quase meia hora atrasado. Foi uma sensação estranha tocar a campainha da casa que uma vez tinha sido o seu lar.

Felizmente Polly não estava lá. Ela tinha saído para jantar com Al.

— A mamãe falou pra lembrar você que ela precisa do cheque pro meu ortodontista. — Foi literalmente a primeira coisa que Becky disse a ele.

— Existe alguma razão pra eu não pagar o dentista pessoalmente?

— Você vai ter de resolver isso com ela.

Becky pegou seu casaquinho e segurou a porta aberta para ele sair antes de fechá-la atrás de si.

— Desculpe pelo atraso. O trânsito por aqui ficou uma maluquice.

— Não tem importância. Eu estava na internet com alguns amigos.

Eles entraram no carro e Chris se aproximou para beijar a filha na testa. Ela se curvou na direção dele por um segundo e voltou a se recostar na porta do banco do passageiro.

— Estava pensando em comida chinesa — ele propôs. — Tudo bem pra você?

— Claro, tanto faz.

— O Rice Noodle?

— Tudo bem, serve.

Chris dirigiu em direção a Standridge novamente. O restaurante Rice Noodle foi inaugurado uma semana depois da mudança para o novo apartamento e foi um dos primeiros restaurantes a que ele havia ido com Becky depois da separação. Eles tinham exagerado no pedido naquela noite, mas Becky parecia querer experimentar de tudo — ele ficou encantado ao vê-la comer, principalmente depois do comportamento rabugento que ela exibia desde a separação — e, depois daquela noite, ele a levava ali com frequência.

— Tudo bem na escola hoje?

— Nada de especial. Prova de geometria. Estamos lendo a *Odisseia* na aula de inglês.

— Eca, detestei esse livro.

Becky franziu o nariz.

— Ele existe há mais de mil anos, pai. Deve ter alguma coisa boa nele.

— Tem muitas coisas boas. Mas isso não quer dizer que seja divertido.

— Tudo bem pra mim. Li os primeiros capítulos esta tarde. Percebi que muitas histórias se originaram dali. — Becky deu de ombros e Chris não sabia se ela estava dando a conversa por terminada ou se não queria saber a opinião dele. — Você tem alguma coisa nova no iPod?

— O novo álbum do Urgent.

Becky se virou para encará-lo, embora Chris não pudesse ver sua expressão enquanto dirigia. — Você gosta deles?

— Você me apresentou a eles.

— Eu fiz isso?

— Não se lembra? Faz uns seis meses, você e a Lonnie ficaram ouvindo músicas do último álbum deles no carro, o dia inteiro.

Becky acenou com a cabeça, lembrando.

— Humm... sim. Tem alguma coisa boa deles?

— Sim, tem algumas coisas muito boas. Você ainda não ouviu?

— Ninguém mais fala deles. Eu nem sabia que tinham lançado um *novo* álbum.

— Coloque uma.

Becky fez um movimento com as mãos

— Talvez na volta pra casa. O que mais você tem?

Chris apontou para o sistema de som do carro que controlava seu iPod.

— Tenho qualquer coisa que queira ouvir. Eu acabei de baixar bastante coisa, portanto tenho muita música nova.

Becky olhou a *playlist* dos "itens recém-adicionados".

— Arcade Fire, estou impressionada. Death Cab for Cutie, bom. Quem é Tim Buckley?

— Um cantor-compositor dos anos setenta. Ele teve um filho que mal conheceu e foi um dos integrantes do Next Big Thing nos anos noventa. Ambos morreram misteriosamente e muito jovens.

— Que estranho. Vale a pena ouvir?

— Algumas canções são muito boas. Por que não experimenta?

— Estou a fim de ouvir uma música mais pesada. Uau, você tem umas coisas novas do Crease? — Becky ligou o som. O carro imediatamente foi tomado pelo som estridente de guitarras, o ruído do baixo e muita angústia para um cantor de apenas vinte e um anos sentir. Chris tinha gostado dessa banda desde a primeira vez que a escutara e achou a nova música deles especialmente animada. Conversar agora era impossível, mas pelo menos Becky aprovava seu gosto musical, grande parte dele.

Quando chegaram ao restaurante, descobriram que estava praticamente vazio. Isso foi surpreendente, mesmo para uma terça à noite, porque o Rice Noodle havia recebido um prêmio de melhor restaurante chinês da região. A única outra mesa ocupada tinha uma mulher e duas crianças, que Chris imaginou terem por volta de seis e quatro anos de idade. Cerca de cinco minutos depois que eles se sentaram, um homem usando gravata e camisa com as mangas longas arregaçadas se juntou à outra mesa, levantando para o alto seu filho menor e o pendurando de cabeça para baixo. Isso fez o garoto dar gritinhos de alegria e a mãe pacientemente chamar a atenção da dupla indisciplinada. Chris observou a cena toda enquanto Becky examinava o cardápio.

Ele se virou para ela.

— O que você quer pedir?

— Não consigo decidir o que quero. — Ela fechou o cardápio e o colocou na mesa. — Não estava muito a fim de comida chinesa.

— Não? Então por que viemos aqui?

— Achei que você estivesse a fim de comer aqui.

— Eu? Eu apenas sugeri esse restaurante. Poderíamos ter ido a qualquer outro lugar.

— Não tem importância. Podemos pedir alguma coisa cozida no vapor e talvez um prato de *noodles*.

— Podemos ir embora se quiser.

Becky olhou em volta para a grande quantidade de mesas desocupadas.

— Não, pai, não podemos. Vamos pedir alguma coisa. O que você quiser está bom pra mim.

Chris encarou o cardápio, confuso. Ele nunca sabia como responder quando Becky se comportava desse modo. Como os pais rompem essas barreiras criadas pelos filhos? Ele imaginou se ela agia da mesma maneira com a mãe. Se o seu relacionamento com a ex-mulher fosse um pouquinho diferente, talvez pudesse perguntar a ela. Do jeito como as coisas estavam entre eles, não poderia confessar esses problemas de comunicação com a filha. Seria muita munição para o inimigo.

Uma vez feito o pedido, a comida chegou rapidamente. Becky não parecia estar com muito apetite — nem por comida, nem por discussão. Depois de tentar vários assuntos — trabalhos da escola, amigos, contar a ela sobre seu próprio trabalho, tentar fazer com que ela sugerisse algo para fazerem no final de semana —, Chris percebeu que estava se esforçando sozinho. Eles terminaram de comer em silêncio e foi ele quem ligou o iPod quando voltaram para o carro.

— Obrigada, pai, foi ótimo — Becky declarou quando chegaram à entrada da sua casa.

— Foi mesmo?

Becky pareceu ligeiramente surpresa ao vê-lo abordar o assunto desafiadoramente. Seu rosto demonstrava mágoa e confusão.

— Muito obrigada, pai — ela disse, tocando o braço dele antes de abrir a porta do carro.

Chris observou Becky subir correndo os degraus da varanda e entrar na casa. Ela ainda caminhava saltitando, cheia de vitalidade infantil, algo que fazia desde que começara a andar. Ele não tinha notado esse balanço no começo da noite.

Ela desapareceu por detrás da porta da frente. Chris percebeu que ainda sentia o toque da mão dela no seu braço. Mas, de todas as outras formas, não houve mais sinal dela pelo resto da noite.

* * *

— Devo me preocupar realmente com tudo isso? — Miea perguntou ao homem que Thuja havia mandado para lhe relatar os últimos acontecimentos.

— É um inseto, Vossa Majestade.

— E esse tipo especial de inseto existe apenas em Jonrae.

— Sim, Vossa Majestade.

— E ele se alimenta das plantas que no momento estão morrendo ali, o que significa que esse inseto, portanto, está se dizimando.

— Sim, Vossa Majestade.

Miea se recostou na cadeira. Seu pescoço estava rígido. Bem que precisaria de uma massagem nas costas. Gostaria ainda mais de receber algumas notícias boas.

— Então suponho que eu deveria estar tremendamente preocupada quanto a isso.

— O ministro me mandou dizer que acredita firmemente que não há motivo para alarme, que...

Miea ergueu a mão.

— Não há necessidade de me acalmar. E não quero escutar meias verdades ou afirmações vagas.

O homem curvou ligeiramente a cabeça.

— Vossa Majestade, estou relatando exatamente tudo o que sei.

— Tenho certeza que sim — Miea replicou, paciente. Não era culpa dele. Mas outra conversa séria com Thuja seria necessária. Ela precisava dizer a ele que esperava que os homens que viessem lhe trazer notícias fossem tão bem informados quanto o próprio Thuja. Miea sabia que a conversa ia irritar o ministro. No entanto, agora não havia espaço para se importar com egos feridos.

O homem partiu depois de alguns minutos tentando acalmá-la. Era óbvio que ele era bem-intencionado, mas completamente ignorante dos reais problemas que estavam assolando o reino. Apesar de tudo, o homem parecia bastante preocupado com a reação dela. Por que tanta gente parecia confundir sua juventude com fraqueza?

Miea poderia aceitar muito bem as notícias ruins. Nada seria tão chocante, nem tão devastador a essa altura da sua vida. No entanto, ela não tinha certeza do que poderia fazer em relação a isso tudo. Se realmente uma nova praga estiver infestando suas terras — e ela se conteve para não chegar a conclusões precipitadas —, será que estaria preparada para lidar com isso? Será que alguém estaria?

Ela ainda tinha alguns minutos. Tempo suficiente para preparar para si mesma uma xícara de argo. Claro que os empregados da cozinha ficariam espantados, e talvez até mesmo ligeiramente ofendidos com a presença dela, como costumava acontecer todas as vezes em que ela fazia isso. Eles nunca se acostumariam a vê-la preparando sozinha sua própria infusão de ervas, embora tivesse feito isso sua vida inteira. Miea seguiu pelo corredor e encontrou Sorbus, seu assistente particular, vindo em sua direção e trazendo uma bandeja de pedra trabalhada, sobre a qual estava um bule de madeira para o argo.

— Boa tarde, Vossa Majestade — ele a cumprimentou curvando a cabeça para a frente. — Achei que gostaria de uma bebida quente antes da próxima reunião.

Miea se esforçou para sorrir. Ela realmente detestava ser servida. Algumas vezes, quando as circunstâncias exigiam, isso era inevitável, é claro. Mesmo assim ela era perfeitamente capaz de preparar seu próprio chá.

— Obrigada, Sorbus. Eu estava exatamente planejando ir até a cozinha.

O homem deu uma risada, como se Miea estivesse brincando com ele e dizendo algum absurdo.

— Isso não é necessário, Vossa Majestade.

Miea revirou os olhos. Não adiantava tentar explicar isso para Sorbus ou a qualquer outro membro da sua equipe. Ela o acompanhou de volta até seus aposentos e permitiu que ele lhe servisse o argo, agradecendo novamente antes de ele se retirar. Ela se recostou na cadeira e tomou uns goles da bebida quente ainda borbulhante, enquanto pétalas de ingênito no fundo da xícara ainda desprendiam seu perfume. Foi o primeiro momento de tranquilidade que ela teve desde o amanhecer. A primeira oportunidade de pensar com clareza.

A primeira chance verdadeira de ficar sozinha com seus pensamentos.

Havia exatos quatro anos, Miea não acordara com o nascer do sol. Ela tinha tido aulas até tarde na véspera e preferira dormir mais, até um pouco antes do encontro com Dyson no meio da manhã. A noite anterior tinha sido a noite mais romântica da sua vida. Ela havia pensado que os planos deles para aquele momento envolveriam perguntas e respostas para a iminente prova de ética natural, mas Dyson tinha imaginado algo completamente diferente. Ele pegou emprestado o carro de um amigo e a levou para um passeio a uma hora de distância da universidade, até um pequeno restaurante perto do Perrot Arch. Debaixo de um toldo de folhas de kaibab, iluminado apenas pelo brilho das estrelas, da lua crescente e da incandescência esvoaçante dos mianuses, eles saborearam as delicadas criações da mulher que preparou todas as refeições ali pelos últimos trinta e sete anos. Uma espuma fina com essência de ádria. Um sutil ensopado branco de creme e caldo de lídia, salpicado com suculentas raízes de kunz. A leveza adocicada de jactorres perfeitamente elaborados.

No entanto, a comida e o ambiente não foram os elementos que tornaram essa noite especial. O Dyson que estava diante dela era um homem diferente. Eles estavam namorando já havia alguns meses, e ele sempre tinha sido muito gentil, sempre divertido e sempre tinha feito com que ela sentisse o quão importante era para ele. Mas ela também sentia que ele estava escondendo alguma coisa dela, pois não importava o quanto estivessem se divertindo um com o outro, Dyson nunca ficava completamente à vontade ao seu lado. Ela percebia isso na breve hesitação antes de beijá-la ou no modo como os olhos dele ficavam enevoados quando conversavam sobre o futuro. Até aquele momento.

— Eu estava me enganando — ele havia dito baixinho, só um pouquinho acima do tom suave da melodia da música okka que tocava ao fundo.

— O que quer dizer com isso? — ela indagou, aflita, imaginando irracionalmente que ele ia terminar tudo com ela.

Dyson tinha abaixado os olhos em direção à mesa, e olhava para as próprias mãos. Ele tinha sorrido timidamente para Miea e então voltado o olhar para longe.

— Passei os últimos meses tentando me convencer de que estava tudo bem no nosso relacionamento. De que eu aceitava o fato de que você fazer parte da realeza ia ficar entre nós algum dia. Eu realmente pensei que entendia tudo isso.

— Dyson, não sabemos se...

Ele segurou a mão dela e Miea parou de falar.

— Nós nos divertimos muito juntos, Miea.

— Sim, sempre.

— E podemos falar um com o outro.

Ela acenou com a cabeça concordando, relembrando as conversas que, várias vezes, os haviam mantido acordados durante a noite toda.

— Sim, é verdade.

Ele apertou a mão dela.

— E quando a toco, quando olho pra você, me sinto... não sei... em outro mundo. É como se o nosso contato existisse num outro plano, numa outra dimensão.

Miea não sabia o que responder, então simplesmente pegou a mão dele, a levou aos lábios e a beijou. Ele não podia estar terminando tudo com ela falando daquele jeito. Mas ela não tinha ideia do que ele pretendia dizer.

— E agora, percebo... — Ele hesitou, parecendo estar em dúvida se devia dizer mais alguma coisa. — ... percebo que realmente estava me enganando. Sim, compreendo que seu futuro foi preestabelecido e que nele não tem lugar para um botânico de Elcano, mas isso não importa. Não vou conseguir desistir do que construímos juntos. Amo você, Miea.

A confissão de Dyson a deixou tão aturdida que Miea ficou sem palavras. De onde aquilo tinha vindo? O que tinha acontecido que ela não tinha notado e havia feito com que ele reconhecesse a profundidade dos seus sentimentos?

— Você não queria ouvir isso, não é? — ele perguntou, parecendo se retrair um pouco.

Miea segurou a mão dele novamente, apertando-a com força de encontro ao seu rosto.

— Queria. E era realmente o que eu queria escutar. Eu simplesmente fui *pega de surpresa* ao ouvir sua declaração.

— Eu precisava que você soubesse.

Então Miea se levantou da cadeira e foi se aninhar ao lado de Dyson, puxando-o para perto de si num abraço bem apertado, até que ambos cambalearam e caíram juntos no chão. O garçom se aproximou rapidamente e perguntou se estava tudo bem.

— Não podia estar melhor — Miea afirmou. Ela se virou para olhar nos olhos reluzentes e suplicantes de Dyson, e o beijou, mais apaixonada e mais honestamente do que jamais havia feito. Dessa vez não houve hesitação alguma da parte dele. Miea não tinha passado muito tempo na sua adolescência pensando em romances, mas o que estava sentindo ia bem além de tudo o que havia imaginado.

— Também amo você — ela respondeu, e eles se beijaram novamente, antes de se ajeitarem e se sentarem novamente à mesa. Miea queria segurar Dyson bem perto de si, ficar olhando para ele do outro lado da mesa, indefinidamente. Queria vê-lo entrar no restaurante repetidamente. Ela queria ficar sozinha com ele e era ali exatamente que ela desejava estar, demonstrando seu amor na frente de todos. Ela tinha desejado qualquer coisa que incluísse Dyson, mas só percebeu que se sentia desse modo naquele exato momento.

De manhã eles tomaram café numa campina ao lado da universidade. Conversaram pouco enquanto comiam, mas as coisas entre eles estavam diferentes agora. Miea sentia que uma parte de si estava mesclada a ele e que essa parte dela estaria para sempre com ele. Do mesmo modo que um pouco dele sempre estaria com ela.

— Podíamos faltar às aulas — Dyson propôs, parecendo embriagado com o sol nascente da primavera, embora talvez estivesse inebriado com outra coisa totalmente diferente.

— Bem que eu gostaria. Mas você sabe que, se eu faltasse a uma única aula, eu causaria um escândalo real.

Ele deu uma risada.

— Deve ser insuportável ser perfeita o tempo todo.

Ela lhe deu um beijinho leve nos lábios e outro na ponta do nariz.

— Absolutamente insuportável.

Ele a abraçou e Miea pôde sentir o calor da respiração dele em sua nuca, os músculos firmes dos seus braços. Como seria ficar grudada nele para sempre?

Um momento depois, Dyson moveu o corpo, se afastou um pouco dela e começou a juntar as coisas deles.

— Vamos embora, meu amor perfeito, nosso professor nos espera.

Relutantemente ela se levantou. Caminharam colina abaixo, lado a lado, e Miea ficou imaginando como seria deixar o bom senso de lado e tirar o dia todo de folga para ficar junto do homem que amava. Seus pais certamente ficariam sabendo disso. Sua mãe ia franzir as sobrancelhas, desaprovando, e seu pai ia fazer alguns comentários sobre as responsabilidades que vinham com sua herança. Na verdade não era um preço alto demais para se pagar, e ela não tinha realmente intenção de adotar um estilo de vida irresponsável. Só mais algumas horinhas de lazer com Dyson e ela estaria de volta à escola no dia seguinte.

Ela considerou sua ideia ligeiramente extravagante e entraram no pátio principal da Escola de Estudos Naturais dez minutos antes da aula de Propagação e Perpetuação com o professor Liatris.

Assim que entraram, a companheira de quarto de Miea, Camara, correu apressada na direção deles, esbaforida e sem fôlego.

— Miea, procurei você por todos os lugares. Já foi ao prédio da administração?

— Do que você está falando?

— Eles mandaram uma meia dúzia de estudantes para procurar você. Você não encontrou ninguém?

Miea colocou a mão nos ombros da amiga.

— Não faço ideia do que está querendo me dizer.

— Você precisa ir ao prédio da administração.

— Por quê?

— Não sei o porquê. Só sei que eles disseram que você precisaria ir lá assim que a encontrássemos.

Miea olhou de relance para Dyson. Ela percebeu pela sua expressão preocupada que ele sabia que a escola não a chamaria para o prédio da administração por qualquer bobagem.

— Vou pra lá imediatamente — ela murmurou, apreensiva.

Dyson tocou seu braço.

— Quer que eu vá com você?

Ela sacudiu a cabeça.

— Você tem que ir pra aula. A gente se encontra mais tarde. — Ela lhe deu um beijo leve e se virou tão rapidamente que ele nem teve a chance de lhe retribuir o carinho.

O setor de administração era perto dali. *Estamos em guerra*, Miea pensou. Os problemas com os thorns estavam aumentando de proporção fazia alguns meses, e, da última vez que seu pai tinha vindo visitá-la, ele lhe contara que temia que as tensões entre os dois países crescessem cada vez mais. Certamente, isso significaria um aumento drástico de proteção e segurança para Miea, talvez até mesmo um séquito de guarda-costas particulares. Dyson não ia gostar nada disso. *Ela* não ia gostar nada disso.

O reitor Sambucus estava parado do lado de fora do prédio. Ficou óbvio para Miea, à medida que se aproximava, que ele estava esperando por ela. Assim que a viu, ele a fez entrar em seu escritório. Sentado ali dentro, sozinho, estava Amelan, o chefe de gabinete de seus pais.

Um arrepio percorreu a espinha de Miea quando viu o homem. *Ele não estaria aqui se estivéssemos em guerra. Estaria envolvido nos planejamentos. Isso é sobre algo diferente.*

— Olá, Miea — ele disse. — Por favor, sente-se.

Miea sentou-se um tanto hesitante enquanto o reitor saía da sala. O ar estava parado. O que era aquela vermelhidão nos olhos de Amelan?

— Está tudo bem? — ela indagou, sabendo que a possibilidade de estar "tudo bem" era algo remoto.

— Aconteceu um acidente. — Ele curvou a cabeça e a sacudiu vagarosamente. Quando ele se ergueu para olhá-la novamente, Miea percebeu, sem sombra de dúvidas, que Amelan havia chorado recentemente. De repente ela começou a se sentir meio zonza. — Houve um cortejo de carros esta manhã no Ridge. O rei e a rainha... sinto muito, seus pais... iam em direção a Gunnthorn para se encontrar com o primeiro-ministro thorn a fim de começar as negociações para um tratado de paz. Quando cruzaram a ponte Malaspina, ela cedeu.

Miea cobriu a boca com as mãos. Ela fechou os olhos, na esperança de que essa conversa fosse apenas parte de um horrível pesadelo.

— Receio que perdemos toda a comitiva.

Os olhos de Miea se arregalaram.

— Papai e mamãe.

— Não tenho nem palavras para expressar meu pesar, mas eles se foram. A ponte ficava a mais de trezentos metros acima da água.

Miea apoiou a cabeça sobre a mesa e soluçou. Soluçou por um tempo indeterminado que parecia não ter fim, e ainda assim não pareceu ter sido o bastante. A certa altura ela sentiu uma mão se apoiar nas suas costas, que ela pensou ser de Amelan, embora seu sofrimento a consumisse de tal maneira que ela não tinha certeza de mais nada. *Meu pai e minha mãe se foram de repente. Sem nenhum aviso. Sem nenhum adeus.* Finalmente ela levantou a cabeça. O mundo parecia turvo através de suas lágrimas.

— Você precisa voltar para o palácio comigo. O país inteiro vai ficar sabendo dessa tragédia em alguns minutos, e todos ficarão chocados e arrasados. Precisam saber que o futuro deles está assegurado. Eles precisam ver você, Vossa Majestade.

Vossa Majestade. Quantas vezes ela havia experimentado dizer esse título ao longo dos anos? Quantas vezes havia imaginado como seria se sentar no trono e receber seus súditos? No entanto, jamais havia imaginado fazer isso antes de completar vinte anos. E, mesmo assim, seria com a presença de seus pais ao seu lado, ensinando-a como governar o reino.

— Vossa Majestade.

A distinção não parecia natural. Como se não combinasse com ela.

— Vossa Majestade.

As investigações tinham continuado por certo tempo. Depois de cada relatório, Miea exigia mais um. Tinha que existir um motivo que explicasse o que tinha acontecido. Pontes não caem simplesmente. Alguma coisa — alguém — tinha de ser responsável. Se não fossem os thorns, seria alguma outra facção. Era impossível acreditar que um acidente dessa magnitude fosse apenas obra do acaso, muito embora todas as análises feitas demonstrassem isso.

— Vossa Majestade.

Miea sentiu o calor da xícara de madeira em suas mãos, e inalou o perfume efervescente do ingênito. Aos poucos percebeu uma voz chamando por ela. Aqui. Hoje. Quatro anos mais tarde.

Ela olhou para o alto. Os olhos de Miea se ajustaram ao presente.

— Vossa Majestade, o embaixador está aqui — Sorbus declarou. — Ele a está esperando na sala de reuniões.

— Obrigada.

— Precisa de mais alguns minutos?

Não, preciso de muito mais que alguns minutos. Muito mais que você ou qualquer outro desse reino possa me oferecer, Sorbus.

— Não, muito obrigada. Por favor, diga ao embaixador que me encontrarei com ele imediatamente.

* * *

— Ele não falou nada sobre isso? — Lonnie perguntou quando Becky ligou para ela alguns minutos depois que seu pai a havia deixado em casa.

— Nem uma palavra.

— Você acha que ele esqueceu?

— Meu pai? Sem chance. Ele sabia que dia era hoje. E ele tinha que saber que *eu* sabia.

Becky se lembraria daquele dia para sempre, disso tinha certeza. O final de semana todo tinha sido uma loucura, desde o momento em que seus pais a fizeram se sentar para conversar com eles naquele sábado de manhã e lhe contaram que estavam se separando. Papai já tinha um novo lugar para morar em Standridge, portanto eles não estavam querendo a sua opinião. A mensagem básica deles foi que ela deveria ficar quieta e simplesmente aceitar os fatos. A atitude do seu pai foi quase tão assustadora quanto a própria notícia. Apesar de tudo, ela ficou ao lado dele durante todo o dia, enquanto ele fingia que estava tudo bem — mesmo enquanto ele arrumava suas coisas e as guardava dentro das caixas. Quando ela decidiu confrontá-lo e pedir algumas explicações, ele havia simplesmente dito um montão de coisas vazias. *Vai dar tudo certo. Às vezes a vida pega atalhos inesperados, Beck.* É mesmo, pai? Não dá para ser um pouco mais óbvio e dizer que sou jovem demais para lidar com o que realmente está acontecendo? Ela se lembra de ter ficado com muita raiva dele, como nunca havia sentido antes. Ela deveria tê-lo forçado a compreender como ela se sentia. Mas Becky simplesmente não conseguiu se abrir, e isso a deixou ainda mais furiosa.

É claro, ela sabia que o casamento dos pais não era nenhuma maravilha. Isso não era difícil de perceber. Ela nem se lembrava da última vez em que tinha visto os dois de mãos dadas ou se beijando. E às vezes eles eram desnecessariamente grosseiros um com o outro. Mas ela não esperava que eles fossem desistir e abrir mão de tudo. Não era assim que acontecia quando as pessoas se importavam com suas famílias.

E o seu pai fingir que estava tudo bem, quando qualquer idiota podia perceber que não estava, era um insulto. Pelo menos sua mãe tivera a decência de demonstrar que estava chateada. Seu pai ficou andando pela casa como se tivesse levado uma pancada na cabeça, mas, todas as vezes que a via, ele sorria e conversava sobre o que os dois fariam no final de semana seguinte. O que estava errado com ele? Ele não tinha ficado assim nem mesmo quando ela ficara doente.

Ficar observando enquanto ele ia embora em seu carro naquela tarde de domingo, foi uma das piores experiências de toda a sua vida. Ela começou a chorar assim que o carro virou a esquina e sua mãe ficou abraçada a ela durante horas, deixando que ela desabafasse o mais que possível toda a sua dor. Finalmente entraram em casa e ficaram jogando jogo de tabuleiro na saleta e comendo biscoitos em vez de jantar. Mais tarde, naquela mesma noite, quando Becky pediu à mãe que explicasse o que tinha acontecido, ela foi direta e lhe disse que ela e o pai estavam tendo problemas já havia bastante tempo. Ela não tentou fingir que não sabia o que havia provocado a separação, do modo como seu pai havia feito. Pelo menos sua mãe a levava a sério.

Quando seu pai ligou mais tarde, a raiva que Becky estava sentindo dele tinha extrapolado.

— Oi, querida, foi tudo bem no restante do seu dia? — ele perguntou.

O que ele esperava?

— Foi tudo bem.

— Está quase na hora de dormir, não é mesmo?

— É, acho que vou subir daqui a pouco.

Houve uma longa pausa ao telefone, e Becky imaginou o que seu pai estaria fazendo. Será que ele simplesmente planejava ficar parado desse jeito? Será que era essa a sua ideia de passar um tempo ao lado dela? Finalmente ele perguntou:

— Quer ouvir uma história?

— Uma história?

— Lembra que eu costumava contar uma história ao telefone quando viajava a trabalho?

Becky não conseguia acreditar que ele estava sugerindo isso.

— Não quero ouvir uma história, pai.

Houve outra pausa silenciosa e então seu pai acrescentou:

— Tudo bem. Podemos esperar até o fim de semana.

Becky sentiu sua garganta se apertar.

— No próximo fim de semana também não vai dar.

— O que quer dizer com isso? — Ao pronunciar essas palavras, a voz dele parecia meio trêmula, talvez ela tivesse sido meio dura com ele.

— Não estou mais a fim de inventar histórias de Tamarisk.

Becky sentiu a própria voz tremer um pouco, mas conseguiu dizer tudo.

— Meu bem, sei que as coisas ainda estão meio confusas agora, mas...

— ... pai, pare. Não me trate como se eu fosse uma criança. Não sou mais um bebezinho.

A voz do pai soou baixa quando ele respondeu.

— Sei disso, meu bem.

— Não quero mais saber de Tamarisk, pai.

Outra longa pausa.

— Se é assim que você se sente nesse momento, tudo bem.

Becky agarrou o telefone com mais força.

— É assim que eu me sinto, ponto final. — Ela sentiu os olhos marejarem e sabia que ia ser difícil ficar firme com tudo o que estava acontecendo à sua volta. — Olhe, preciso ir pra cama.

— Tudo bem, querida, vá. Amo você.

— Tá. Também amo você, pai.

Becky começou a chorar assim que desligou o telefone. E quando se deitou e pensou no que havia dito ao seu pai sobre as histórias de Tamarisk, chorou ainda mais. Mas ela não ia mudar de ideia. Tudo estava diferente agora. Isso significava que as histórias daquele lugar teriam de ir embora também.

Agora, no quarto aniversário daquele dia terrível, seu pai ainda estava agindo como se tudo estivesse normal. Muito embora estivesse bem claro que *ele* não estava bem, que não estava bem desde o dia em que foi embora.

— Então por que você acha que ele não disse nada? — Lonnie quis saber.

— Provavelmente ele não quer que eu me preocupe com isso. Ele deve achar que agindo assim está me protegendo ou outra coisa qualquer. Dá pra acreditar numa coisa dessas?

— Você já falou com ele sobre isso?

— Sim, é claro que já conversamos sobre isso. Quer dizer, é meio difícil acreditar que nada aconteceu em quatro anos. Mas ele nunca se abre comigo. Nunca me diz o que realmente está sentindo. Ele nunca conta o seu lado da história. E você sabe, nós dois sempre conversávamos bastante antes disso. Mas agora parece que ele é um Pai Fantasma. Ele está aqui, mas não está realmente presente, entende o que estou querendo dizer?

— Não faço ideia.

— Isso é porque os últimos catorze anos da sua vida têm sido a maior moleza. Você pelo menos já teve uma espinha?

— Não estamos falando das minhas espinhas, e, sim, eu já tive algumas, estamos falando do seu pai.

O telefone parecia pesado nas mãos de Becky.

— Não quero mais falar sobre o meu pai.

— Parece que ele não é o único evitando falar sobre o assunto.

— Me dá uma folga, tá! Você sabe que esta data é bem difícil pra mim. Minha mãe saiu para um jantar romântico com seu novo marido e meu pai parece um zumbi. Tem mais alguma coisa pra eu dizer?

— Não, acho que você já disse tudo.

De repente Becky parecia estar muito cansada.

— Por incrível que pareça, é verdade. Olhe, vou pra cama. O dia de hoje me deixou exausta.

— Acho que posso dar uma fugidinha de casa mais tarde, se você precisar.

Imaginar Lonnie descendo pelo telhado da sua casa fez Becky dar o primeiro sorriso em horas.

— Vamos deixar isso pra um momento de crise real. Acho que sobrevivo a essa noite.

— Tem certeza?

Becky fechou os olhos. Ao fazer isso, a imagem da expressão do seu pai quando ela se virou para sair do carro naquela noite apareceu, nítida. Ela não tinha prestado atenção antes. Parecia que ele estava esperando por alguma coisa.

— Sim, tenho certeza. Eu sempre tenho.

3

Os sussurros eram silenciosos. A gritaria, menos enraivecida do que de costume. Gage se acomodou nesse momento temporário de equilíbrio. Momentos como esse passavam rapidamente. O equilíbrio nunca durava muito. Nem ninguém estava preparado para o universo como ele era. Isso ia além das suas capacidades. Tudo que ele podia fazer era dotar e imaginar.

Um murmúrio se destacou dos outros. De certo modo era algo conhecido, mas tinha um timbre diferente. Gage não tinha prestado atenção a essa voz em particular. Era uma voz cansada. Uma que havia passado por uma experiência dolorosa. Era a voz de um velho em um jovem.

Gage se concentrou naquela voz com mais cuidado. Havia mais coisa por trás da sua história. Significativamente mais. Uma sensação de desconexão. Essa história tinha terminado antes mesmo de começar.

Com espanto, ele percebeu que essa voz vinha de alguém que anteriormente havia recebido um de seus dons. Isso era algo extremamente raro. Nunca havia acontecido dessa maneira. Diante dessas extraordinárias distrações de um dom, entretanto, havia perigos. Perigos profundos. Essa voz — na verdade, a origem dessa voz — estava com muitos problemas. Problemas mortais.

A pessoa que sussurrava segredos parou. Muito sofrimento. Muita dor. Repressão demais. Ela não tinha recursos para continuar a história, embora continuar a contá-la fosse mais importante do que qualquer outra coisa.

Gage deu um dom para aquela que sussurrava. Isso, pelo menos, deveria ser capaz de lhe oferecer um pouco de serenidade. Talvez algo mais. Talvez um modo de se reconectar com a sua origem. Um modo de continuar a história.

Quando a oportunidade surgisse, Gage ia oferecer a eles a ponte. No entanto, os dois iam precisar atravessá-la sozinhos. Precisariam encontrar seu próprio caminho para harmonizar seus sussurros.

Até isso acontecer, Gage continuaria a escutar.

Essas histórias continham muitas promessas.

* * *

Lisa gostava de frequentar bares. Como Chris gostava de Lisa, a considerava sua melhor amiga, ele ia aos bares com ela. Para ele, esse tipo de lugar havia deixado de ser interessante desde a faculdade. Será que ele precisava de alguém para servir sua bebida? Seu copo de vinho cabernet não precisava de nenhum tipo de preparação especial. Se ele pudesse escolher o que estava bebendo agora de uma carta de vinhos mais ampla, certamente não estaria bebendo a mesma coisa. Se ele pudesse escolher a música, certamente escolheria uma menos tocada pelas rádios, e uma cadeira com encosto seria definitivamente sua escolha. Mas Lisa gostava de ir a esses lugares, por razões que ela nunca deixara bem claras em tantos anos de amizade. Assim, eles foram.

— Eu realmente acho possível fazer com que a morte da minha mãe pareça um acidente — ela comentou, pensativa.

— Você pode acreditar nisso, mas os peritos criminais iam chegar em você.

Ela se afundou de modo dramático na cadeira.

— Você deve estar certo. Que droga esses avanços tecnológicos.

— Além do que, não acho que o fato de ela te ligar três vezes ao dia seja justificativa pra assassinato.

Lisa apoiou as mãos na cabeça.

— É porque não é você que tem que atender essas ligações. Tente escutar todos os dias, por pelo menos uns vinte minutos, o resumo dos programas da TV da noite passada. Tente ouvir as reclamações mesquinhas da sua amiga Millie, várias e várias vezes. Experimente ouvi-la contar as conversas que teve com o cara da loja Stop & Shop. Você não ia me condenar assim tão rapidamente.

Lisa dramaticamente esvaziou seu copo — essa noite ela estava bebendo Cosmopolitans — e o colocou de volta sobre a mesa.

Chris deu uma risada.

— Sua mãe me chama de "querido". Por mim, nada do que ela faz está errado.

— Preciso de um novo melhor amigo.

Lisa fez sinal para o garçom e pediu outra bebida. Ela apoiou os dois cotovelos na mesa e se inclinou para perto dele. Essa pose a deixava pelo menos uns vinte anos mais jovem, especialmente na luz obscura do bar. Chris costumava imaginar como Lisa era quando estava na faculdade. Ela parecia estar perpetuamente com seus trinta e tantos anos, muito embora eles tenham se conhecido quando já estavam com vinte e poucos.

— Alguma novidade no trabalho?

Chris suspirou automaticamente.

— Uma das mulheres da minha equipe, que está de licença maternidade, me ligou ontem pra dizer que decidiu ficar em casa para criar o filho, um cara veio ao meu escritório hoje pra me dizer que está sendo assediado sexualmente e a direção decidiu que o aumento salarial desse ano não vai passar de dois por cento. Já lhe contei como eu adoro ser um administrador?

— Você deveria ter pego aquela vaga em Rhode Island.

— Era o lugar errado na hora errada.

— Era o emprego certo.

— No lugar errado, na hora errada.

— O emprego em Westport, então.

— A empresa estava começando. Os riscos eram enormes.

Lisa deu um tapinha na mão dele.

— Você soube que as ações deles estouraram, não soube?

Chris puxou a mão e fez um gesto com ela.

— Sim, eu sei que as ações deles subiram vertiginosamente. Infelizmente, minha bola de cristal estava no conserto naquele dia em que eles me ofereceram o emprego, então não pude ver o futuro.

Lisa sacudiu a cabeça, olhou de relance pelo ambiente e fingiu se concentrar na música que animava o lugar. Chris simplesmente encarou o seu vinho nada especial.

Quando a nova bebida de Lisa chegou, ela tocou seu copo no dele, chamando sua atenção.

— Então, você nunca mais teve a oportunidade de *gerar* alguma coisa?

"Gerar" era o nome de brincadeira que Lisa dava para a engenharia genética, trabalho que Chris havia desenvolvido por quinze anos, antes de ser promovido para o andar de cima, havia dois.

— Não tenho inventado nada há séculos. Nada, um mestrado em Botânica hoje em dia só serve pra uma coisa: revisão de orçamento.

— Você não precisava aceitar a promoção, sabe disso, né?

— Eu não deveria ter aceitado a promoção. Mas aceitei. Agora, não tem mais volta. Não vamos mais falar sobre isso de novo nos próximos cinco minutos.

— Ei, pelo menos no seu emprego você pode ser promovido. Estou presa no mesmo lugar até me aposentar.

Chris deu um sorrisinho sarcástico.

— Sim, é um trabalho duro. Você vendeu duas casas de milhões de dólares no mês passado, não é? Enquanto você estiver trabalhando com essa clientela de alto nível, clientela que não entra em recessão, você recebe promoções o tempo todo.

— Mas não casos de assédio sexual.

— Você sempre pode dar início a um.

Lisa resmungou.

— Você não tem visitado o escritório. A única coisa que eu poderia iniciar seria um caso de assédio assexual.

Chris deu uma risada apesar de tudo.

— Por falar em sexo, como estão as coisas com o Ben?

— Acho que ele está em Melbourne hoje à noite. Ou isso ou está em Taiwan. Ele chega qualquer dia da próxima semana. Acho que tem uma parada prevista em Connecticut antes do fim da primavera.

— É o relacionamento perfeito.

Lisa revirou os olhos.

— Sim, perfeito. Estamos juntos já há quase três anos e acho que passamos menos de cem dias juntos no mesmo lugar.

— E vocês nunca brigam e o sexo é fantástico.

— Isso é verdade.

— Qual a desvantagem?

— A desvantagem? — Lisa olhou em volta e se inclinou um pouco mais para a frente, como se estivesse prestes a declarar um segredo de estado. — Acho que estou apaixonada por ele.

Isso foi uma surpresa. Em todos esses anos em que foram amigos, Chris nunca tinha ouvido Lisa dizer que estava apaixonada por alguém.

— É mesmo?

— Devo estar me enganando. Mas eu sinto cada vez mais a falta dele. Ultimamente, faço ele ficar cada vez mais tempo comigo ao telefone.

— Tal mãe, tal filha.

Lisa se aproximou mais e lhe deu um soco no braço.

— Isso é uma injustiça.

Chris esfregou o braço.

— Então, o que você está pretendendo fazer em relação a esses sentimentos?

— O que *posso* fazer em relação a isso?

— Contar pra ele?

— E estragar o relacionamento que temos? Acho que não é uma boa ideia. Não, de jeito nenhum. — Ela olhou para Chris como se ele fosse uma criatura de outro mundo. — Então, já que você não comentou nada sobre isso, acredito que seu encontro com a Patty tenha sido exatamente igual aos seus encontros anteriores.

Chris se encolheu ao ouvir sobre o último encontro que Lisa havia lhe arranjado. Ela estava fazendo isso desde alguns meses após o divórcio. Ela parecia ter um suprimento sem fim de mulheres disponíveis para ele sair, e um otimismo infindável nesses encontros às escuras, apesar do terrível resultado apresentado por ele.

— Receio que sim.

— O que você fez de errado dessa vez?

Chris fingiu ficar ofendido.

— Por que você automaticamente assume que eu sou o responsável por estragar tudo nesses encontros?

— Você quer mesmo saber?

Chris sabia que não deveria entrar por esse caminho.

— Ela parecia ser bem agradável. Gosta de livros, de sushi e tem uns olhos lindos. Achei que as coisas estavam indo muito bem.

— Até...

— Até que eu fiquei triste.

— Você ficou triste? Incrível, eu nunca tinha ouvido essa desculpa antes.

— Teve algo a ver com a data do aniversário.

— Ah, sim, o dia da desonra.

Chris a olhou de um modo estranho, a alertando para não brincar com isso, e ela levantou as mãos reconhecendo que havia errado.

— No próximo ano você deveria se lembrar e não marcar nada perto dessa data — Chris comentou. — Não sou muito bom pra lidar com isso.

— Meu bem, a certa altura você vai ter de aprender a lidar com isso.

— Já passei dessa fase. Mas isso não quer dizer que não ficou marcado, de um jeito ou de outro.

Lisa acenou com a cabeça vagarosamente. Ele não tinha certeza se ela estava reconhecendo seu argumento ou se era seu jeito de recriminá-lo.

— Como estava Becky quando você a viu naquela noite?

Chris deu de ombros.

— Quem vai saber? Talvez eu seja a última pessoa no planeta capaz de responder a essa pergunta.

— Adolescentes são difíceis.

— As coisas não eram assim entre nós.

— Na verdade, eram sim. Pelo que eu observo, não importa como era seu relacionamento com seu filho antes de ele virar um adolescente. Quando chega nessa fase, tudo vira de cabeça pra baixo. Mas eu entendo o que você está querendo dizer. Vocês dois se relacionavam bem.

— Excelente uso do passado do verbo.

Lisa tocou novamente a mão dele, mas dessa vez ela a apertou. Chris apertou de volta e por um momento seus olhos se encontraram. Quantas vezes ao longo desses anos ela o animou, quando Becky ficou doente, quando as coisas começaram a desandar com a Polly, quando ele saiu de casa? Não havia nada que substituísse os velhos amigos.

— Sabe, por algum motivo eu ainda penso naquele mundo de fantasia que vocês dois criaram — Lisa declarou. — Que jeito maravilhoso de se passar o tempo ao lado de um filho. Às vezes, quando estou mostrando uma casa e entro num quarto de criança, isso me faz lembrar de vocês dois contando histórias juntos. Era uma coisa incrível.

Era inquestionavelmente uma coisa incrível. A inspiração para isso deve ter sido um dos momentos mais fascinantes que Chris já vivenciou. Foi uma semana após o início do primeiro tratamento de quimioterapia de Becky, e a garotinha de cinco anos de idade estava visivelmente assustada e confusa. Ela tinha dificuldade para dormir e ele já tinha passado diversas noites acordado ao lado dela, tentando descobrir algum modo de consolá-la, de aliviar sua cabecinha. Chris nunca tinha acreditado que Becky fosse morrer — seu fracasso em "levar sua doença a sério" foi na verdade um dos pontos que levaram ele e Polly a brigar naquela época —, mas ele não conseguia imaginar nenhum outro modo pelo qual ele pudesse incutir confiança na filha.

Na quarta noite que eles passavam acordados juntos, Chris se recostou na cabeceira da cama de Becky, com a cabecinha dela apoiada no seu peito, a posição favorita deles. Eles não falaram nada por cerca de uns quinze minutos, mas Becky ainda não estava pronta para dormir, exatamente como quando a inquietação dela no quarto o havia acordado há uma hora. Ele detestava a ideia de tudo isso ser tão assustador e confuso para ela. E adoraria poder dizer a ela que tudo ia ficar bem e ela acreditar nele. Mas a sua linguagem corporal contava uma história diferente.

Naquele momento, ele teve uma ideia, como se a houvesse recebido de algum entregador de um serviço postal extraterrestre.

— Vamos fazer uma coisa — ele disse, um pouco surpreso pelo som de sua voz depois de um longo período de silêncio.

— Não acho que eu aguento fazer muita coisa agora, papai — Becky disse, cansada.

— Não quero dizer fazer alguma coisa com as mãos, mas com a mente. Você quer?

— Fazer alguma coisa com as nossas mentes?

— Uma história. Não apenas uma simples história. Vamos inventar um mundo inteiro pra colocar lá dentro.

Becky se endireitou e olhou para o pai. Eles já haviam criado histórias antes, em longas viagens de carro, e geralmente baseadas nos personagens de um dos livros que estavam lendo na hora de dormir. O que ele estava sugerindo agora era uma coisa bem diferente, e ele pôde perceber pela expressão espantada no rosto dela que ela ficara curiosa.

— Como vamos fazer isso?

— A gente simplesmente começa — Chris disse, se mexendo na cadeira levemente. — Agora. Que tipo de mundo vai ser?

Becky pensou por um momento e então seu rosto se iluminou, seus olhos azuis estavam brilhantes como ele não via há meses.

— Vamos criar um reino. Como o do livro que a gente leu outro dia.

— Rei ou rainha?

— Rei *e* rainha? Juntos. — Ela colocou a mão na testa por um segundo. — E eles têm uma filha adolescente que é muito inteligente e são muito orgulhosos dela.

Talvez algo parecido com a sua prima Kiley que você adora?, Chris pensou.

— Tem magia nesse mundo?

— Um montão — Becky falou com um sorriso largo. — Em todos os lugares.

— Vacas?

Becky deu uma gargalhada. Fazia muito tempo ele não ouvia esse som.

— Vacas?

— É um detalhe importante. Existem vacas, porcos e pássaros nesse mundo ou são criaturas diferentes que nunca vimos antes?

— Que tal vacas-porcos voadoras?

Chris deu uma risadinha.

— Podemos fazer isso.

— E peixes que falam.

— Como a gente vai ouvi-los debaixo da água?

— Eles não falam quando estão debaixo da água, papai. — Becky disse isso como se todo mundo já soubesse. O fato de ela estar tão empolgada até para chamar a atenção dele foi uma grande novidade para Chris.

— Certo, isso mesmo. Então vamos ter peixes que falam e andam.

— Eles não andam. Eles rolam. Bem, não exatamente rolam. Eles ficam dando pulinhos por aí pra chegarem onde querem.

A conversa continuou até Becky começar a bocejar, apoiar a cabeça no peito do pai e cair no sono. Na noite seguinte, na hora de dormir, eles continuaram a inventar partes do mundo, e ficaram tão envolvidos nesse exercício que só começaram a criar uma história na outra noite — que foi a primeira noite que Becky dormiu bem em mais de uma semana.

Eles chamaram o reino de Tamarisk — por causa de uma árvore que Becky adorava, de um de seus livros de figuras sobre a vida das plantas que Chris havia comprado para ela —, e a história evoluiu de várias maneiras ao longo dos anos seguintes. À medida que Becky foi ficando mais velha, os peixes deixaram de falar e ela substituiu as vacas-porcos voadoras por outras criaturas saídas da sua própria imaginação, com nomes que ela parecia ter um prazer enorme em escolher. Quando tinha nove anos, ela decidiu que deveria haver uma lógica interna nesse processo de dar nomes. Chris tinha chegado do trabalho certa noite e ela entregou a ele uma lista de regras regulando a nomenclatura tamariskiana. Embora algumas coisas ali não mudassem nunca. O mesmo rei e a mesma rainha ainda reinavam no país, eles ainda tinham como seus mais ferozes inimigos os thorns, povo que fazia fronteira ao sul do reino, muito embora isso não seguisse as regras da nomenclatura, e a linda, inteligente, sofisticada e brilhante princesa ainda estrelava quase todas as aventuras.

Em vez de ficarem menos importantes depois que o câncer de Becky entrou em remissão, as visitas noturnas a Tamarisk se tornaram o ponto alto dos dias. Se Becky fosse dormir na casa de uma amiguinha, ou Chris tivesse algum compromisso de trabalho, eles davam um jeito de dar uma passadinha rápida em Tamarisk, mesmo que fosse só por alguns minutos.

Então, com a mesma rapidez chocante do final do seu casamento, tudo acabou. No dia em que ele se mudou de casa, Becky declarou que nunca mais ia querer contar outra história de Tamarisk. Chris tinha certeza de que isso era, em parte, reação ao divórcio deles — ele percebeu certa hostilidade naquele dia, que nunca havia visto antes e que não conseguia entender por completo — e de que com o tempo eles voltariam. Isso nunca aconteceu, e os anos de criação entre eles chegou a um nível místico, como se fosse parte de uma lenda e não da vida real.

— *Foi* uma coisa incrível — Chris disse, levantando os ombros num movimento que indicava que ele ainda não estava convencido disso.

— A vida é longa, queridinho.

— O que quer dizer com isso?

— Significa que os nossos relacionamentos passam por fases. Como uma sinfonia. No momento você está vivendo uma *fuga* com Becky. Isso não quer dizer que daqui a um mês, ou três, você não vai estar novamente bem com ela.

— E se a *fuga* for o último movimento?

— Não é. Mesmo que você não acredite nisso.

— Vamos dizer que eu não queira acreditar nisso.

— É importante que você saiba fazer essa distinção.

Chris olhou para Lisa e deu uma risadinha. Ela olhou de relance para seu relógio.

— Sinto muito, mas acabou o tempo de reclamações. O resto da noite vai ser dedicado aos meus problemas e pra você me dizer como eu sou maravilhosa.

Chris fez como se fosse se jogar aos pés de Lisa.

— Como desejar, madame.

4

Cam Parker era um cara verdadeiramente maravilhoso. Era o tipo de garoto que a gente poderia ficar olhando por um longo tempo sem ver nada de errado nele. Sim, ele sabia disso, sim, ele definitivamente fazia poses a todo momento, mas isso não apagava o fato de ele ser bonito. E, para Becky, ele era especialmente lindo quando falava com *ela*.

— O som da guitarra é tão irado. É tudo...

Cam rasgou o ar com um acorde cheio de efeitos, seu rosto se contorcia como o de um roqueiro no palco. Sim, ele também ficava muito bonito fazendo aquilo.

— O som da guitarra elétrica é bom, mas o som acústico é um pouco inferior, você não acha?

— Eu acho que é fantástico. Você acha inferior a quem? — Becky inclinou sua cabeça. — Você não escuta acústico nas coisas do Pearl Jam nem dos Guns N' Roses?

Cam olhou com uma expressão tola, mas ainda bonita.

— Não sei do que você está falando.

Becky primeiro pensou que ele estivesse tirando uma com a cara dela. Então ela percebeu que talvez ele não soubesse do que ela estava falando.

Às vezes, ela se esquecia de que poucos de seus amigos haviam tido uma educação baseada na cultura roqueira como ela.

— Nada — ela disse, não querendo parecer que ela o estava desafiando.

— Você vai na batalha das bandas sexta à noite?

— Sem dúvida. Thunderclap vai arrasar com todos. — Becky achava Thunderclap peso-leve, mas preferiu não dizer. — Acho que vai ser um bom show.

Cam inclinou-se sobre a mesa do refeitório. Mesmo sentindo o rosto corar, Becky notou que ele parecia especialmente bonito daquela distância.

— Talvez a gente possa ir junto — ele sugeriu, seguro de si.

Aquilo servia para Becky. Ela estava prestes a dizer isso a ele quando viu a expressão no rosto de Cam mudar, e então notou uma gota de sangue sobre a mesa. Assim que percebeu que o sangue vinha de seu nariz ela imediatamente colocou a mão sobre o próprio rosto. Pegando um guardanapo, pediu licença e rapidamente saiu do refeitório em direção ao banheiro feminino mais próximo. Passou por duas alunas que ela não conhecia, entrou em uma cabine vazia e trancou a porta. Ela trocou o guardanapo por um maço de papel higiênico e inclinou a cabeça para trás o máximo possível.

Isso não podia estar acontecendo. Talvez explicasse as tonturas, mas se o nariz estava sangrando também... ela mal conseguia pensar nisso. Seu nariz não sangrava desde que ela tinha cinco anos. Lá atrás, antes de a quimioterapia funcionar e ela melhorar. Sim, de uma coisa ela sabia: tecnicamente, ela estava em remissão e não curada. Mas, depois de tanto tempo, você pode começar a dizer que tinha derrotado a “coisa”, certo?

Becky se lembrou daquelas horríveis sessões: o quanto elas a fizeram vomitar, o quanto elas a fizeram se sentir mal e como ela às vezes nem conseguiu sair da cama. Todo o seu cabelo caiu, tinha olheiras profundas, e todos olhavam pra ela como se ela fosse o ser humano mais sofrido do universo. Becky não se lembrava de todos os detalhes daquele tempo — afinal, já haviam se passado nove anos —, mas nunca ia se esquecer de como tinha se sentido. E definitivamente jamais se esqueceria de como detestava se sentir daquele jeito. Ela não gostaria de passar por aquilo de novo — apesar de estar ficando difícil não acreditar nessa ideia.

— Beck? Beck, você está aí?

Era Lonnie. As duas estavam sentadas próximas uma da outra no refeitório, apesar de Lonnie estar preocupada com Brent, assim como Becky tinha estado com Cam.

— Aqui — disse Becky, destrancando a porta do banheiro e trocando o papel do nariz por outro maço. O sangramento estava realmente diminuindo.

— O que está acontecendo? — Lonnie quis saber quando a encontrou. — Você saiu correndo do refeitório. Cam disse que você estava sangrando.

— Eu estou bem. Já quase parou.

Lonnie trancou a porta e se sentou no chão.

— O seu nariz é que está sangrando?

— Não é nada. As pessoas têm hemorragias nasais. O Cam ficou com nojo?

— Eu não me importo com o Cam, Becky. E você também não deveria estar pensando nele agora.

A Lonnie sabia tudo sobre hemorragias nasais, e também sobre todos os outros sintomas de leucemia infantil. Amigas desde a pré-escola, Lonnie sempre vinha brincar no quarto da Becky quando ela estava doente, e elas conversaram sobre a doença várias vezes ao longo dos anos.

Becky inclinou a cabeça para a frente e tirou o papel. O sangramento havia parado. Ela olhou para a amiga e viu que Lonnie parecia preocupada.

— É só um sangramento de nariz, Lon.

— Você tem certeza?

— Claro que sim.

Lonnie a observou cuidadosamente por alguns segundos e Becky finalmente desviou o olhar.

— Você não tem certeza, tem?

— Será que podemos falar de outra coisa?

— Você vai contar pra sua mãe?

Os olhos de Becky se voltaram para os de Lonnie.

— Não. E você também não vai dizer nada pra ela. Se esse tipo de coisa acontecer novamente, sou eu quem vai contar. Por enquanto, é apenas um sangramento *isolado*, e não vou ficar estressada por causa disso.

— Becky, você não pode brincar com uma coisa dessas.

Becky se levantou, jogou o papel ensanguentado junto com o guardanapo na privada e deu descarga, na esperança de que Lonnie não tivesse visto o quanto de sangue havia nos papéis.

— É uma hemorragia nasal. Você vai me dizer que nunca teve uma hemorragia dessas?

— Você até pode tentar isso com outra pessoa que não te conhece como eu.

Becky pôs a mão no braço de Lonnie e seus olhares se encontraram por um segundo. Naquele momento, Becky sentiu que ia chorar, e realmente não queria que aquilo acontecesse. Ela se virou.

— Se você quer saber a verdade, eu limpei o nariz com o dedo antes do almoço e acho que foi fundo demais.

Lonnie deu um soco no ombro de Becky.

— Está querendo me fazer vomitar? Quer que eu vomite em cima de você?

— Não, sem vômito hoje. Pelo menos não perto de mim. Esta camisa é nova.

Becky abriu a porta da cabine e as duas saíram. Lonnie a abraçou.

— Você está oficialmente em observação por vinte e quatro horas — disse Lonnie.

— Eu estou bem, mãe, de verdade.

Lonnie sorriu para ela quando saíram do banheiro. Becky sabia que não havia acalmado as preocupações da amiga. Naquelas circunstâncias, era difícil ser convincente.

* * *

Polly não era uma mulher de ir sempre à manicure. Suas unhas rachavam com previsível regularidade e ela achava que havia outras coisas que faziam uma pessoa parecer mais desleixada do que esmalte lascado. Mesmo assim, já fazia alguns anos, Becky e ela costumavam ir à manicure uma tarde a cada mês. Haviam começado essa rotina como uma obrigação, para o casamento de uma prima, mas Becky pareceu tão animada com a experiência que isso acabou se tornando um hábito. Com a filha já na adolescência, Polly estava feliz em manter quantos rituais fossem possíveis entre elas.

Enquanto Polly parava o carro no estacionamento da escola para pegar a filha — a experiência completa consistia em pegar Becky de carro em vez de esperá-la chegar em casa de ônibus e parar no Starbucks e tomar um *latte* de caramelo —, ela viu Becky flertando abertamente com um garoto alto de cabelo desarrumando. Becky inclinava-se para o garoto como se fosse magneticamente atraída por ele, presumidamente atraída pelo mesmo ímã que fazia com que seus lábios sorrissem enquanto conversava com ele. Quando Becky avistou o carro, ela deu uma palmadinha no braço do rapaz, acenou para ele e veio correndo em direção à carona.

— Oi, mãe — Becky disse alegremente enquanto entrava no carro. Ela jogou a mochila no banco de trás e a beijou no rosto.

— Oi. — Polly deu passagem para o ônibus escolar e saiu do estacionamento. — Como foi o dia hoje na escola?

— Foi tudo bem. — Becky respondeu de um jeito tão curto que deu a entender que isso não era inteiramente verdade.

— Sério?

Becky gesticulou com a mão.

— Sim, sim. Foi bem normal.

— Tem certeza disso?

Becky respirou profundamente e seus ombros caíram.

— O sr. Zales encheu a nossa paciência a aula toda sobre a prova de história da semana passada. Foi ridículo. Quer dizer, não é culpa do professor se a sala inteira vai mal em uma prova?

Polly ficou feliz ao se lembrar da reação honestamente preocupada de Becky quando tirou cinco e meio na prova.

— Definitivamente é culpa do professor. Apesar de que alguns minutos extras de estudo em vez de ficar mandando mensagens poderiam ter ajudado um pouco também.

As sobrancelhas de Becky arquearam-se e Polly se perguntou se esta seria uma daquelas conversas que tomariam uma direção errada por qualquer coisa sem importância. Polly odiava isso.

Felizmente, Becky mudou de assunto.

— Pelo menos tirei dez na minha redação de arte.

— Aquela sobre choque de culturas?

— Sim

Polly sorriu orgulhosamente para a filha.

— Bom trabalho. Aquela redação estava excelente.

— A sra. Kellerman também achou, obviamente.

— Aconteceu mais alguma coisa hoje?

Becky balançou sua cabeça animadamente.

— Não, nada. Realmente nada. Foi um dia bom, tranquilo e normal.

— Então, quem é o garoto?

— Que garoto?

— O garoto com quem você estava se engraçando quando eu cheguei.

Becky se irritou.

— Eu não estava me engraçando com ninguém. E o que isso quer dizer, afinal?

Polly deu uma palmadinha na cabeça de Becky.

— Significa demonstrar seus interesses mais que casualmente, quase explicitamente.

Os olhos de Becky se fecharam novamente.

— Eu não fiz isso.

Polly sorriu.

— Se aquele garoto não sabe que você gosta dele, ele deveria estar em um jardim de pedras e não em uma escola.

— Dá um tempo, mãe. Eu não fui tão mal assim.

— Eu não disse que você foi mal. Você realmente estava se engraçando com ele.

Becky zombou da mãe e olhou para outra direção. Ela gostava desse garoto com certeza, senão ela teria aceitado a brincadeira mais amigavelmente.

Polly parou no sinal e deixou o silêncio se alongar entre elas. Quando o sinal abriu, ela perguntou:

— Qual é o nome dele?

— O nome de quem?

— Do garoto com que você estava... conversando.

Becky bufou.

— Cam.

— Ele é legal?

— Ele é uma gracinha.

— Isso quer dizer a mesma coisa?

— E ele é legal.

— Parece ser uma cara muito legal.

Polly parou no estacionamento do Starbucks e as duas saíram do carro. Quando elas entraram na loja, Becky começou a andar no ritmo de uma música que Polly não reconhecia. Polly adorava ver Becky andar. Uma mistura de graça e estranheza. Era incrível ver quão rapidamente a garota alternava entre os dois hoje em dia, mas Polly sabia que a graça prevaleceria em um futuro não tão distante. Becky definitivamente seria uma adulta graciosa.

Elas fizeram os pedidos e se sentaram em uma mesa livre.

Becky deu um gole na bebida, encolheu-se por causa da alta temperatura e tirou a tampa do copo para que o conteúdo esfriasse.

— Não teria problema se Cam e eu saíssemos um pouco, certo? Quer dizer, se ele me convidar.

— Contanto que eu saiba onde vocês estão a cada segundo — respondeu Polly com um sorriso irônico.

— Você quer instalar algum tipo de dispositivo de rastreamento em mim?

— Acho que nós teremos que confiar que seu dispositivo embutido faça o trabalho.

Polly provou seu café e se reclinou na cadeira.

— Olhe, Becky, a respeito de garotos, o melhor conselho que eu posso te dar é você sempre manter seus pés no chão.

Becky arqueou sua sobrancelha.

— Essa é alguma maneira inteligente de me dizer pra não fazer sexo?

Polly engasgou e desviou o olhar. Becky nunca havia entrado no assunto de maneira tão direta antes.

— Bem, isso também, mas não foi isso que eu quis dizer. O que eu estou tentando dizer é que é importante ser realista a respeito dos garotos. Eles podem ser muito divertidos, desde que você se certifique de que está consciente de si.

— Você sempre se certificava de que estava consciente de si com o Al?

— Sempre. Todo o tempo.

Becky inclinou-se para a frente.

— Sério? Mesmo quando ele fazia você gargalhar?

Polly sorriu ao se lembrar de alguns daqueles momentos.

— Sim, claro. Al é um homem muito bom e ele realmente parece ter uma estranha habilidade de me fazer rir, mas eu nunca perdi o juízo com ele. A propósito, isso não tira nada de nosso relacionamento. Na verdade, isso fortalece o nosso relacionamento porque nós sabemos, pelo menos eu sei, que nós não temos nada baseado em emoções fugazes.

Becky balançou a cabeça de um lado para outro.

— Vou ter de lembrar disso.

— Se você fizer isso, nunca precisará de um dispositivo de rastreamento, e nem eu.

Becky tomou outro gole do café. Certa de que seria seguro beber agora, decidiu tomar um gole maior.

— Você fez isso com o papai?

— Isso o quê com o papai?

— Manter seus pés no chão.

Polly pensou por um segundo em qual seria sua resposta. Seus pensamentos voltaram no tempo, quando ela e Chris se embrenharam no bosque tarde da noite e fizeram amor. Além disso, uma imagem veio em sua mente. Uma da qual ela não se lembrava havia anos: Chris a empurrando em um balanço de parque, na manhã seguinte ao terceiro encontro deles, e de como ela se sentiu um pouco estranha ao fazê-lo na frente de um grupo de crianças pequenas e de suas mães. Mas Chris implorava para que ela desse impulso com suas pernas para ir mais alto. E, apesar de suas dúvidas, ela o fez e amou fazê-lo.

— Não, nem sempre, não. Certamente não no início. Acho prudente dizer que seu pai foi o único homem que eu permiti que me tirasse do prumo. — Ela pensou na sensação de voar que teve quando estava nos balanços naquela manhã, quando fechou os olhos.

Então deu de ombros.

— Olhe no que deu.

Polly percebeu o vislumbre de um sorriso no rosto de Becky, antes de ela tomar outro gole da bebida quente.

— Mas a parte em que você se permitia sair do prumo deve ter sido divertida.

— *Foi* muito divertida. Depois, nem tanto. A primeira parte não compensou a segunda, acho eu.

— E você acha que é sempre assim?

Polly assentiu.

— Acho que não vale a pena ver se há exceções à regra.

Becky colocou a tampa de volta no café.

— Isso é uma droga!

Polly ainda não estava acostumada a ouvir frases assim saírem da boca da filha.

— Na verdade não é. É apenas um fato da vida com o qual a gente tem de aprender a lidar.

Becky virou-se um pouco, olhando pros outros no Starbucks.

— Parece bem divertido pra mim.

* * *

— E de onde você conhece a Lisa?

Chris perguntou para a mulher de cabelos escuros e olhos cinza chamada Célia, sentada à sua frente no restaurante. Eles já haviam falado sobre o tempo e o tráfego, e imaginava que agora iriam falar sobre eventos atuais antes que suas entradas chegassem.

— Ela vendeu minha casa oito meses atrás quando meu casamento terminou, e nós mantivemos contato. Nós nos falamos na semana passada e ela me disse que havia uma pessoa que ela queria que eu conhecesse. Decidi aceitar e agora estamos aqui.

A Lisa era certamente uma corretora completa. Chris esperava que pelo menos tivesse dado a Célia um bom preço pela casa.

— Bem, foi gentil da sua parte vir até aqui me encontrar. Acho essas coisas um pouco estressantes.

— Sei o que quer dizer — Célia disse em tom conspiratório. — Mas prometo que não sou perigosa.

Chris sorriu. Lisa certamente tinha um gosto excelente quando se tratava de mulheres. Como muitas das outras — pelo menos algumas dúzias até agora —, Célia era atraente, inteligente, e certamente parecia perfeitamente normal por fora. Não era incomum para Chris deixar uma dessas garotas se perguntado o que Lisa estava pensando. Mesmo assim, seus encontros às escuras raramente rendiam um segundo encontro.

— O que faz da vida, Chris?

— Estou no ramo da engenharia genética.

— Sério? Isso parece intrigante.

— Sim, quando eu estava envolvido em trabalho de pesquisa. Naquela época, era um trabalho realmente fascinante pra mim.

Os olhos de Célia arregalaram-se. Eram olhos muito bonitos.

— Você não trabalhou com seres humanos, trabalhou?

Chris gargalhou.

— Não, nada parecido com isso. Árvores e plantas. Alteração de cepas para fazê-las mais resistentes a doenças. Esse tipo de coisa.

Célia inclinou-se para a frente e comentou, sugestiva:

— Então você não é um cientista maluco.

— Na verdade, nesse momento, não sou nenhum tipo de cientista. Eu sou um funcionário agora, um escriturário vestindo terno. Fui promovido e mandado para o andar de cima do laboratório e agora, em vez de fazer o que gosto, participo de muitas reuniões sobre outras pessoas fazerem as coisas de que gosto.

Célia o olhou franzindo os olhos, o que Chris interpretou como uma demonstração de simpatia.

— Você não pode voltar pro andar de baixo?

— A escada não vai nessa direção. Receio que a única saída seja pela janela, e eu trabalho no sexto andar.

A expressão de Célia mudou. Sua fronte enrugou um pouco e ela reclinou-se em sua cadeira e olhou ao redor do restaurante. Ela examinava o cardápio à sua frente.

— Estou surpresa de que o garçom ainda não tenha vindo tirar nosso pedido.

Depois disso eles mudaram para assuntos mais atuais: o recente discurso do presidente, a economia, o notável resgate no deserto do Arizona. Essa conversa os levou até o prato principal, e quando o garçom os trouxe, Célia olhou para a comida e respirou profundamente. Eles comeram quietos por um tempo, somente perguntando um ao outro se estavam gostando dos pratos.

— Então, Chris, o que faz pra se divertir?

— Eu gostava de sair em longos passeios de carro com a minha filha, mas ela não quer mais fazer isso.

— Isso significa que você não pode mais fazer isso?

Chris deu com os ombros.

— Eu poderia, acho. Mas não seria a mesma coisa sem ela.

— O que mais?

— Gosto de ir a restaurantes.

Célia olhou para o seu prato e sorriu. Ele não sabia como interpretar isso.

— E eu gosto de ficar ao ar livre.

— Acampando, fazendo caminhadas; esse tipo de coisa?

Chris pensou sobre isso por um momento.

— Não muito. Apenas estar ao ar livre. Caminhando, respirando ar puro. Eu apenas gosto de sentir o mundo, se isso faz algum sentido. Eu não vou acampar desde que Becky e eu...

Célia o examinou.

— Becky?

— Minha filha.

— O que mesmo você estava dizendo sobre ela?

Esse não era o local ideal para esse tipo de conversa. Chris não saberia dizer qual seria o lugar perfeito, mas ele definitivamente sabia reconhecer o lugar errado.

— Nada importante. Não, nem acampar e nem caminhar.

O encontro acabou talvez uns vinte minutos depois. Chris acompanhou Célia até o carro, agradeceu a ela por ter passado um tempo com ele e a esperou ir embora. Não houve sugestão de um novo encontro.

Por que sempre caio nessas?, pensou quando ia para o carro. Ele certamente era péssimo com essas coisas. Mesmo assim, continuava permitindo que Lisa o metesse nessas encrencas. Ele não tivera nenhum tipo de expectativa em relação àquela noite, nenhuma esperança de que algum novo futuro estava prestes a se revelar para ele. Esse encontro era apenas uma data agendada em seu calendário, um compromisso ao qual deveria comparecer. Célia parecia muito agradável, mas ele nunca, nem por um segundo qualquer, pensou que algo podia acontecer entre eles.

O que o trouxe de volta à sua primeira pergunta: *Por que eu me meto nessas coisas?*. Ele não tinha uma resposta satisfatória. Ele não queria uma resposta. Era provavelmente hora de dizer à Lisa para interessar-se por alguma outra causa perdida.

5

— Vossa Majestade, o ministro chegou.

Miea levantou os olhos da mesa, onde estava concentrada nos detalhes de um acordo diplomático com Maurelle. Ela agradeceu a Sorbus e pegou a pasta de documentos que continha os detalhes da reunião, que Thuja vinha lhe fornecendo desde sua viagem a Jonrae. Dessa vez o ministro havia solicitado se encontrar com ela, mesmo sabendo que a reunião seria apenas dali a dois dias. Isso a deixara curiosa e apreensiva ao mesmo tempo. Talvez ele viesse se encontrar com ela apenas porque ela tinha conseguido convencê-lo da importância de mantê-la totalmente informada.

Quando Miea entrou na sala de reuniões, Thuja se levantou para cumprimentá-la, seu tom era solene, porém obsequioso. Ela não notou de imediato que havia outro homem atrás dele. Entretanto, quando Thuja se sentou, Miea quase perdeu o passo.

— Vossa Majestade, gostaria de apresentar-lhe Dyson Specta. Ele tem trabalhado bem próximo a mim desde o ano passado e eu o designei como meu contato direto para tratar dos assuntos do meu escritório. Posso lhe garantir que ele é no mínimo tão bem-informado sobre a agricultura de nosso reino quanto eu. Bem, talvez *quase* tão bem-informado.

Thuja riu da sua própria piada, mas Miea quase não percebeu. Seus olhos encararam os de Dyson por um instante e então ela estava de volta ao pátio da escola, vislumbrando sua expressão preocupada enquanto ela o beijava e se virava para ir ao prédio da administração. Desde então não o havia visto mais — ela não tinha conseguido dizer adeus antes que Amelan a tivesse levado para longe. E depois disso... bem, depois disso, nada foi como antes.

Controlando-se, pois não tinha certeza do que aconteceria se ficasse olhando para o homem que uma vez amara tanto, ela se virou para Thuja.

— Obrigada, ministro. Presumo que o nosso fluxo de informações vai melhorar bastante no futuro.

— Assim como deve ser. Receio, no entanto, Vossa Majestade, que eu trago más notícias. — O ministro olhou para os papéis em sua mão apesar de ser óbvio o que ele ia dizer. Assim como Miea também o sabia. — A folhagem doente em Jonrae tem se espalhado rapidamente. Quase dois terços das plantações de lolo e uma grande porcentagem das plantações de chugach e de gunnison já foi destruída. Dada a velocidade com que a doença está se espalhando e a quase total destruição das plantas atingidas, devemos supor agora que um grande mal está entre nós.

Apesar de estar preparada para essa notícia, apesar de já ter se antecipado a isso semanas antes, Miea ainda se sentiu abalada pelas palavras de Thuja.

— O que nós sabemos sobre essa doença?

Thuja virou-se para Dyson e o jovem começou a falar.

— As folhas e os caules de todas as espécies afetadas exibem uma camada verde que dura de dez dias a duas semanas. Depois disso, as camadas perdem a cor e necrosam quase imediatamente. As plantas murcham e morrem em poucos dias. Testes realizados no sistema das raízes de plantas mortas indicam que elas estão sendo sufocadas, como se algo invasivo as estivesse sufocando.

Miea assimilou essa nova informação.

— O que poderia causar algo assim?

Ela dirigiu a pergunta a Thuja, ainda incerta de como falar com Dyson. O ministro respondeu.

— Esta é uma de muitas das perguntas que me deixam perplexo no momento, Vossa Majestade. Há muitas possibilidades, mas já realizamos todos os testes concebíveis e não chegamos a conclusão alguma. Não há nada no solo, nem no ar ou em outras plantas que nos informe alguma coisa sobre a causa dessa doença.

— Assim como da última vez — disse Miea num tom baixo. Ambos, Thuja e Dyson curvaram-se diante dela. A causa do Grande Mal era um daqueles tipos de mistério que perduram, e a sua falta de solução significava que não havia uma maneira de prevenir seu retorno.

— Estamos buscando conselho dos outros departamentos — completou Thuja. — É possível que uma perspectiva diferente possa nos trazer informações que tenhamos negligenciado.

— Enquanto isso o mal se propaga.

— Receio que esse seja outro assunto que devamos discutir, Vossa Majestade. Sabemos por experiência que, se esse mal não for controlado, ele pode atingir todas as partes do reino. Obviamente, não podemos permitir isso.

— Mas também sabemos por experiência que as tentativas de conter essa doença falharam da última vez.

— O reino decidiu evitar certas medidas da última vez. — Thuja usou um tom grave.

Miea estreitou os olhos.

— Que medidas foram essas?

— Seus pais foram voraz e veementemente contra a esterilização das áreas atingidas, mas...

— Esterilização? Você quer dizer desnudar toda a região?

— Se nós esterilizarmos a área é provável que a doença morra no processo.

— Mas há plantas em Jonrae que não existem em nenhum outro lugar de Tamarisk. Há *seres vivos* em Jonrae que não existem em nenhum outro lugar de Tamarisk, e que não podem sobreviver sem essas plantas.

— Isso significa que eles estão prestes a morrer de qualquer forma.

Miea mal podia compreender o que Thuja estava dizendo. Ela se dirigiu a Dyson.

— Você concorda com essa sugestão? — ela perguntou, ríspida.

Dyson pareceu chocado com o fato de a pergunta ter sido feita diretamente a ele. O que ele estava achando de tudo aquilo afinal? Ele se virou para Thuja que havia levantado a mão.

— Vossa Majestade — disse Thuja —, discuti o assunto extensivamente com a minha equipe. Esta é minha recomendação.

Miea enrijeceu-se.

— Não autorizarei isso hoje.

Thuja acenou com a cabeça demonstrando sabedoria.

— A cada dia que nós nos atrasamos, a doença se espalha. Logo você será forçada a tomar uma decisão ainda mais difícil.

— Certamente você não esperava que eu simplesmente concordasse com isso — retrucou Miea, sem tentar disfarçar sua irritação. — Que dados você me trouxe?

Thuja alcançou Dyson e pegou uma pasta. Ele a entregou para Miea.

— Está tudo aqui dentro, Vossa Majestade. Não acho que vai encontrar nada nessa pasta que contradiga minhas recomendações. A senhora sabe que eu não faria isso se houvesse alternativa.

Miea pegou a pasta e olhou fixamente para ela sem abri-la, como se esperasse que alguma revelação surgisse lá de dentro.

— Estudarei estes documentos cuidadosamente. Você terá minha resposta amanhã.

Miea se levantou, e Thuja e Dyson imediatamente fizeram o mesmo.

— Obrigado, Vossa Majestade — disse o ministro. Ele a saudou com uma breve reverência e dirigiu-se à porta.

Dyson passou diretamente à frente dela. Seus olhos se cruzaram por um instante. Naquele momento, Miea quis lhe pedir para ficar um pouco mais e ajudá-la a entender essa reunião, e talvez resgatar todos esses anos de separação entre eles. Então, ele também se curvou — muito mais intensamente que Thuja

— Obrigado, Vossa Majestade.

E com isso, ele se foi.

Parecia que a energia de Miea havia se esvaído quando aqueles homens saíram. Em vez de retornar ao escritório, Miea informou a Sorbus que teria de adiar sua próxima reunião. Ela foi para os seus aposentos, ainda segurando a pasta, sentou-se no sofá deixando seu corpo pesar sobre ele e fechou os olhos.

Thuja queria que ela esterilizasse a área para erradicar toda forma de vida daquela região. Eliminar o chapleau e o seapowet da face da sua terra, tudo na esperança de que ao fazer isso outras espécies fossem salvas.

Miea lembrou-se dos tempos em que trabalhava nos campos de Jonrae. Ela nunca havia se sentido tão próxima da sua terra, nunca mais se sentiu em contato com a força de vida do seu mundo. Agora ela teria de decidir se ia eliminar parte daquela força de vida para sempre.

Sozinha em seus aposentos, sozinha em seu reino, sozinha no Universo, Miea procurou desesperadamente alguma outra solução.

* * *

Pela primeira vez, Chris resolveu colocar tudo de lado.

Ela tem catorze anos. Quantos dias você ainda acha que tem com ela?

Era um fato inquestionável que Becky estava seguindo em frente.

E mesmo se ele e Polly não tivessem se separado, mesmo que as coisas não tivessem saído do seu controle durante esses anos, Becky ainda ia seguir em frente. Não havia nada que ele pudesse fazer para mudar aquilo. O mundo de Becky era diferente agora, um mundo de amigos e compromissos e — muito em breve, apesar de ele estremecer só de pensar nisso — encontros com garotos. Hoje, uma rara confluência de eventos lhe permitiu um sábado inteiro sozinho com a filha. Lonnie estava fora da cidade, outros amigos estavam ocupados, ninguém estava dando uma festa nem qualquer outro tipo de reunião naquela noite, e Polly não estava lá para lhe cortar o barato. Realmente, dessa vez seriam apenas ele e Becky. Ele não ia estragar tudo.

O tempo estava fantástico: dezessete graus, sem nuvens e uma brisa leve. Era um dia ideal para dirigir até o vale do rio Connecticut. Becky adorava as cidades da era colonial daquela região, com sua mistura entre o sabor da jovem América e a independência da cidade pequena contemporânea. Eles passariam o dia explorando as lojas de artesanato e antiquários, talvez caminhassem pela margem do rio por um tempo e comessem algo em algum daqueles restaurantes excelentes. Ele não havia comentado nada sobre isso com Becky antes — era praticamente impossível conversar com ela em uma noite de sexta-feira —, mas ele sabia que ela aceitaria.

— Um passeio? Claro, seria ótimo — disse Becky, enquanto eles se afastavam da vizinhança.

— Nós sairemos e caminharemos por um tempo, talvez jantemos mais cedo em algum lugar.

Becky tomou fôlego, mas não reagiu.

— Tudo bem pra você? — Chris perguntou.

— Sim, sim tudo bem.

— Você não tem nada planejado pra hoje, tem?

— Não, nada.

Ele franziu a testa.

— Do jeito que você reagiu pareceu que você não estava a fim de passar tanto tempo comigo.

— Não, não, tudo bem. Só estou um pouco cansada.

Chris estava convencido de que "cansada" era um código para outra coisa.

— Você ficou até tarde na rua ontem?

— Não muito tarde. Não sei, foi uma semana muito louca na escola. Só estou um pouco cansada.

Ele não ia fazer isso se fosse só para ele se divertir.

— A gente pode ficar na cidade se você não quiser viajar.

Becky pensou por um instante antes de responder.

— Não, vamos. — Ela hesitou novamente. — Vai ser divertido.

Eles não se falaram muito na viagem. Becky escolheu a música, algo surpreendentemente calmo, e passou a maior parte do tempo olhando a paisagem. Chris não quis achar o que ele geralmente achava — que a atitude dela tinha algo a ver com ele —, mas era difícil livrar-se desse hábito. Ainda assim, ele tentou lutar contra isso.

Chris lembrou-se de uma manhã de sábado quando Becky tinha sete anos de idade. Tinha sido uma semana pesada aquela no trabalho: a empresa estava em vias de reorganização e ele precisava tomar algumas decisões difíceis em relação às pessoas da sua equipe. Além disso, seu relacionamento com Polly havia chegado a um ponto em que ela frequentemente o deixava com um humor terrível antes do meio-dia nos finais de semana. Por mais que tentasse não deixar Becky perceber, ele obviamente falhava porque ela o interpelava.

— Eu fiz algo de errado? — ela quis saber.

A pergunta deixou Chris confuso.

— Não, claro que não. Por que disse isso?

— Você parece meio bravo. Pensei que eu tivesse feito alguma coisa.

Chris chacoalhou-se. Essa era a mensagem menos provável que ele queria passar para a filha.

— De jeito nenhum, só estou chateado com alguns assuntos de trabalho.

— Mas você não trabalha aos sábados.

Chris balançou a cabeça.

— Isso é verdade. Mas às vezes as pessoas levam pra casa suas semanas ruins com elas. Elas não deveriam fazer isso, mas às vezes elas fazem. Vou dizer uma coisa: ponha o seu dedo aqui. — Ele apontou um lugar no centro de sua testa. Becky fez o que ele pediu e ele a recompensou com um grande sorriso. — Obrigado. Você acabou de apertar o meu botão de reiniciar.

— O que é isso?

— É algo que conserta tudo que tiver de errado e me faz voltar ao jeito que normalmente sou.

Becky tocou a testa dele novamente, sorriu, e então tocou a sua própria.

— Eu também tenho um?

— Sim, no mesmo lugar. — Chris se aproximou e tocou com seu polegar o "botão de reiniciar" dela.

— Mas eu não estava mal-humorada.

— Eu estava apenas me certificando de que o botão estava aí.

Depois daquele dia, enquanto ele ainda vivia naquela casa, eles apertavam o botão de reiniciar de cada um em várias ocasiões. Nem sempre funcionava com Becky — especialmente se algo havia acontecido com algum de seus amigos —, mas ele sempre a deixava perceber que sabia que algo a estava perturbando, e que ele estava pronto para ajudar. Há muito tempo Chris não tentava fazer isso, uma das coisas que o instinto lhe dizia para evitar. Ele se perguntava, no entanto, se hoje seria o momento propício.

Eles estacionaram no centro de Chester e visitaram galerias, lojas e a cooperativa de artesãos. Como sempre, Becky ficou fascinada com os objetos feitos à mão, mas ela parecia encantada demais por eles. Mais de uma vez ele a pegou olhando para a mesma coisa por longuíssimo tempo. O que se passava em sua mente? Por que ela não sentia que podia falar com ele sobre qualquer coisa? Aqui, entre todos os lugares, em um ambiente calmo longe de suas vidas normais, era onde Becky costumava ser mais aberta com ele, mesmo recentemente. Mas não hoje.

— Quer ir até a água um pouco? — ele sugeriu enquanto saíam de outra loja.

— Acha que já podemos ir embora?

— Ir embora? Claro. Você quer ir em direção a East Haddam? Ou poderíamos ir pra Old Lyme se você quiser. Faz tempo que a gente não vai lá.

— Eu estava pensando que talvez nós pudéssemos voltar pra Standridge.

Chris verificou a hora. Eram apenas três e meia. Ele achou que haviam combinado passar o dia ali.

— Você quer ir pra casa?

Becky franziu o nariz.

— Tudo bem se voltarmos?

Chris deu de ombros.

— Acho que sim — ele respondeu enquanto pegava a chave do carro no bolso. Começaram a andar em direção ao carro, Chris sentindo-se arrasado com a abrupta mudança de planos.

Pensar numa viagem de volta para Standridge quase sem conversa, seguida de Becky refugiando-se no quarto e somente saindo para um jantar rápido o deixava arrasado. Mas ele agora sabia, com completa certeza, que não havia feito nada de errado ali. Se esse dia estava dando errado, era culpa dela e não dele.

Ele parou de repente.

— Sabe de uma coisa? Não está tudo bem. O que está acontecendo com você?

Becky assustou-se com o tom da sua voz. Ela se encolheu.

— Não tem nada acontecendo comigo.

— Olhe, vamos combinar uma coisa, OK? Eu não sou totalmente desligado. Na verdade eu sou capaz de perceber quando sua mente está em outro lugar.

Becky olhou para baixo.

— Não é nada, pai.

Chris olhou para as chaves em suas mãos.

— Nada. Esse é exatamente o ponto onde eu queria chegar.

— O que isso quer dizer?

— Deixa pra lá — disse Chris, apertando o controle remoto em sua mão para destravar a porta do carro. — Vamos.

— Nós podemos ir pra Old Lyme se você quiser.

— Eu não quero ir pra Old Lyme. Eu estava sugerindo pra você, Beck. Se você não quer ir, então eu não quero ir.

— Nós podemos ir sim, sério. Vamos, vamos sim.

— Nós vamos pra casa.

Eles pouco se falaram na volta para casa, assim como pouco se falaram na ida. A diferença agora, no entanto, era que não havia dúvidas de que algo estava errado entre eles. Chris sentiu-se dominado pela raiva. Nesse momento ele não teria conseguido evitar se sentir bravo mesmo se tivesse dado tudo de si. Como sempre acontecia quando ficava bravo com Becky — e era esse o caso, mesmo depois de tanto tempo —, ele se sentia frustrado, traído, e mais que ligeiramente culpado por causa disso.

Ele deu uma olhada para a filha e o que ele viu não era a razão da sua raiva, mas sim uma garota gentil envolvida em suas próprias emoções, alguém que certamente não merecia calúnia e provavelmente não merecia as recriminações do pai mesmo nessas circunstâncias. Ela era uma pessoa completa, uma boa pessoa, uma pessoa capaz de alcançar níveis excepcionais de amor. Somente olhar para o seu rosto lhe revelava todas aquelas coisas, coisas que ele já sabia desde sempre e das quais nunca havia se esquecido, nem por um segundo sequer.

Ele queria se aproximar dela. Mas não conseguia. Quando ele se tornara incapaz de dizer para Becky como se sentia? Esta não era uma reação nova. Apenas uma reação recentemente percebida. Durante anos mais amenos, Polly uma vez lhe dissera como ficava impressionada pela maneira com que ele nunca deixava nada estragar sua relação com Becky. Se ele a mandasse para o quarto, ele subiria cinco minutos depois para falar com ela sobre o que havia acontecido. Se ele sentisse um ruído na comunicação, ele se empenhava em repará-la. Há quanto tempo isso não era mais verdade?

A seleção de músicas no carro terminou e nenhum deles escolheu outra. Eles terminaram os últimos vinte minutos da viagem em silêncio. Quando chegaram ao apartamento, Becky foi direto para o quarto.

— Você gostaria que eu fizesse algo especial pro jantar?

Becky se virou para ele. Ele queria entender sua expressão, mas não podia nem ao menos começar a fazer isso.

— O que você fizer está bom pra mim — ela respondeu educadamente.

Então, evitando uma troca de olhares, ela foi em direção ao quarto.

Agora eram quatro e oito. Com as horas se escoando em um dos raros dias em que tinha sua filha somente para si, Chris sentou-se no sofá da sala sozinho, totalmente incerto de o quanto mais disso ele conseguiria aguentar.

* * *

— O que você quer de mim? — Becky se forçou a dizer. Agora que as palavras haviam saído da sua boca, Becky percebeu há quanto tempo elas estavam prestes a sair, o quanto ela precisava desse confronto. Mesmo se estivesse acontecendo somente em sua mente.

O que ele *queria* dela? Qual o problema em querer voltar pra casa mais cedo? Ela tinha estragado algum de seus superplanos? O mundo ia acabar porque eles não tinham passado o dia todo olhando bugigangas? Talvez ela devesse ter dito a ele que suas pernas estavam trêmulas de novo. Talvez devesse ter deixado ele saber que ela estava preocupada com aquela coisa que estava acontecendo no seu corpo. Mas isso teria iniciado uma avalanche de bajulações para cima dela, para as quais ela não estava pronta. E não deveria ser necessário dizer para ele essas coisas. Nunca *tinha sido* necessário.

Becky saiu do quarto na hora do jantar. Àquela altura, ela estava pronta para esquecer o que quer que houvesse acontecido naquela tarde e seguir em frente com o restante do dia. Talvez pudessem assistir a um filme juntos ou algo parecido depois que tivessem jantado. Mas assim que viu o rosto do pai ela soube que ele não tinha esquecido. Ele ainda estava magoado, ainda tentando fazê-la se sentir culpada por ter opinião própria. E então eles logo estavam na mesma situação de antes. Ela comeu depressa, quase não sentindo o gosto do que quer que fosse que ele havia preparado para eles. Não disse mais que três palavras durante o jantar.

— Vou ler no meu quarto — ela disse quando terminaram de colocar a louça na lavadora. Limpou as mãos em uma toalha e saiu da cozinha.

— Becky — ele chamou, fazendo com que ela parasse.

Ela deu um suspiro profundo e olhou para ele.

— O que, pai?

Ele deixou suas mãos caírem de lado.

— Eu desisto.

— Como?

— Eu desisto. A bola está em seu campo agora.

O que ele estaria querendo dizer.

— Se é assim que você quer.

— Você entende o que estou querendo dizer?

Becky balançou a cabeça.

— Na verdade não.

Ele olhou bem para ela. Ele nunca se sentira tão distante dela antes.

— Talvez enquanto você estiver lendo você entenda.

Becky sentiu uma frustação enorme dentro dela. Mas em vez de dizer alguma coisa, sabendo que se ela o fizesse seu pai provavelmente ia dizer outra que a machucaria ainda mais, ela apenas se virou em direção ao quarto.

Você desistir, pai? Isso é algum tipo de brincadeira? Você não desistiu há muito tempo? Ela poderia dizer qual o dia exato, talvez até o exato minuto. Ele levou algum tempo para demonstrar que havia desistido, mas era certo que a partir do momento em que ele e a mãe se separaram, ele nunca mais foi o mesmo para ela de novo. Havia sempre alguma coisa acontecendo, alguma coisa que o tornava distante, confuso ou triste. Eles nunca foram assim antes. Se essa não era uma forma de desistir, então o que seria?

Becky sentou-se na cama e pegou o livro da cabeceira. Mas ela sequer se preocupou em abri-lo. Em vez disso, recostou-se sobre o travesseiro e ficou olhando para o teto. Se essa era a maneira de agir do pai, tudo bem. Ela não ia deixar que ele a irritasse mais. Ela não ia perder mais tempo se perguntando por que eles não se conectavam mais. Ela não ia tentar fingir que o tempo que ela passava nesse apartamento com ele era uma parte legal da sua vida.

O que você quer de mim, pai? Você quer que eu finja que você e a mamãe não me ferraram quando vocês se separaram? Quer que eu acredite que está tudo certo, mesmo que nada tenha sido a mesma coisa entre nós desde que você partiu? Quer que eu diga que eu entendo por que você não é mais o mesmo cara? Você quer que eu ignore tudo o que passamos juntos e diga que o que temos agora está perfeitamente normal? Desculpe, mas você não é o único que está desistindo.

Becky colocou as mãos sobre o rosto e apertou os olhos. Como seu pai poderia lhe dizer que estava desistindo dela? Que tipo de pai diz isso a um filho? Levando em conta tudo que estava se passando na sua mente nesse momento, isso era muito mais do que ela poderia suportar.

Você está desistindo? O que faria se eu lhe dissesse que eu acho que estou ficando doente novamente? Você ia sair correndo de casa gritando e nunca mais ia voltar pra me ver de novo?

Assim que esse pensamento veio à cabeça de Becky ela soube que não era verdadeiro. O pai não ia fugir gritando, não importa como os últimos anos tivessem sido. Ele a seguraria e a abraçaria com tanta força quanto conseguisse. Ele diria para ela não ter medo, mesmo quando fosse óbvio que ele mesmo estivesse morrendo de medo.

E ele faria tudo que pudesse para ajudá-la e tentar deixá-la feliz. Assim como fez da última vez. Becky se lembrou daquelas primeiras noites logo que tinha ficado doente e não conseguia dormir. Sua mãe era ótima, mas o pai estava lá todas as noites, abraçando-a com seus braços fortes e ficando acordado com ela. Ela estava tão confusa naqueles primeiros dias. Ela não tinha ideia do que estava acontecendo e nenhuma ideia do que ia acontecer em seguida. Mas quando ele teve a ideia de criar um mundo de fantasia com ela e Tamarisk tornou-se realidade em sua mente, Becky de repente começou a se sentir melhor. Ela às vezes se perguntava se Tamarisk a havia ajudado mais que os médicos.

Tamarisk e seu pai.

Ela havia jogado um deles fora e o outro havia desistido dela.

E aqui, no final de uma semana incerta, quando absolutamente nada parecia estar no lugar, Becky sentiu uma esmagadora sensação de tristeza. Ela sentia falta do pai. Desesperadamente. Ela sentia falta de saber que ele sempre estaria perto dela. Sentia falta de ser capaz de conversar sobre qualquer coisa com ele. Sentia falta de brincar com ele, de brincar de faz de conta com ele. Mas o mais triste de tudo era que talvez fosse muito tarde para recuperar todas essas coisas. Talvez as coisas que uma vez eles tiveram juntos tivessem acabado para sempre.

Becky virou de bruços, apertando o rosto no travesseiro. Ela sentiu as lágrimas correrem dos olhos, pelo nariz e sobre a cama. E com a sensação dessas primeiras lágrimas veio uma torrente. Ela chorou copiosamente como nunca antes, tentando abafar os soluços para evitar que o pai a ouvisse. Mesmo que uma parte dela quisesse que ele a visse daquela maneira.

Ela continuou chorando. Mais do que achava ser possível. Mas ela não conseguia fazer o choro parar. Toda vez que tentava, se sentia ainda mais triste. Logo ela sentiu que estava tomada pela tristeza e nada mais.

— Preciso de alguma coisa — ela disse baixinho, para ninguém em particular. Ela aceitaria qualquer coisa nesse momento. Sério, qualquer coisa.

6

A pasta estava a seu lado, não oferecendo nenhuma opção depois da sua vigésima leitura do que já tinha oferecido depois das primeiras dezenove. Era tarde da noite e Miea sabia que deveria tentar dormir um pouco. Como em qualquer outro dia, ela tinha a agenda cheia no dia seguinte. Porém, dessa vez, junto com os itens no seu programa, ela tinha outro compromisso que temia — uma conversa com Thuja em que ela lhe informaria sua decisão a respeito da esterilização dos campos de Jonrae.

Mesmo assim, mesmo tarde, ir para cama seria inútil. Ela certamente não ia dormir e seus pensamentos não seriam mais claros ali deitada que sentada em sua antessala.

Quando ela era apenas uma garotinha, Miea encontrava o pai sentado quieto em uma cadeira dos seus aposentos. Ele ficava olhando ao longe, aparentemente focado em nada e tudo ao mesmo tempo. Ele obviamente não queria ser perturbado e ela saía de fininho do quarto na esperança de que ele não a notasse. Uma vez, entretanto, quando ela tinha oito anos ou algo assim, ele a chamou enquanto ela se dirigia à porta. Ela se virou em sua direção e disse estar arrependida de tê-lo atrapalhado.

— Não há necessidade de pedir desculpas — ele disse. — Eu só estava tentando ganhar um pouco de perspectiva.

— Perspectiva?

— Sim, pelo menos um pouco. Tem sido uns dias difíceis e eu pensei que talvez pudesse entender algumas coisas se eu as olhasse de um ângulo novo.

Miea ficou de pé do lado de sua cadeira e olhou na direção que ele estava olhando.

— É esse o novo ângulo?

Seu pai gargalhou.

— Foi apenas força de expressão. O que estou fazendo na verdade não tem nada a ver com ângulos.

Miea tentou focar no local para onde o pai tinha olhado até que ela o interrompeu novamente.

— E isso ajudou?

Ele pôs a mão na sua cabeça e assentiu vagarosamente.

— Acho que ajudou um pouco. Sabe, em algum momento você percebe que cada resolução leva a novas complicações, mas eu tenho algumas novas ideias sobre esse problema em particular.

— Então o senhor obteve um pouco de perspectiva?

— De certa maneira, sim. Talvez eu pudesse obter um pouco mais se minha filha se juntasse a mim em um jogo de Kem.

Miea inclinou-se na cadeira da antessala e pensou sobre o jogo de tabuleiro quadridimensional com peças que mudam de forma. Talvez fosse disso que ela precisava agora: alguém com quem jogar Kem. Certamente ela já tinha obtido toda a perspectiva que poderia olhando para o espaço.

Será que seus pais tiveram que tomar uma decisão dessa importância? Ela sabia que eles não haviam feito esterilização durante o Grande Mal. Será que eles chegaram seriamente a cogitar essa possibilidade? Será que o rei e a rainha foram forçados a pensar em erradicar a praga condenando várias espécies à extinção? Mas não foi necessário. Será Tamarisk tão afortunada desta vez como foi da última? Se não fosse, onde isso ia acabar?

Talvez ela não pudesse discutir isso com o pai. Desde sua morte, Miea "falava" com ele inúmeras vezes, conversando com o quadro dele que ela mantinha no escritório e imaginando as respostas. Sempre ajudava — algumas vezes mais que outras — e Miea acreditava que o quadro a mantinha próxima do espírito dele. Ela, no entanto, nunca havia discutido nada tão grave com ele.

Miea inclinou a cabeça para trás e fechou seus olhos. Se fosse ter uma conversa dessa magnitude, ela tinha de limpar a mente de tudo e focar no rosto, na voz e na sabedoria de seu pai.

— Eu preciso de alguma coisa, pai — ela disse suavemente.

Miea analisou a escuridão. Lentamente, a imagem de seu pai emergiu. Era apenas sua cabeça e parecia um pouco rudimentar, mas Miea a reconheceu pelo que era. Assim que ela sentiu sua presença, Miea começou a se sentir mais leve, como se estivesse sem peso algum, como se sua cadeira não a estivesse apoiando mais. Apesar de esse sentimento ser tão desorientador, ela sabia que não deveria abrir os olhos. Algo lhe dizia que deveria se permitir sentir essa sensação por completo. Uma parte dela estava flutuando agora, mesmo sabendo que seu corpo não estava se mexendo. Ela se entregou inteiramente a esse não espaço. Sentiu-se aquecida. Em paz.

— Olá, Estrelinha — o pai disse em seu tom rouco. Ele nunca a havia chamado assim antes, mas Miea gostou do apelido.

— Sinto sua falta, pai — ela disse melancolicamente.

— A saudade enobrece.

— Também machuca. Eu prontamente trocaria esse enobrecimento por mais dias com você.

— Nossa história é mais longa que essa, Estrela. Nossa história é eterna.

— Eu sei. — Miea acreditava, apesar de isso não tornar sua perda menos severa.

Seu pai levantou a testa e Miea sentiu uma onda acolhedora passar por seu corpo. Ele sorriu e Miea retribuiu. Por um longo momento eles permaneceram assim. Miea poucas vezes havia recebido tanto conforto tentando sentir seu pai, e ela ansiava em aproveitar esse momento. Ao mesmo tempo, ela sabia que precisaria de muito mais que o apoio do pai.

— Nós temos um problema em Tamarisk, pai.

— Há perigos iminentes.

— É como da última vez e não sabemos nada mais do que sabíamos naquela época. Nós nunca soubemos o que o fez parar da última vez. Thuja quer que eu esterilize Jonrae para evitar que o Mal se espalhe.

— Essa resposta não nos traz benefício algum.

— Sei disso. Claro, que sei disso. Eu o sei dentro da minha alma. Infelizmente, não tenho nenhuma outra resposta.

— Imagine e inclua, Estrela. Não elimine.

Apesar de se sentir em paz, apesar de estar acalmada pela presença do pai, apesar de estar certa a respeito da mensagem dele, algo sobre essa conversa parecia estranha.

— Pai, você não parece o mesmo.

Miea sempre presumiu que as conversas que tinha com seu pai vinham das memórias que ela tinha dele. Por que então ela estava achando que ele parecia diferente dessa vez?

A imagem escureceu por alguns segundos e Miea receou que ela desaparecesse. Em vez disso, quando estava ficando quase invisível, ela ficou ainda mais vibrante. Miea podia jurar que havia sentido o cheiro do creme de barbear do pai.

— Oi, amor.

Miea sentiu seu rosto ruborescer e seus olhos marejarem.

— Oi, pai.

— Thuja não é tolo. Na verdade, ele é extremamente bom no que faz.

— Eu sei que ele é, mas...

— Ele é muito limitado em suas ideias.

— Esse é um jeito delicado de dizer.

— É a maneira correta de se dizer. Thuja e seu povo podem lhe ser muito úteis nessa crise. Eles entendem a terra. No entanto, precisam saber que é você quem toma as decisões. Deixe claro que você vai ponderar qualquer sugestão, mas que as decisões cabem a você.

— Eu não posso deixá-lo esterilizar Jonrae.

— De forma alguma. Já tinha sido uma má ideia durante o Grande Mal e é uma má ideia agora. Tamarisk precisa permanecer completa.

Miea acenou com a cabeça, apesar de estar relativamente certa de que seu corpo permanecia imóvel.

— Eu sei, pai. Eu sei.

— Uma resposta virá.

— Espero que sim.

— Virá. Certamente virá. Apenas lembre-se de olhar por todos os ângulos.

— Ganhar um pouco de perspectiva?

— Exatamente.

— Vou tentar. Gostaria que fosse mais fácil, mas vou tentar.

Seu pai inclinou a cabeça em sua direção novamente, e Miea sentiu uma nova onda de calor. Por mais de um minuto, a energia restauradora fluía por ela, embora não trocassem nenhuma palavra um com o outro.

Então, ele disse:

— Espere.

— O quê?

— Apenas espere.

Naquele momento, o rosto de seu pai brilhava em inúmeros pontos de luz espalhados na escuridão. Miea sentiu alguns pontos de luz passarem por sua própria forma corpórea ao se dispersarem.

Tudo estava escuro novamente.

O tempo passou.

Miea fez o que seu pai havia lhe dito.

Ela esperou.

* * *

Becky sentia-se incrivelmente cansada. As profundezas do sono exerceram um forte e, a princípio, inquietante impulso nela. Devido ao seu estado, ela não imaginava a possibilidade de dormir tão cedo. Aos poucos, ela rendeu-se ao impulso. Ela realmente não tinha escolha — era muito forte.

— Esse encontro vai ser enriquecedor.

Becky ouviu a voz como se ela estivesse dentro e fora da sua cabeça ao mesmo tempo. Agora ela estava ouvindo vozes também? Ela estava ficando doente, seu pai a estava abandonando e ela estava enlouquecendo. A vida não poderia ficar melhor que isso. Além do mais, o que "esse encontro vai ser enriquecedor" queria dizer, hein?

— A imaginação cria coisas infinitas.

Sim, isso ajudou muito. Se ela fosse começar a ouvir vozes, seria bom se as vozes dissessem algo um pouco mais fácil de entender.

Becky sentiu como se estivesse caindo, apesar de saber que ainda estava deitada. Isso não era nada parecido com cair no sono. Seria esse um novo sintoma, algo mais para se preocupar? Agora deitar na cama ia se tornar tão imprevisível como se curvar ou se mover muito rápido?

Mas ela não se sentia tonta. Na verdade, ela não se sentia fora de controle. Era como se ela estivesse indo para algum lugar. Uma pequena parte dela começou a entrar em pânico, mas o restante achava aquilo tudo fascinante. Talvez ficar louca não fosse a pior coisa do mundo. Talvez ela fosse curtir ser uma pessoa louca.

Becky percebeu algo disforme na escuridão. Ao chegar mais perto — como ela estava se movendo? —, a imagem começou a se aproximar. Era a nuca de uma cabeça de mulher. Uma cabeça com mechas de cabelo lustrosas e brilhantes como as de sua prima Kiley. A cabeça se virou e Becky viu o rosto da mulher — e imediatamente soube quem era.

A imaginação cria coisas infinitas.

Uma parte do seu cérebro lhe dizia que não seria possível essa mulher ser quem ela achava que fosse, mas então a outra parte a lembrou que nada daquilo deveria ser possível.

A face olhou para ela. Parecia um pouco confusa, um pouco incerta. Becky continuou a chegar mais perto, seu corpo — ou o que quer que fosse naquele momento —, viajando por conta própria. Se ela ao menos tivesse coragem de contar a Lonnie sobre isso, daria uma história e tanto. Finalmente, ela estava a um passo do rosto — apenas um rosto sem um corpo. Becky se deu conta de que isso deveria fazer com que ela se sentisse muito amedrontada. Mas ela realmente não se sentia dessa maneira. O que ela sentia era indescritível. Isso talvez fosse o certo, já que ela nunca havia tido uma experiência desse tipo, nem a mais remota que fosse. Será que alguém já tivera?

— Princesa Miea? — Ela chamou um pouco insegura. Becky esperava que sua voz soasse tão estranha como aquele lugar, mas sua voz soava da mesma maneira.

A face diante dela pareceu surpresa.

— Você sabe quem eu sou?

— Acho que eu a reconheceria em qualquer lugar. Mesmo aqui.

A mulher fez certo esforço para tentar entender o que aquilo significava. Becky agora percebia que a mulher era mais velha do que ela imaginava. Ela sempre era uma adolescente na mente da Becky, mas esta Princesa Miea parecia ter uns vinte e poucos anos.

— Eu conheço você? — a face perguntou.

— Não, nós nunca nos encontramos.

— Então, como *você me* conhece?

Você tem estado na minha mente desde que me lembro, pensou Becky. Aquela, no entanto, não era uma explicação particularmente esclarecedora.

— Eu criei muitas histórias sobre você, e sobre Tamarisk, e sobre o rei e a rainha, e os pântanos inchados, e o Festival do Arco-íris, e os *poodles* dançarinos...

Os olhos da mulher se arregalaram.

— Você conhece meus *poodles* dançarinos?

— Sim, eu meio que inventei eles. Pelo menos eu pensava que tinha inventado. Agora não tenho mais tanta certeza.

A mulher de repente pareceu triste.

— Eu tinha um... companheiro, acho que você o chamaria assim... quando era mais jovem. Era um animal de quatro patas com cabelos cor-de-rosa cacheados e ele fazia as danças mais divertidas. Eu amava muito aquele animal, mas ninguém mais se lembra dele... ou da existência de *poodles* dançarinos. Eu nunca vi um no reino e não há registro deles em lugar algum. A não ser em meu coração.

— Eu mudei as histórias — disse Becky.

— As histórias?

— As histórias que contei sobre Tamarisk. Eu queria que elas fossem mais sofisticadas, então eu retirei os *poodles* dançarinos. Becky tentou se lembrar de outra criação antiga. — E as salmoladies, elas eram peixes bem espertos, e pétalas de caramelo, uma flor muito gostosa.

— Pétalas de caramelo — disse a mulher quase que nostalgicamente.

A mulher fechou os olhos por um longo período. Parecia estar meditando. Quando ela os abriu novamente, sua expressão havia mudado.

— Você permitiu que nós existíssemos — ela disse com cuidado.

— Você acha? Talvez. Acho que sim. — Isso era tão estranho. Ali estava ela flutuando no espaço, conversando com a princesa das histórias que costumava criar com seu pai. E aquela ainda não era a parte mais estranha. A parte mais estranha era que não parecia nada estranho estar fazendo essas coisas estranhas.

— Você é uma deusa?

Becky deu uma boa gargalhada.

— Eu definitivamente não sou nenhuma deusa. Pergunte pro meu pai. Eu nem tenho certeza se ele pensa que eu ainda sou uma pessoa.

— Mas você nos trouxe à vida.

Foi a vez de Becky não dizer nada por um instante. Teria ela realmente criado Tamarisk? *Teria ela realmente criado Tamarisk?*

— Eu não acho que seja assim que funcione — ela disse, não inteiramente certa do porquê havia dito aquilo. Becky notou que a escuridão ao redor da Princesa Miea estava começando a mudar. Ela achou que podia ver partes do restante do corpo da mulher e um pouco do cômodo ao redor dela. Becky olhou para trás, tentando ver o quarto dela, mas não havia nada lá.

— Há uma razão para isso estar acontecendo — disse Miea. — Há uma razão para nós termos nos encontrado.

— Esse encontro vai ser enriquecedor.

— O que você disse?

— Apenas algo que alguém me disse.

— Quem?

É, boa pergunta.

— Eu não faço ideia. Você sabe por que isso está acontecendo agora?

A princesa olhou para baixo e, quando ergueu o olhar novamente, estava com uma ligeira expressão de vergonha estampada no rosto.

— Não faço a menor ideia. — Ela riu para si mesma. — Você sabe que não foi você.

Becky olhou nos olhos da mulher por alguns segundos. Era como se estivesse olhando para alguém que ela conhecia sua vida inteira.

— Sim, eu sei.

Ela sabia. Imediatamente. Apesar de nada fazer o menor sentido.

* * *

Miea estava falando com a garota na escuridão já fazia alguns minutos. A forma da menina parecia estar emergindo, e Miea podia ver a estrutura de uma cama ao redor dela. A garota não se parecia com uma deusa. De fato, ela se parecia com uma das amigas que Miea havia tido na escola ou na faculdade antes de tudo mudar. A garota, no entanto, era definitivamente aquela que tinha inventado Tamarisk. Todo o seu instinto lhe dizia que isso era verdade. Se não, como poderia ela saber sobre os *poodles* dançarinos e as pétalas de caramelo? Será possível que tudo isso fosse uma mentira elaborada? Afinal de contas, Miea havia mencionado as duas coisas "perdidas" para outras pessoas ao longo dos anos. Mas Miea, de certo modo, estava convencida de que não era. Era por isso que ela deveria "esperar".

— Eu não sou mais uma princesa. Eu sou a rainha agora.

— A rainha? Mas e seu pai e sua mãe?

— Mortos — disse Miea, surpresa de como admitir isso ainda a deixava triste. — Houve um acidente terrível alguns anos atrás.

A garota abaixou a cabeça.

— Mortos. Isso é horrível. — Ela olhou para cima, então Miea pôde ver que isso realmente a afetou. — Isso deve ser incrivelmente duro pra você.

— O vergonhoso é que não consigo superar o fato. Depois de todo esse tempo, ainda machuca toda vez que penso a respeito.

— Sim, eu entendo um pouco sobre isso.

— Seus pais?

A garota balançou sua cabeça.

— Eles não estão mortos. Mas às vezes parece que a família que nós tínhamos morreu.

Miea não conseguia entender o que a garota estava falando, mas era óbvio que pensar sobre isso a deixava muito chateada.

— Me desculpe.

— Obrigada.

A garota olhou ao seu redor, focando diretamente atrás dela. Miea se perguntou o que ela tinha visto lá atrás, e olhou para aquela direção novamente, não vendo nada.

— Que lugar é esse?

— Não tenho certeza. Eu só queria conversar com o meu pai...

— Eu pensei que seu pai estivesse morto.

— Ele está. Eu queria conversar com ele na minha mente, tentar imaginar que tipo de conselho ele me daria... e vim parar aqui.

— Comigo.

Miea sorriu.

— Com você. E o que você estava procurando?

A garota levantou sua sobrancelha e acenou com a cabeça.

— Eu não sabia o que estava procurando. Mas, pensando bem, um pouco antes disso acontecer, eu pedi ajuda.

— Pra quem?

— Eu não sei. Pra qualquer um.

— Talvez tenha algo aqui pra nós duas. Nada que a gente possa perceber só olhando.

— Por falar nisso, sou a Becky. Eu me refiro a você como Vossa Majestade?

Miea estremeceu.

— Seria muito bom se você fosse a única pessoa que conheço que não me tratasse assim. E nestas circunstâncias, não parece apropriado.

— Quais *são* as circunstâncias?

— Acho que isso é algo pra nós duas descobrirmos.

Miea então notou um brilho nos olhos de Becky que não havia notado antes. Isso não era, de forma nenhuma, o que ela tinha esperado quando fechou os olhos em seu quarto para "ganhar perspectiva". Mesmo assim, depois de um dos dias mais difíceis de sua vida, esse tipo de surpresa era mais que bem-vinda.

— Você pode me chamar de Miea.

— Obrigada. Eu sempre amei esse nome.

— Obrigada. Eu também sempre gostei dele.

— Você está em Tamarisk?

Miea pensou por um momento.

— Acho que não. Talvez estejamos no lugar de onde você vem.

— Aqui certamente não é Connecticut. Pelo menos não uma parte de Connecticut que eu conheça.

— Então estamos em algum outro lugar. Um terceiro lugar, um lugar onde a gente pudesse se encontrar.

— Coisas assim acontecem sempre com você?

— Primeira vez. Mas agora estou feliz por estar acontecendo.

Becky sorriu e o brilho dos seus olhos ficou mais intenso.

— Sim, eu também. Você realmente acha que existe uma razão pra gente ter se encontrado?

— Eu acho que tem que ter. Acredito que será algo que teremos de descobrir juntas.

Miea sentiu seu corpo se mover para longe da menina. Enquanto a distância aumentava entre elas, ela se perguntava se isso era algum tipo de indicativo de que esse encontro seria o único. Depois de um tempo, entretanto, o movimento parou. Becky ainda estava visível, mesmo que apenas vagamente. Miea agora podia ver o corpo inteiro de Becky deitado na cama.

Enquanto a observava, a escuridão entre elas tornou-se ainda mais intensa. Um denso e negro caminho a conectava à sua nova e cativante amiga.

— Ensine a ela sobre o caminho — disse a voz que não era nem sua, nem de Becky e nem de seu pai. Ela não entendeu o que essas palavras significavam.

Ela olhou para o espaço sem luz que a levava até Becky.

De repente, ela entendeu a voz.

— Antes que você saia — disse Miea, com a voz alta o suficiente para Becky ouvir —, tem mais uma coisa que eu preciso te dizer. Algo que nos manterá em contato.

7

De alguma forma, em sua raiva, Chris havia se esquecido de que Polly ia vir mais cedo ao apartamento dele no domingo para pegar Becky. Somente quando o interfone tocou às oito e meia ele se lembrou de que elas tinham um compromisso relacionado à família de Al. Ele respondeu ao porteiro dizendo para mandar Al e Polly subirem, e então foi ao quarto de Becky para tirá-la da cama. Ela estava dormindo pesado e sem vontade de levantar.

— Vamos, você precisa se aprontar. Você sabe que a sua mãe não vai gostar de ficar aqui esperando por você.

Não mais do que ele gostaria de ficar esperando com ela. Polly tinha vindo ao seu apartamento apenas algumas poucas vezes — pegar e trazer Becky, de certa forma havia se tornado sua responsabilidade —, e ele sempre se sentia mal quando ela estava lá. Ele a imaginava criticando sua escolha de mobília e cada detalhe na sala, dizendo a si mesma que o apartamento não era nada comparado ao "verdadeiro lar" de Becky.

Considerando que tinham uma filha juntos, ele havia passado um tempo consideravelmente curto com Polly nos últimos quatro anos. Nos eventos escolares eles tendiam a se posicionar em lados opostos da sala. Na festa de formatura do Ensino Fundamental, Polly fez uma festa para Becky, da qual ele saiu depois de meia hora. Se Becky não estivesse pronta quando Chris vinha buscá-la, Polly geralmente abria a porta para ele, e o deixava esperando sozinho em pé no *hall*.

Uma vez apenas, depois de seis meses da separação, Becky havia insistido para que os três saíssem juntos. Ela planejou tudo, inclusive escolheu o restaurante e Chris ficou esperando quinze minutos por elas, apesar de ele mesmo ter se preocupado com o trânsito na ponte, que podia fazer com que ele chegasse atrasado. O jantar foi completamente estranho. Chris ainda estava bravo com Polly, e ainda ressentido com rejeição dela. Ele não tinha nada a dizer, a não ser perguntar sobre sua família e alguns dos vizinhos. Por causa disso ele direcionou quase toda sua atenção para Becky, escolhendo assuntos tão estimulantes quanto "Então, quer dizer que aquela prova de matemática que você fez semana passada foi bem fácil, hein?".

Agora, dez minutos depois de Polly e Al terem entrado, ele nem tinha escolha. Ele não sabia por que Becky estava demorando tanto para se vestir. Ela não precisava passar maquiagem para esse passeio (apesar de ser bem possível que ela quisesse se maquiar). Então, nesse caso, era necessário apenas jogar uma roupa no corpo, escovar os dentes, os cabelos e sair do quarto para cumprimentá-los. Ela sabia o quanto ele odiava fazer sala para sua mãe e o padrasto.

— Vocês aceitam um café, alguma coisa?

Polly disse não com a cabeça e olhou em direção ao quarto de Becky.

— Nós realmente precisamos ir logo. Ainda temos pelo menos mais duas horas de viagem.

Chris deu de ombros.

— Quer que vá chamá-la de novo?

Polly riu ironicamente.

— Isso vai adiantar alguma coisa?

Al foi em direção à mesa de centro.

— Monty Python, eu adoro esses caras.

Ele pegou a caixa e tirou o DVD do filme *Monty Python e o Santo Graal*, o mesmo que Chris tinha escolhido para assistir com Becky na noite anterior depois que chegaram do passeio — quando mais uma vez as coisas entre eles pioraram.

— Sim, eles são realmente muito bons — disse Chris, indo em direção ao sofá e Al, feliz por sair de perto de Polly, que estava cada vez mais impaciente.

— Você é o tipo de cara "cavalheiros que dizem Ni" ou do tipo "Killer Bunny"[1]?

— Eu não sabia que tinha de escolher um ou outro. Para lhe dizer a verdade, acho que provavelmente sou mais do tipo Cavalheiro Negro.

— A diferença é mínima — disse Al animadamente, olhando para a caixa com admiração. — Realmente bons filmes.

— *Casablanca, Santo Graal*.

— Não se esqueça de *Clube de Pilantras*.

— Claro, com certeza.

— Vocês assistiram esse na noite passada?

— Não chegamos a ver esse. — Chris se lembrou da noite passada. Será que ele realmente disse a ela que tinha desistido dela? Que tipo de pai diria algo assim para um filho?

— Que pena! — Al olhou para Polly. — Polly também adora o Monty Python, não é, amor?

Polly fez uma careta pra ele.

— Sim, eles estão cheios de pessoas que arrotam palavras como uma proposta de arte de qualidade.

Al aproximou-se de Chris e disse em voz baixa:

— Nós assistimos esse filme juntos seis vezes.

---

[1] Cavalheiros que dizem Ni e Killer Bunny são personagens do filme do Monty Python. (N. T.)

Chris riu e não conseguiu achar um modo apropriado para continuar aquela conversa. Certamente nem o Al conseguia e o silêncio retornou.

Chris decidiu se sentar na poltrona. Ele olhou para Polly.

— Você também deveria se sentar por alguns minutos. Se a Becky está tentando decidir o que vestir, talvez eu deva preparar o jantar pra nós.

Polly revirou os olhos e andou em direção ao sofá, claramente irritada em ter de aceitar esse nível de hospitalidade do ex-marido. Ao se sentar, ela gritou para Becky.

— Becky, é pra hoje, hein?

— Já tô quase pronta.

Depois de mais alguns minutos, Becky entrou na sala com uma aparência ótima e surpreendentemente de bom humor. Completamente esquecida de qualquer desconforto que ela pudesse ter causado a seus pais. Polly, Al e Chris levantaram-se simultaneamente quando ela entrou na sala, e os quatro foram em direção à porta. No caminho, Al mostrou o dedo para Becky de brincadeira e ela deu um murro no seu ombro. Chris sentiu uma pontada de ciúmes assistindo àquilo.

Polly abriu a porta e seguiu em direção ao corredor de entrada. Al juntou-se a ela. Antes de Becky juntar-se a eles, ela puxou Chris pelo braço e deu um beijo no seu rosto. Depois da noite passada, essa era uma surpresa e tanto.

E não foi só um beijo. Com seus rostos bem próximos, ela cochichou em seu ouvido:

— Pai, você não vai acreditar nisso: Tamarisk é real.

Então o beijou novamente e foi embora.

Essa notícia deixou Chris tão aturdido, que ele só foi pensar em pedir uma explicação quando ela já tinha saído. Ele apenas ficou lá olhando para a porta, bem depois que todos haviam entrado no elevador.

* * *

Chris não conseguia se lembrar da última vez em que Becky tinha se inclinado para lhe dar um beijo no rosto espontaneamente. Nos últimos tempos, parecia que ele sempre tinha de tomar a iniciativa, e mesmo assim ela respondia com pouco entusiasmo. Era mais uma daquelas "coisas de adolescente". Talvez ele não se sentisse tão perplexo assim se não estivesse se sentindo inseguro com sua filha. Isso tornava aquele carinho algo realmente inesperado. Será que ela estava presente durante a conversa que tiveram na noite passada? Como ela pode ter ouvido o que ele disse e agir na manhã seguinte tão afetuosamente?

Além disso, também havia o fato de ela ter mencionado Tamarisk. Já fazia anos que Chris não falava com Becky sobre esse lugar que só existia na imaginação de ambos. Ela havia deixado bem claro que não queria ter mais nada a ver com isso, e ele aprendeu rapidamente que não era seguro tocar nesse assunto. Uma simples menção a Tamarisk poderia ser recebida com desprezo, e se ele de fato tentasse discutir sobre isso com ela, Becky o criticava por não entender que ela já tinha crescido. Então, por que ela tocou no assunto nessa manhã?

E o que ela queria dizer com "Tamarisk é real" logo depois de terem se confrontado de forma tão estressante? Seria algum tipo de resposta, algum tipo de mensagem codificada? Estaria Becky tentando justapor o atual estado de relacionamento entre os dois com a época em que eles inventavam sonhos juntos? Isso era pouco provável. Sua filha não costumava falar em códigos. No entanto, se ela não estava tentando fazer algum tipo de frase metafórica, o que exatamente estaria querendo dizer?

Um simples beijo no rosto e uma referência às suas histórias antigas fizeram Chris se arrepender do absurdo que dissera à filha na noite passada. *Eu desisto*. Em primeiro lugar, por que diabos ele tinha dito isso a ela? Estava bravo e frustado, sim, mas ele também se orgulhava em nunca reagir contra a filha quando estava bravo. Ele tinha tido a necessidade de dizer como estava se sentindo, e não pretendia insinuar a Becky que estava lavando suas mãos (ele esperava que ela não o tivesse interpretado dessa maneira). O que ele queria era dizer a ela que estava resignado a permitir que a relação dos dois fosse como ela quisesse. Ele estava reconhecendo o fato de que não a controlava mais, e que estava deixando o destino dos dois nas mãos dela.

Havia dois problemas nisso. O primeiro era a ambiguidade do que ele havia dito. Ela poderia ter interpretado isso de várias maneiras, quase todas negativas. A segunda era o fato de isso não ser verdade, independentemente de como ela havia interpretado. Chris não havia desistido, e não poderia se permitir aceitar que Becky decidisse como seria a relação entre eles. Ele teria percebido isso essa manhã, mesmo se ela não tivesse lhe dado um beijo ao se despedir.

Mesmo se ela não tivesse sussurrado "Tamarisk é real".

Não importava o que isso significava, o fato é que o episódio havia deixado Chris com uma energia extra para levar o resto do dia. Ele tinha visto um brilho no olhar de Becky que ele não via há algum tempo, e no fundo ele sabia que aquele brilho não tinha relação nenhuma com a viagem para a casa do irmão de Al. Ali havia algo, de alguma forma, a ver com os dois, mesmo se a natureza do assunto ainda permanecesse um mistério. Aquilo significava muito.

Ele tinha um domingo inteiro só para ele. Geralmente, um dia sem planejamento o intimidava. No entanto, hoje, motivado pelo brilho nos olhos da filha, a delicadeza do seu beijo e a graça da misteriosa declaração dela, ele enxergava horas de oportunidades. Ele ia fazer um café, ler o jornal e talvez fizesse as palavras cruzadas e talvez ainda assistisse ao filme do Monty Python.

No decorrer do dia, ele notou a luz do sol entrando pela janela da sala. Não tinha percebido o quanto o dia estava agradável. Decidiu ligar para Lisa.

— A que horas eu devo te pegar? — ele disse.

— Do que você está falando?

— Está um dia bonito e nós vamos passar o dia juntos. A que horas eu devo te pegar?

— O dia está realmente bom? Ainda estou na cama.

— Eu não vou nem perguntar o que você fez ontem. Você ainda não respondeu à minha pergunta.

— Desculpa, querido. Eu não posso sair hoje. Tenho clientes hoje à tarde.

— Que horas?

— Chris, por favor, não force. Acabei de te dizer que não posso sair com você.

— Eu quis dizer que horas é o seu compromisso?

— Ah, os clientes. Às três horas.

— Nós temos tempo suficiente para comermos algo. Tome um banho que eu te pego ao meio-dia e quinze.

Lisa estava vestindo algo discreto e profissional quando atendeu a porta algum tempo mais tarde. Chris preferia quando Lisa vestia roupas casuais. Vestida assim ela certamente parecia alguém de quem ele compraria uma casa. Ela insistiu em ir para o restaurante em dois carros, porque ela poderia sair se necessário e chegar a tempo para seu compromisso, o que fez com que pegá-la em casa fosse algo desnecessário. Quando ela recusou um Bloody Mary, ele percebeu que o negócio imobiliário a estava deixando um pouco mais tensa do que o normal.

— Não vai beber? Que tipo de casa você vai mostrar hoje?

— Do tipo de quatro milhões de dólares.

— Quatro milhões? Você tem uma casa de quatro milhões de dólares pra mostrar hoje, e está aqui almoçando comigo? Você não deveria estar limpando os azulejos da cozinha com uma escova de dentes ou algo parecido?

— Provavelmente sim, mas você parecia tão determinado. Eu não quis desapontá-lo.

Chris de um sorriso largo.

— Obrigado.

— A propósito, o que está havendo com você? Você não teve muita sorte ontem, certo?

— Não seja má. Só estou de muito bom humor.

Lisa sorriu e colocou sua mão sobre a dele.

— Isso é bom. Faça isso com mais frequência.

— Eu vou tentar ver no que dá.

O garçom se aproximou e, enquanto Lisa fazia o seu pedido, Chris olhou em volta para ver quem estava no restaurante. Seus olhos fizeram contato com uma jovem de reluzentes cabelos dourados. Ela sorriu pra ele e desviou o olhar em seguida. Ela parecia incrivelmente familiar, mas ele não conseguiu se lembrar com quem era parecida. Talvez fosse um pouco parecida com a Kiley — talvez ele estivesse "enxergando" sua sobrinha porque talvez alguém estivesse tentando lhe dizer para ligar para ela. Será que é uma das amigas da Becky? Não, ela era muito velha. Uma de suas professoras? Não, ela seria muito jovem para isso. Seria alguma funcionária nova do escritório? Acho que não. Alguém com quem ele já tivesse saído? Não, isso era impossível, porque ela não estava xingando ele.

— Em que posso servi-lo, senhor? — O garçom perguntou, atraindo a atenção de Chris de volta para sua própria mesa.

— Uma omelete à mexicana com torrada integral, por favor. E um pouco mais de café quando possível.

— Só um minuto e já volto com os pedidos.

Chris tomou mais um gole da sua xícara, e então voltou a olhar para a moça. A mulher de cabelos dourados estava conversando animadamente com algumas amigas e ela parecia um pouco diferente agora.

— Alguém que você conhece? — Lisa quis saber.

Chris balançou a cabeça.

— Não, não é quem eu pensei que fosse.

Quem eu pensei que fosse, hein? Chris percebeu que não sabia — mas de certa forma ele sabia que deveria saber.

* * *

Eles finalmente estavam voltando para casa. Becky tinha esperado por essa viagem havia várias semanas — a sobrinha e o sobrinho de Al eram duas das pessoas mais legais que ela conhecia —, mas ela não conseguia se concentrar naquela visita.

Eles foram conversar no quarto de Kayla, e Becky sentiu seu pensamento voar para longe no meio da conversa e voltar para onde — qualquer que fosse o lugar — ela tinha se encontrado com Miea na noite passada. Aquele encontro havia sido, com certeza, a experiência mais bizarra da sua vida, mas também foi a mais incrível. Afinal de contas, não é todo dia que você descobre a existência de outro mundo — um mundo que de certa forma você ajudou a criar. E Miea era tão maravilhosa como Becky tinha imaginado que seria. Ela era nobre e elegante, mas sem ser esnobe. O fato de que o rei e a rainha tinham morrido foi uma notícia inesperada. Miea parecia ficar tão triste quando falava neles. O coração de Becky se apertou ao pensar nela.

Toda essa experiência tinha deixado Becky se sentindo meio esquisita o dia todo, como se tivesse consumido muito açúcar. Ela estava elétrica e superalerta. Há muito tempo não se sentia tão bem assim, e isso a fez pensar que aquele negócio de tonteiras e hemorragia nasal nada mais era do que um vírus que ela tinha contraído. Se fosse ficar doente novamente, ela não poderia estar se sentindo tão bem assim, né?

— Tem certeza de que você está bem? — Perguntou a mãe do banco da frente do carro, enquanto fazia um carinho em sua mão ao mesmo tempo.

Becky tirou seus fones de ouvido do iPod.

— Sim, estou superbem.

— É que hoje você parece estar meio *gaga*.

— *Gaga*? Como a Lady Gaga? — Becky perguntou rindo.

— Não, não esse tipo de Gaga. Você sabe, *gaga*. Como se seu corpo estivesse aqui e seu coração estivesse no sul da Califórnia.

Não no sul da Califórnia, mãe.

— Eu estou bem. Sério. Só estou ouvindo música. Talvez eu escute um pouco de Lady Gaga.

— Você se divertiu com a Kayla e o Matt?

— Claro, eu adoro eles.

Sua mãe não parecia acreditar.

— Ok. Você não parece ter se divertido tanto assim com eles dessa vez.

— É que agora a gente está meio velho pra ficar correndo ao redor da casa como a gente fazia alguns anos atrás.

Esse comentário fez com que sua mãe sorrisse.

— Sério? Eu só... não, tudo bem. Se você diz que está bem, então eu acredito.

Polly virou-se para a frente e Becky colocou os fones de ouvido de novo. O que a sua mãe diria se ela soubesse por que estava meio "gaga"? Provavelmente ela faria com que Al seguisse direto para o primeiro hospício que encontrasse. Polly era fantástica em relação a certos assuntos, mas algumas coisas eram demais para ela. Dizer a ela que Tamarisk existia de verdade seria como dizer que alguns gnomos haviam se mudado para a casa do vizinho.

Ela nunca tinha entrado nessa de Tamarisk. Ela dava um sorriso quando Becky falava a respeito e até participava de algumas histórias, mas Becky sempre tinha a impressão de que ela fazia isso mais para ser uma boa mãe do que porque realmente se interessava. Para Becky, não tinha problema nenhum. Ela não esperava que sua mãe se interessasse pelas mesmas coisas que ela.

Seu pai, no entanto, era louco por Tamarisk. Não podia ser diferente. Afinal, Tamarisk, foi ideia dele. Mas ele não parecia gostar só porque era algo que ele podia fazer com ela. Ele parecia levar tudo muito a sério. Tudo que Becky tinha de fazer para chamar a atenção do pai era mencionar alguma parte do reino — qualquer coisa a esse respeito, e ele já estava totalmente envolvido. Ela provavelmente até conseguiria fazer com que ele deixasse de lado as reuniões de trabalho para falar sobre a reunião do rei, sobre a paz com os thorns ou sobre o que a princesa planejava vestir no próximo concerto luaka. Ele imediatamente se transformava em uma criança pequena quando criavam histórias para dormir, e isso havia acontecido muitas vezes, a ponto de sua mãe ter de lembrá-lo que Becky precisava descansar.

A expressão do rosto dele foi clássica quando Becky sussurrou em seu ouvido que Tamarisk era real. Becky sabia que ele não fazia ideia do que ela estava falando, e que com certeza ele gostaria de falar mais sobre isso com ela. Por isso ela só dissera aquilo quando estava de saída. Para deixar ele tentar desvendar esse mistério por um tempo. Bem feito para ele, por ter dito que tinha desistido dela. Claro que depois ela conversaria com ele, e esclareceria o que estava se passando. Ele realmente gostaria de saber o que estava acontecendo. Provavelmente ficaria bem satisfeito. Disso ela tinha certeza.

Eles pegaram muito trânsito na volta, o que fez com que Becky ficasse incrivelmente impaciente, mas, por fim, Al conseguiu chegar em casa. Felizmente, já era tarde o bastante para que Becky tomasse um banho e dissesse para a mãe que ia pra cama.

Antes de se despedirem, Miea ensinou a Becky um método envolvendo um tipo de meditação, que criava um caminho entre sua casa e

Tamarisk. Miea disse que tinha aprendido esse método com uma fonte segura, e que a técnica funcionaria e a levaria de volta a Tamarisk. Não ao lugar onde haviam se encontrado na noite anterior.

Agora era hora de ver se o método funcionava. Em alguns minutos ela estaria andando pelo mundo de suas fantasias mais loucas.

Antes de iniciar a meditação, Becky se preparou para dormir. Secou seu cabelo e colocou sua camiseta de dormir favorita, uma grande com a foto do Orlando Bloom no papel de Legolas, do filme *O Senhor dos Anéis*. Ela não sabia se ia aparecer em Tamarisk exatamente do mesmo jeito que estava vestida no quarto. Se esse fosse o caso, ela deveria se vestir mais formalmente. Ela não poderia aparecer em um palácio real vestindo uma camiseta. Ao mesmo tempo, ela se sentiria muito estranha colocando um vestido de festa para se deitar, e se sua mãe, por acaso, entrasse no quarto enquanto ela estivesse vestida assim, ela pensaria que Becky estava ficando louca. Ela esperava que qualquer que fosse a magia que lhe permitisse chegar a Tamarisk fizesse ela estar apresentável quando aparecesse lá.

Becky sentou-se na beirada da cama e tentou focar em limpar a mente do jeito que Miea havia lhe ensinado. Primeiro, ela tinha que visualizar os eventos do dia e então imaginar que estava fechando cada um deles. Um por um, o rosto do pai, a mãe e Al no carro, Kayla e Matt no quarto de Kayla e o trânsito na estrada apareceram para ela e ela foi apagando cada um deles em sua mente. Então, ela teria de se posicionar no caminho. Essa ação demandava que ela se concentrasse no nada atrás de suas pálpebras, de tal modo que ela pudesse sentir como se estivesse se movendo em direção a ele, como se o seu corpo estivesse realmente viajando para esse lugar escuro. Depois disso, assim que ela estivesse se movendo, ela deveria produzir a imagem de Tamarisk na mente. Ela tinha de ver Miea do mesmo jeito que tinha visto na noite anterior, e as paisagens que sempre imaginara. Agora essas imagens emergiam no espaço vazio e Becky podia sentir que estava se movendo em direção a elas. A tentação de abrir os olhos e ver esse outro mundo era quase incontrolável, mas Becky tinha de resistir. Miea havia deixado bem claro que ela saberia quando realmente estivesse em Tamarisk. Somente então, ela poderia interromper a meditação.

Mas, enquanto a imagem desse mundo ia se tornando mais clara — Becky se lembrava exatamente como era esse lugar de anos antes, e tudo vinha à tona agora —, ela não tinha a impressão de estar lá. Na verdade, ela não sentia a movimentação do corpo. Em vez disso, parecia que ela simplesmente tinha desenhado um quadro em sua mente e nada mais. Talvez fosse parte do processo. Talvez fosse um tipo de barreira que ela tinha de atravessar. Becky manteve os olhos fechados, manteve o foco e se projetou através da barreira.

Nada mudou. Depois de alguns minutos, ficou óbvio que nada ia mudar. Becky abriu os olhos e viu seu quarto e suas coisas. Ela olhou para o Legolas da sua camiseta e percebeu que nada tinha mudado. Ela tinha certeza de ter feito tudo do jeito que Miea havia lhe ensinado. Tinha sentido estar se movendo da maneira como Miea disse que ela sentiria. Mas, no final das contas, ela não estava nem um pouco mais perto de Tamarisk agora que quando estava na estrada de volta para casa.

Becky sentiu que a ansiedade que ela estava sentindo desde a noite anterior estava desaparecendo. Por que ela não conseguiu visitar Miea naquela noite? Será que Miea teria de fazer algo do lado de lá para que o método funcionasse? Talvez ela estivesse tão ocupada com tudo que estava acontecendo no palácio hoje que ela não teve tempo de deixar a porta aberta ou algo assim.

Becky tinha esperanças de que esse fosse o caso.

Caso não fosse, então a noite anterior teria sido irremediavelmente uma experiência única na sua vida.

* * *

— A ministra de comércio está aqui para a reunião, vossa Majestade. Devo mandá-la, com sua equipe, para a sala de reunião pequena?

— Diga à ministra que hoje nossa reunião será no jardim, Sorbus.

— No jardim, vossa Majestade?

— Há algum problema com isso? O dia está maravilhoso e o objetivo dessa reunião de hoje é trocar ideias. Acho que minhas ideias fluirão melhor no jardim que na sala de reuniões.

Por um instante, Sorbus olhou para Miea como se estivesse preocupado com ela. Seus olhos, então, se suavizaram.

— Acho que o jardim é uma excelente ideia. Vou levá-los até lá. Em quanto tempo? Dez minutos?

— Não há razão para fazer a ministra esperar tanto tempo. Diga a ela que eu estarei lá em dois minutos.

Miea acordou naquela manhã com a sensação de ter dormido vinte horas. Ela mal conseguia esperar para começar seus afazeres do dia. Sua agenda estava cheia — quando sua agenda não estava cheia? —, mas ela se sentia à vontade resolvendo seus assuntos, motivada pelo inacreditável encontro da noite anterior.

O nome dela era Becky. Tinha catorze anos de idade, cabelos castanhos na altura dos ombros, olhos azuis profundos, um rosto arredondado e delicado e vinha de um lugar chamado Moorewood, em Connecticut. A existência dela mudava tudo. Inúmeras vezes Miea havia se perguntado importantes questões sobre seu mundo, desde pequena. A principal questão tinha sempre sido impossível de responder: como eles chegaram lá? Esse não era o tipo de resposta que seus compatriotas estariam interessados em tentar procurar. Até mesmo seu pai se sentia impressionado pela fascinação de Miea. Todos os outros simplesmente aceitavam que tinham um lugar no mundo e deixavam as perguntas mais misteriosas permanecerem um mistério.

Agora, no entanto, Miea tinha uma resposta. Pelo menos, tinha parte dela. Havia a presença de mais alguém ali na noite anterior —

aquela coisa que havia pedido para ela esperar e que lhe mostrou o caminho, com certeza não era seu pai. Aquela presença tinha algo a ver com o seu encontro com Becky, até mesmo havia sugerido que isso de fato ia acontecer. Havia mensagens nesse episódio que ela estava apenas começando a escutar. O que Miea já sabia é que o fato de encontrar Becky abriu para ela uma nova maneira de olhar o Universo. Saber que existia uma força lá fora, que queria que ela existisse, mesmo que essa força viesse apenas de uma garota, lhe dava uma perspectiva do mundo que Miea não tinha antes. Com a notícia dessa nova ordem veio uma nova fonte de inspiração e, por razões que ainda não estavam inteiramente claras, um novo senso de otimismo.

Portanto, Miea abordou o novo dia com prazer — incluindo a parte que ela tinha temido na noite anterior.

— Esterelização não é uma opção que eu gostaria de considerar — ela dissera a Thuja. As palavras do seu pai na noite passada, aquela parte da conversa soava exatamente como ele, ecoavam em sua mente.

O homem abaixou os olhos.

— Sinto muito em ouvir isso.

— Você não deveria sentir pena ao me ouvir dizer que me recuso a mandar eliminar várias espécies únicas em nosso reino.

— Tenho certeza de que sabe que não quis dizer isso, Vossa Majestade. O que me causa tristeza é que eu não tenho alternativa para lhe oferecer. Nós não achamos a causa da praga.

— Mas nós a acharemos.

— Se ao menos eu tivesse essa certeza.

— Você *pode* ter essa certeza, ministro. Não sei explicar por que eu me sinto desta maneira, mas sei que a resposta está lá fora. E sei que nós a encontraremos sem muitos sacrifícios.

Thuja não parecia estar convencido. Entretanto, apesar de Miea reconhecer que os receios dele eram legítimos, ela pediu que ele pressionasse sua equipe ainda mais para encontrar a origem do mal ou pelo menos oferecer um tipo de tratamento que o eliminasse sem consequências ecológicas devastadoras.

— Vossa Majestade, eu realmente espero compartilhar a sua confiança — Thuja disse quando se preparava para sair.

— Tente, ministro. Talvez confiança seja o que mais precisamos nesse momento.

Miea se dirigiu ao jardim para a reunião com a ministra de comércio com um saudável espírito de decisão. No entanto, a reunião começou de maneira meio inconsistente. Parecia que a equipe da ministra estava especialmente desconfortável por estar em um local tão informal com a rainha. O objetivo da reunião era discutir maneiras de ajudar os produtores de bayless em seus esforços para dar à fruta de formato estranho e ligeiro sabor ácido um atrativo maior para o consumidor. Miea ouviu vários membros do comitê apresentar projetos com a intenção de convencer o público de que a fruta não era tão feia como parecia, não tinha um sabor tão estranho e era nutricionalmente benéfica (apesar de as frutas mais populares serem consideravelmente mais nutritivas). Seus esforços eram bem intencionados, mas Miea não conseguia imaginar como qualquer deles pudesse ajudar os cultivadores de bayless a fazer algum progresso.

Miea entendia que era sua função ouvir as diferentes campanhas, receber recomendações da ministra e então dar sua opinião sobre elas. Mas ela não estava a fim de exercer tal função hoje. Não quando ela se sentia tão bem, e o comitê estava esquecendo o óbvio.

— Crianças — ela disse, enquanto um membro do comitê se sentava e outro se levantava para fazer sua apresentação.

— Desculpe-me, Vossa Majestade — disse a ministra.

— Crianças adoram coisas azedas, especialmente coisas doces e azedas. A bayless não é exatamente uma fruta doce. Pra ser honesta, não é absolutamente uma fruta muito boa. Ela também é horrivelmente feia. Eu nem tenho certeza da razão pela qual os fazendeiros cultivam essas coisas, pra dizer a verdade. Seria melhor se elas fossem deixadas na natureza pra fazerem parte da paisagem. No entanto, se os fazendeiros querem investir suas energias em lançar essa fruta no mercado, então eles deveriam pensar em uma mistura, algum tipo de pasta ou substância mastigável ou alguma bebida, que use a bayless de maneira disfarçada e adocicada, e fazer propaganda dessa mistura pra crianças.

A ministra do comércio sorriu para ela.

— Transformá-la em uma espécie de bala, Vossa Majestade?

— E creio que essa é uma ideia melhor do que tentar convencer nossos cidadãos de que a bayless é uma fruta bonita.

A ministra sorriu educadamente.

— Eu creio que essa deva ser a solução, Vossa Majestade.

— Se a mistura for adocicada com haedrich, ela será nutritiva também.

— Essa é uma sugestão muito sábia, Vossa Majestade. Vou pedir para alguém trabalhar nisso imediatamente.

Miea não apenas sentiu ter contribuído, mas, tendo antecipado as três últimas apresentações, ia adiantar a agenda do dia. Como resultado, ela merecia um tempo sozinha no jardim, bebendo argo e desfrutando do sol.

Ela se perguntava o que Becky fazia para relaxar. Será que o tempo para lazer naquele mundo de onde aquela adolescente vinha era algo completamente diferente? Miea pressentia que havia muito mais semelhanças entre Tamarisk e Connecticut do que diferenças. Certamente, deveria haver diferenças. Como será que era Connecticut? Miea acreditava que havia aprendido como trazer Becky a Tamarisk, mas seria possível para Miea viajar para a casa de Becky também? A ideia era muito fantástica para um dia tão atribulado.

Sorbus foi buscá-la no jardim e o restante da tarde foi um amontoado de diplomacia e solução de problemas. Na sequência, houve um jantar de Estado que tomou a maior parte da noite. Finalmente, sentindo-se exaurida depois de um dia cheio e cansada de falar tanto, Miea ficou sozinha em seus aposentos, bebendo uma última xícara de argo. Foi somente então que ela percebeu que Becky não havia aparecido. Ela tinha certeza, depois da noite anterior, de que a garota viria visitar Tamarisk na primeira oportunidade que tivesse. Antes de se despedirem, Becky havia lhe dito que viria em breve. No entanto, ela não tinha vindo.

Será que seus compromissos a impediram? Talvez os adolescentes em Connecticut tivessem muito mais coisas para fazer do que os adolescentes de Tamarisk. Talvez Miea houvesse feito algo que tivesse amedrontado a garota e a impedido de fazer a viagem. Mas, pela maneira como haviam conversado e pela menina que Becky era, essa hipótese não fazia sentido. Miea tinha certeza de que o processo de meditação que ela havia descrito para Becky a traria a Tamarisk — a "voz" era tão firme —, mas, claro, ninguém jamais havia tentado antes. Será possível que Miea havia cometido algum erro ao dar as instruções para a garota?

Se esse fosse o caso, significava que nunca mais ia vê-la novamente? Esse pensamento deixou Miea cheia de ansiedade. Ela gostaria de atravessar o vazio para pegar as mãos de Becky naquele exato minuto.

Elas tinham tantas coisas mais para fazerem juntas.

8

Miea passou sua mão pela réplica da ponte Malaspina que estava em seu quarto. Ela havia encomendado o modelo logo depois de se tornar rainha, em resposta ao primeiro relatório sobre o "acidente" dos seus pais. Ela havia exigido que o modelo fosse tão preciso em cada detalhe quanto possível, para ajudá-la quando fosse revisar relatórios subsequentes. Apesar de o artista que criou o modelo ter feito seu serviço com maestria, as pessoas que compilaram os relatórios (mais de uma dúzia nos anos que se seguiram) foram bem menos eficientes. Quatro anos depois do desastre, ninguém sabia lhe dizer a causa definitiva do acidente.

Sorbus entrou nos aposentos.

— Vossa Majestade, é hora de sua reunião com a delegação de Gunnthorn.

— Por favor, faça com que se sintam à vontade, Sorbus. Estarei lá em um minuto.

Miea voltou a seu escritório para pegar a pasta que continha suas anotações dos inúmeros dossiês que havia recebido para esta reunião. Esta era a quinta reunião com os thorns desde que Miea era rainha. Ao longo da história, Tamarisk manteve um relacionamento cauteloso e inquietante com seus vizinhos do norte. As tensões haviam levado à guerra somente uma vez — tudo por causa de um pequeno pedaço de terra fértil mais de cem anos atrás —, mas sua coexistência havia sido marcada por confrontos, subterfúgios e desconfiança. As diferenças culturais entre os dois reinos eram imensas: Tamarisk era agrário, aberto e progressista enquanto Gunnthorn era industrial, repressivo e resistente a mudanças sociais. Entretanto, o mais difícil para Miea (e para cada monarca de Tamarisk que veio antes dela) em lidar com os thorns era sua necessidade compulsiva de intimidar. Os líderes dos thorns queriam que todos os outros reinos os temessem, mesmo aqueles com força e recursos iguais ou maiores. Miea sabia que havia uma rede de espiões em Tamarisk colhendo informações sobre suas vulnerabilidades e criando problemas para seus cidadãos. Os thorns não faziam esforços para esconder a existência de tal rede de espionagem. Eles eram, no entanto, tão bons em se infiltrarem na sociedade de Tamarisk que as tropas de segurança de Miea nunca obtiveram sucesso em rastreá-los.

A possibilidade de uma incursão desastrosa dos thorns sempre existia. Por isso Miea ansiava por essas sessões diplomáticas. Esta, porém, era mais urgente que as outras. Enquanto a busca por uma causa da doença que infestava as plantas em Jonrae se revelava inútil, Miea considerava real a possibilidade de os thorns terem encontrado uma maneira indetectável de envenenar seu reino. Se esse fosse o caso, nenhum nível de diplomacia seria suficiente para prevenir um conflito de guerra.

Enquanto saía do escritório para ir à sala de reuniões, Miea encontrou-se com um adolescente, vestindo trajes de thorn, folheando as páginas da cópia de Sorbus da sua agenda; folheando cada página cuidadosamente. Sorbus não se encontrava por perto.

— Com licença — ela disse rispidamente.

O garoto olhou para ela despreocupado, reverenciou levemente com a cabeça em um modesto reconhecimento de sua presença e continuou a examinar o livro.

— Posso lhe perguntar o que está fazendo? — Miea disse com uma irritação óbvia.

O garoto esfregou uma página do livro com seus dedos.

— Esse papel é extraordinário. Os tamariskianos são tão bons artesãos. Mesmo esse livro de compromissos é mais elegante do que qualquer um que temos em Gunnthorn.

O garoto estava admirando a qualidade do livro? Improvável. Ele certamente estava memorizando onde ela estaria nas semanas seguintes. Como Sorbus poderia ser tão relapso em permitir que o garoto fizesse algo assim?

Miea caminhou em sua direção e olhou para a página que ele "admirava". Daqui a duas semanas. Ela teria de reforçar a segurança durante a semana toda. Ela odiava pensar dessa maneira e só realmente o fazia quando os thorns estavam envolvidos.

— Eu presumo que você esteja com a delegação.

O garoto alisou a página e fixou mais uma vez os olhos nela. Miea quase tomou o livro das mãos dele. Finalmente, ele respondeu a ela.

— Sim, estou com a delegação.

— Então, talvez, você devesse estar *com* a delegação. Permita-me acompanhá-lo.

— Seria muito gentil da sua parte.

Miea caminhou com o garoto até a sala de reuniões, espumando de raiva silenciosamente. Será que esse adolescente thorn poderia ser mais arrogante? Ele tinha de saber quem era ela. Se não ia esconder sua óbvia espionagem, o mínimo que ele poderia fazer era oferecer a ela um pouco de respeito.

O vice-chanceler thorn, Capsicum, levantou-se para cumprimentar Miea quando ela entrou na sala de reuniões. Claro que o chanceler não estava lá. Ele nunca se prestaria a viajar para outro reino.

— Vossa Majestade, obrigado por sua hospitalidade — disse o vice-chanceler. — Nossas acomodações na noite passada eram excelentes como sempre.

Nós intencionalmente o isolamos para prevenir que você fizesse alguma espionagem, Capsicum, mas você provavelmente já sabe disso.

— Estou feliz por saber que estava bem-acomodado, senhor vice-chanceler.

O homem fez um gesto para o garoto que caminhava com Miea.

— Vejo que já encontrou meu filho, Rubus.

Miea olhou em direção ao garoto, que agora a reverenciava com deferência.

— Eu não sabia que ele era seu filho — Miea disse —, mas, sim, nós nos encontramos.

— Rubus passou a ter um interesse especial por Tamarisk. Ele praticamente me implorou para trazê-lo nessa viagem. Espero que não se importe.

— Seu filho é bem-vindo em Tamarisk, senhor vice-chanceler. Eu só devo lhe pedir que ele permaneça junto de sua comitiva no futuro.

Os olhos de Capsicum se estreitaram ligeiramente e então ele olhou para o filho com reprovação. O garoto não ousava encará-lo. Claramente, ele não era tão habilidoso em dissimular quanto seu pai esperava que fosse. Miea tinha certeza de que ele receberia um treinamento mais abrangente ao retornar a Gunnthorn,

A meia hora seguinte foi uma série de formalidades já conhecidas: revisões de tratados, discussões sobre os níveis de participação de cada reino na próxima conferência global, referências vagas nas políticas de extração. Capsicum pressionava para uma redução de soldados tamariskianos na parte da fronteira mais meridional entre os dois reinos, argumentando que os aldeões thorns do outro lado se sentiam oprimidos. Miea se recusou, mencionando que a política dos militares de fronteira de Tamarisk era de respeito e preferiu não mencionar que o governo thorn se preocupava muito pouco com seus próprios cidadãos e só queria a redução para facilitar a entrada de espiões.

— Vice-chanceler, como estamos falando sobre fronteiras, gostaria de discutir algumas anormalidades em Jonrae que me preocupam. — Jonrae também fazia fronteira com Gunnthorn, mais ao norte. — Seria possível que vocês estivessem realizando experiências por lá?

— Em Jonrae, Vossa Majestade? — Capsicum retrucou de maneira arrogante. — Jonrae é um território de Tamarisk.

— E facilmente acessível por Baranov.

— A fronteira entre Baranov e Jonrae é bem-guardada por seus soldados, Vossa Majestade.

Mas tenho certeza de que vocês encontrariam uma maneira de nos causar dano, se vocês assim o quisessem.

— É provável que uma experiência realizada dentro de suas fronteiras possa ainda trazer consequências inesperadas para Jonrae.

O vice-chanceler balançou a cabeça.

— Não há experiências sendo feitas em Baranov.

— Você se importaria se eu mandasse uma delegação até lá para coletar algumas amostras de solo?

Capsicum levantou-se de sua cadeira.

— Eu me importaria da mesma forma que você se importaria se eu mandasse uma delegação para bisbilhotar a sua cidade.

Rubus inclinou-se para a frente.

— Talvez eu pudesse ir até Baranov e preparar um relatório para a rainha — sugeriu ele. Ao contrário dos outros diplomatas sentados ao redor da mesa, ele obviamente não se preocupava em entrar em uma discussão com os oficiais mais graduados na sala.

— A rainha simplesmente vai ter que acatar nossa palavra nesse assunto — Capsicum devolveu severamente.

— Se há anormalidades em Jonrae, deve haver anormalidades em Baranov também. Nós devemos tentar descobrir.

O vice-chanceler sorriu, apesar de seus olhos permanecerem frios.

— Meu filho é muito inteligente apesar da idade que tem. — Ele virou-se para o garoto. — Sim, Rubus, leve uma equipe de cientistas até Baranov e volte com suas descobertas. Se houver algo que valha a pena partilhar com a rainha, nós lhe diremos.

O homem e o adolescente trocaram um breve olhar que Miea não pôde decifrar. Logicamente, nada viria do "relatório" de Rubus. Assim como nada estava vindo dessa conferência diplomática.

Exceto as suspeitas crescentes de Miea de que os thorns tiveram uma participação ativa no novo perigo que seu reino estava enfrentando.

* * *

A massa de pizza, jogada para cima, caiu sobre o balcão da cozinha com som estranho. Seu pai nunca havia sido bom nesta parte do processo de fazer pizza, mas ele insistia em fazê-lo sempre.

— Qual é o propósito de jogar a massa para o alto? — Becky quis saber enquanto seu pai retirava a massa do balcão, jogando farinha e arremessando para o alto de novo.

— Não sei ao certo. Encenação, eu acho.

A massa escorregou de sua mão, mas ele a pegou antes que caísse no chão.

— Isso não parece muito profissional, pai.

Ele deu uma risada sem graça para ela.

— Certas coisas precisam de prática. Se você não tentar de novo depois de um pequeno erro, você nunca aprende.

Becky não queria lembrá-lo de que ele vinha tentando desde quando ela era bem pequena.

— Se é assim, então eu vou desfiar a muçarela.

— Boa ideia. Eu devo terminar com isso em talvez, eu não sei, vinte ou trinta minutos... se, claro, eu não deixar cair no chão e não tiver que começar tudo de novo desde o início.

Ele olhou para ela de maneira marota e ela revirou os olhos para ele. Ele parecia estar de muito bom humor. Estava assim na semana inteira, na verdade. Ele perguntou para ela mais que as duas perguntas de sempre quando se falaram por telefone. (Como foi a escola? Aconteceu alguma coisa hoje?), e ele de fato parecia estar ouvindo o que ela dizia em resposta.

O jantar deles na terça-feira à noite foi tranquilo. Ela escolheu o restaurante e depois eles tomaram sorvete e passaram um tempo juntos. Eles não conversaram muito, mas ela não se sentiu do jeito como geralmente se sentia quando ficavam calados juntos — como se eles tivessem que estar conversando e não estavam.

É claro que não significava que não havia nada de estranho entre eles. O mais estranho de tudo era que ele ainda não havia perguntado nada a ela sobre Tamarisk depois do que ela tinha dito a ele no domingo anterior. Nem uma palavra. Ela estava começando a se perguntar se ele não tinha escutado. Bem, se ele não fosse tocar no assunto, ela também não iria. A princípio, ela não disse mais nada a ele sobre Tamarisk porque ela queria que ele tomasse a iniciativa. Já fazia tanto tempo que ele não tentava se conectar com ela de verdade, e ela estava certa de que isso o motivaria, mas ele tinha de mostrar a ela que isso era importante para ele também.

Mas agora havia um motivo diferente para não tocar no assunto. A semana fora cheia desde seu "encontro" com Miea — e ela ainda não tinha conseguido se conectar com a rainha de novo, não importava o quanto tentasse se concentrar ou o quanto seguisse cuidadosamente as instruções que Miea tinha lhe dado. Becky sabia que o que tinha acontecido com ela era real. Mas se era real, por que só aconteceu uma vez? Ela ia tentar de novo quando eles fossem para cama à noite. Ela, agora, estava ansiosa para tentar — na verdade, já fazia quatro horas que ela estava ansiosa para tentar —, mas achava que não ia conseguir se concentrar com seu pai vagando pelo apartamento.

Por enquanto, ela ia pensar na pizza e em desfiar a muçarela. Ela olhou para o balcão da cozinha. Seu pai havia conseguido esticar a massa e estava consertando uns buracos nela.

— Que tal azeitona e alho? — ele sugeriu, ainda concentrado na pizza detonada.

— Por mim tudo bem. Temos pimenta?

— Pimenta? Você não come pimenta.

— Estou evoluindo, pai.

Ele deu uma olhada para ela, com um sorriso irônico em seu rosto.

— Sim, acho que temos pimenta.

— Só um pouco, tá?

Por fim, eles comeram a pizza e estava uma delícia. Seu pai ficou muito bom em fazer pizza depois que terminava com as "encenações". Então lavaram a louça, jogaram um pouco de dados e colocaram um filme do Johnny Depp no *pay-per-view*. Era para Becky ter ido a uma festa com a Lonnie naquela noite, mas, em vez disso, ela decidiu ficar em casa com o pai. Já fazia um tempo que eles não passavam um sábado gostoso juntos e por isso pareceu uma boa ideia ficar em casa.

— Johnny Depp é realmente um bom ator — disse seu pai assistindo o filme.

— Ele é um gato.

Ele olhou de lado para ela e ela apenas sorriu pra ele.

— Você realmente acha ele um gato?

— Você não?

— Ele não faz o meu tipo.

— Você não tem um tipo, pai. Sim, Johnny Depp é maravilhoso. Não é uma opinião, é um fato.

— O que você quer dizer com "eu não tenho um tipo"?

— Deixa pra lá. Eu quero sobremesa. O que tem?

A sobremesa acabou sendo a torta de maçã que ele tinha comprado naquela manhã. O filme acabou sendo apenas mediano pelos padrões de Johnny Depp (não que isso importasse) e ele ainda insistiu em assistir o começo do *Saturday Night Live* antes de ir pra cama. Mas, no final das contas, eles passaram um dia inteiro juntos sem nenhum momento tenso ou estressante. Becky se perguntava o que seu pai estava pensando, o que havia causado essa mudança de atitude. O que quer que fosse, ela esperava que ele continuasse pensando assim.

Agora, sozinha no quarto, Becky finalmente podia testar sua teoria. Depois de mais ou menos seis meses da mudança do pai, sua mãe havia lhe comprado um novo jogo de quarto com uma cama tamanho *queen*. Em vez de doar sua cama velha, sua mãe perguntou se seu pai a queria e ele aceitou. Certamente ela era bem melhor do que a cama que Lisa deu pra ele quando ele se mudou para esse apartamento, mesmo sendo uma cama de solteiro. O lance a respeito dessa cama e que fazia diferença agora é que eles haviam criado todas as histórias de Tamarisk nessa cama. Noite após noite, eles acrescentavam novas aventuras. Por mais estranho que pareça — o que poderia parecer mais estranho do que o que havia ocorrido? —, Becky achava que seria possível que essa cama fosse algum tipo de portal para Tamarisk. Ela lia esse tipo de coisa em romances de fantasia todo o tempo, e estava nessa cama quando se encontrou com Miea pela primeira vez.

Becky se sentou na beirada da cama e iniciou o processo da mesma maneira como vinha fazendo todas as noites desde o domingo anterior. Ela fechou seus olhos e começou a esvaziar sua mente das lembranças do dia. Bem no início, ela ouviu o som da descarga do banheiro do quarto do pai e precisou começar de novo. Assim que o silêncio se restaurou, ela foi capaz de se concentrar no escuro completamente. Foi apagando a massa da pizza, Johnny Depp e a música brega que Al, intencionalmente, tinha cantado aos berros essa manhã. Ela apagou as súplicas de última hora da Lonnie para ir à festa e o torpedo do Cam

Parker que ela tinha recebido dizendo que ele também estaria na festa. Ela se moveu mais fundo na escuridão até que estivesse totalmente escuro e então projetou a imagem de Tamarisk, do palácio, do rosto de Miea.

E ela sentiu um puxão. Isso era novidade, diferente da sensação de estar caindo que ela havia sentido no último sábado à noite e uma sensação de movimento muito maior do que ela já tinha sentido desde então. Era uma sensação como se você estivesse em seu carro em um daqueles lava a jato automáticos: de repente você é puxado para a frente como se estivesse em um trilho. Becky definitivamente estava se movendo agora, mais rápido, como se ainda não tivesse certeza de para onde estava indo. Ela ainda tinha as imagens de Tamarisk em sua mente e não ousava abrir os olhos com medo de perder a conexão.

Gradualmente, o silêncio foi trocado por sons de passos, vozes distantes e pessoas em atividades. Mesmo assim, ela manteve seus olhos fechados. Até que o puxão cessou e os sons ficaram mais nítidos.

— Então você decidiu não nos abandonar afinal de contas.

Becky abriu seus olhos.

Para se ver em outro mundo.

* * *

Miea quase tinha perdido as esperanças de Becky voltar, a expectativa e o otimismo do início da semana haviam sido substituídos, metodicamente, pelo contratempo com os thorns, a agitação laboral com a guilda dos carpinteiros e até mesmo o desacordo entre seus funcionários em relação à troca do segundo assistente de Sorbus. Adicionado a tudo isso, ainda havia a invasão das manchas matando mais e mais plantas a cada dia. A equipe de Thuja não estava nem um pouco perto de descobrir uma causa ou solução. Quão tola a confiança que ela havia expressado na semana anterior parecia para ele agora?

Miea havia terminado seus compromissos do dia, e seu secretário tinha acabado de sair do escritório. Notavelmente, ela não tinha de estar em nenhum lugar naquela noite, um imprevisto na agenda causado pela doença de um dignitário em visita. Miea não estava necessariamente feliz que uma infecção viral houvesse afligido o prefeito de Cosmas, mas ela estava aliviada pela oportunidade de jantar em seus aposentos e de, talvez, ir para cama mais cedo. Descansar seria bom, se ela conseguisse.

Havia apenas um último documento para revisar. Enquanto lia, ela sentiu o ar em seu quarto mudar, como se alguém tivesse entrado no escritório sem ser chamado. Ela ergueu os olhos e encontrou Becky sentada no sofá, olhos fechados e rosto concentrado.

— Então você decidiu não nos abandonar afinal de contas — Miea comentou, animada.

Becky abriu os olhos, analisou a sala desorientadamente. Ela olhou para Miea e deu um sorriso largo.

— Eu consegui.

— Parece que sim.

— Tem de ser a cama. Poxa, isso fica cada vez mais bizarro.

Miea não fazia ideia do que Becky estava dizendo. Independentemente disso, ver a menina fez com que seu coração se enchesse de alegria.

— É bom vê-la novamente, Becky.

Becky não havia parado de sorrir.

— É bom vê-la também. Aqui é mesmo Tamarisk?

— Você realmente está aqui.

— Fantástico. Então tudo é real?

Miea foi em direção à Becky e a pôs a mão em seu ombro. Tudo.

— Você gostaria que eu te mostrasse o palácio?

— Sim, eu adoraria.

Naquele instante, Sorbus apareceu na porta.

— Vossa Majestade, se não for precisar mais de mim hoje, eu me retiro.

— Tenha uma boa noite, Sorbus. A propósito, antes que você vá, eu gostaria de apresentá-lo a uma amiga minha. Esta é Becky.

Sorbus fez uma pequena reverência para Becky e disse:

— É um prazer conhecê-la, senhorita.

Miea podia dizer através da expressão de Sorbus que a presença da garota o confundia. Ele provavelmente se perguntava quem era ela e como ela teria chegado a essa parte do palácio sem seu conhecimento. Miea admirava sua preocupação, especialmente depois do episódio com o filho do vice-chanceler. Amanhã ela ia falar com ele a respeito de Becky, e esperava que Sorbus acreditasse nela. Não queria falar a respeito disso agora. Nesse momento, ela queria levar sua convidada especial em uma turnê.

* * *

Havia tanta coisa ali que era exatamente do jeito que Becky tinha imaginado. E muito mais coisas que estavam além da sua imaginação. Se alguém lhe dissesse algumas semanas antes que ela estaria passeando em uma terra de fantasia com uma princesa — desculpe, rainha — que ela havia imaginado quando era apenas uma garotinha, Becky teria rido ironicamente e teria dito que ela já estava bem grandinha para acreditar em magia. Mas fazer isso era totalmente diferente de fingir, e se esse tipo de coisa não te impressionava era porque você estava em uma condição péssima.

Um intrincado mosaico de madeira multicolorida polida cobria os corredores do chão ao teto. Becky lembrava que a madeira vinha de uma árvore chamada plumas. A ideia tinha vindo quando ela se enganou com um projeto em que seu pai estava trabalhando. Antigamente, ele achava que podia fazer qualquer coisa com as árvores que ele modificava geneticamente e ela achava que seria engraçado se ele fizesse uma que tivesse as cores do arco-íris. Ela se lembrava de ter ficado um pouco desapontada quando descobriu que ele não podia fazer algo tão revolucionário, mas se ele não era capaz de fazer isso na vida real, ela poderia fazer aqui.

As pessoas que passavam por Becky e Miea pelo caminho reverenciavam a rainha e olhavam para Becky sem entender nada. Não haveria como eles saberem quem era ela, haveria? Talvez eles olhassem para ela de maneira estranha por causa das roupas que ela estava vestindo, apesar de ela não estar vestindo nada tão diferente deles. Nos primeiros anos das histórias de Tamarisk, Becky vestia seus personagens com roupas ornamentadas, meio medievais, resquícios das feiras renascentistas às quais ela havia ido com seus pais todos os verões. No ano anterior àquele em que parou de criar essas histórias com o pai, ela tinha mudado de ideia, decidindo que Tamarisk seria um lugar muito mais interessante e contemporâneo se todos se vestissem com roupas de náilon bem coloridas, algo parecido com as roupas que as mulheres do time de basquete da UConn usavam para se aquecer.

Até mesmo Miea estava vestida de forma casual agora, apesar de a rainha vestir uma roupa feita especialmente para ela, produzida por um artesão do território de Odoric. De qualquer forma, com jeans e camiseta Abercrombie (ela não tinha tirado essa roupa antes de se deitar?), Becky não achava que estava mal vestida, mesmo sendo óbvio que as pessoas a olhavam como se ela fosse uma estrangeira.

Elas viraram à esquerda e passaram por uma porta que as levava para fora. Becky teve um impacto imediatamente. As cores eram quase fisicamente arrebatadoras. Obviamente havia azul por todos os lados — Becky achava mais interessante se a folhas das árvores de Tamarisk fossem azuis em vez de verdes —, mas havia tantas outras cores que eram novas para ela. Então era assim que aquamarrom parecia? Será que aquela flor limão-tangerina-melão era a cor que ela chamou de juce? E como se chamaria a cor daquela flor à direita, aquela cor que parecia ser ao mesmo tempo verde-escuro, preto intenso e azul da meia-noite?

Assim como as cores eram deslumbrantes, os sons eram impressionantes, Becky escutou o som estrondoroso de alguns animais por perto — talvez um mariton ou um morongo. O som das folhas ao vento tinha certa qualidade de percussão, como se fosse o som de vários triângulos sendo tocados ao mesmo tempo. Os pássaros cantavam em padrões de sons muito delicados enquanto outros batiam com seus bicos em um ritmo complexo. Havia notas sendo cantadas de vários tipos: farfalhando, chilreando, chiando e em *staccato*, todas vindo de um lugar que ela não conseguia identificar. E todas elas pareciam estar em sincronia e em sintonia. O resultado era algo que parecia ser quase sinfônico, como se a natureza em Tamarisk realizasse um concerto único e interminável. Ela nunca teria imaginado isso. Com certeza o pai e ela haviam pensado em "vozes" para os animais que eles criavam, baseando muitas delas em instrumentos musicais, mas eles nunca haviam pensado em juntá-las. Somente um som parecia estar fora da cadência, algo que se podia ouvir ao longe. Era um som raso e triste. Será que esse som soava certo para os cidadãos de Tamarisk? Será que eles ao menos percebiam como seu mundo soava?

E também havia os cheiros. Framboesas e chocolate. Dois de seus perfumes favoritos em todo mundo. O aroma não era superdefinido, mas com certeza estava lá, do jeito que ela havia idealizado. Becky se perguntou se um visitante alienígena — poxa, ela era de fato uma alienígena nesse mundo — teria uma explosão de sentidos parecida ao chegar a Moorewood. Quais seriam o cheiro e os sons de sua cidade natal para alguém que nunca havia estado lá — ou em qualquer lugar da terra?

Sem perceber, Becky tinha parado de andar, sentindo-se um pouco mais que deslumbrada. Quantas coisas novas ela poderia absorver ao mesmo tempo?

— Está tudo bem? — Miea perguntou, tirando Becky daquele transe.

— Está tudo bem. É que tem tantas coisas pra aprender.

— Acho que vai ser preciso que você volte mais vezes pra ter certeza de que verá tudo.

Becky conectou-se com os olhos sorridentes de Miea.

— Sim, eu acho que vou ter de fazer isso.

Elas continuaram pelo jardim e caminharam até o seu final, que dava de frente para uma grande clareira que servia como uma entrada para uma floresta de um lado e uma colina grande do outro. No final da colina havia uma cidade. Tamarisk City. Apesar de Becky ter sido bem detalhista sobre os nomes das coisas aqui, ela deixou o nome do centro de Tamarisk simples, em homenagem à New York City. Eram dois lugares completamente diferentes — Tamarisk City era agitada, porém pequena —, mas ambas estavam no centro dos seus reinos.

Becky observou uma criatura peluda, que ela não podia identificar, pular três vezes e depois levantar voo. Ela se juntou a outros pássaros no céu de Tamarisk, incluindo algo que parecia uma das imensas gaivotas a que ela havia dado o nome de waccasassa. Havia animais por todas as partes, andando sobre cascos rachados, pulando para a frente sobre pernas longas e elásticas, rolando e caindo para chegar a seu destino. Ela poderia ficar se divertindo ali por horas, simplesmente observando a paisagem.

Becky percebeu que Miea andou alguns passos à frente dela e então olhou em sua direção. A rainha andou até um arbusto denso e estendeu seu braço. Becky viu o que parecia ser um focinho com penas sair do arbusto para cheirar o braço da rainha. Em seguida ele voltou para trás e Becky ouviu um barulho dentro do arbusto. Pouco tempo depois, o focinho estava de volta, seguido do corpo alongado de um hoffler, um lagarto de penas que seu pai havia inventado anos antes. O hoffler caminhou sobre o braço de Miea até seu ombro, se aninhando em seu pescoço.

— Amigo seu? — disse Becky.

Miea deu uma risada.

— Não tenho certeza se encontrei esse hoffler antes, mas eles são todos muito carinhosos depois que percebem que você não é um mohonk com a intenção de fazer deles sua refeição.

Becky andou em direção ao hoffler e tocou seu focinho. O animal instintivamente se retraiu, mas depois cheirou a mão de Becky e esfregou sua cara comprida nela.

— Agora é seu amigo também — Miea observou. Becky não conseguia evitar o riso, dando leves palmadas na cabeça do animal.

Por fim, elas voltaram para o castelo por meio de uma porta. Miea mostrou a Becky sua maior sala de reuniões com as paredes estofadas e mobília delicada, porém robusta, feita de winema (mais uma das invenções de seu pai). Logo em seguida, Miea a levou a uma sala menor onde a maioria das reuniões de rotina no palácio acontecia. Um material que se assemelhava a conchas, que lembrava a Becky escamas de peixe, cobria as paredes. A mobília era entalhada de uma pedra marrom-esverdeada conhecida como malheur.

— Esta é uma sala bem formal — Becky comentou.

Miea olhou para ela seriamente

— Coisas muito sérias acontecem aqui.

— Você a utiliza com frequência?

— Muito mais do que gostaria. — Miea fez com que essa frase soasse bem grave, mas não disse nada mais a respeito.

Depois disso, elas foram para os aposentos de Miea. Algumas das decorações que Becky se lembrava de ter escolhido para o quarto da princesa estavam aqui: o cadeirão desordenado feito de payete espumoso, o quadro de Miea quando bebê, pintado com tons extremamente raros de cibola, o tabuleiro de adivinhações, um jogo cujas regras mudavam a cada vez que você jogava e se revelavam gradativamente a cada movimento. Assim também eram alguns dos móveis que ela havia criado para o quarto do rei e da rainha (que ela supunha serem esses móveis), incluindo a cômoda de três dúzias de gavetas e o edredom estufado com as penas do elegante seney. Além disso, ainda havia alguns objetos de decoração e mobília que Becky não podia reconhecer, incluindo um grande modelo de uma ponte e quadros de pessoas que Becky acreditava serem dos pais de Miea.

Elas se acomodaram na antessala e uma das ajudantes da rainha bateu na porta. Miea a cumprimentou e então se virou para Becky.

— Eu estava indo jantar. Você gostaria de se juntar a mim?

— Apenas algo pra beber, obrigado. Eu já jantei hoje. — Becky então percebeu que o horário ali não deveria ser o mesmo de casa, já que Miea estava prestes a jantar agora e ainda estava claro. Talvez Tamarisk estivesse em outro fuso horário (será que isso fazia sentido?) ou talvez o tempo corria de maneira inteiramente diferente ali.

Miea disse à ajudante o que ela queria comer e então voltou a se sentar no sofá de frente para Becky.

— O que você quis dizer antes quando disse "Tem de ser a cama"?

Becky inclinou-se para a frente em sua cadeira.

— Eu tentei tantas vezes chegar até aqui na semana passada. Achei que eu não estava me concentrando o suficiente ou que eu tivesse esquecido alguma coisa que você me disse pra fazer.

— Ou o que eu lhe disse pra fazer não estava correto.

— Não, eu não pensei nessa possibilidade. Teria de ser alguma coisa que eu estava fazendo errada. Mas não importava o que eu fizesse, eu não conseguia chegar aqui. Então tive uma ideia. Quando me encontrei com você naquele lugar, onde quer que fosse, eu estava na minha cama no apartamento do meu pai. Eu só durmo lá aos sábados à noite. Eu achei que talvez tivesse alguma coisa a ver com a cama ou com o apartamento ou, sei lá, a tinta das paredes. E sabe de uma coisa? Funcionou. Eu acho que não fiz nada de diferente, mas desta vez funcionou.

Isto parecia fazer Miea feliz.

— Eu realmente estava começando a me perguntar se você tinha decidido não vir mais.

— Não, não, não, não, não. De jeito nenhum. Eu estava ficando muito desapontada, se você quer saber a verdade.

— Estou tão feliz que você conseguiu desta vez. Eu achei que a gente estava... apenas começando quando a gente se encontrou naquele outro lugar.

— Eu também. E, nossa, se eu não tivesse conseguido, eu sei que estaria perdendo muitas coisas.

Miea olhou ao redor da sala com uma expressão que parecia um tanto quanto melancólica. A criada da rainha voltou com um tipo de salada para ela e deu a Becky uma xícara com um líquido escarlate morno. Becky cheirou a bebida e deu um gole cuidadoso. O gosto a surpreendeu. Apesar de ter a consistência de água, passava a sensação de um líquido denso, quase como a textura de um xarope ao contato com a língua.

A bebida dançava em suas papilas gustativas com um sabor salgado, apimentado e de canela. Definitivamente nada que ela já tivesse provado antes — e ela não tinha certeza de como aquela bebida a fazia se sentir.

— Você gosta de barritts?

— Humm, do jeito que minha mãe faz em casa — Becky comentou com um sorriso.

Miea retribuiu o sorriso.

— Acho que a gente tem muitas coisas pra aprender uma com a outra.

Becky tomou outro gole. Ela podia se imaginar aproveitando isso.

— E também sobre os nossos mundos.

Miea provou a salada.

— Você diz que dorme na cama no apartamento do seu pai aos sábados. Com que frequência acontecem os sábados?

Becky se lembrou que todos os dias em Tamarisk tinham nomes diferentes apesar de ela ter decidido que deveriam ter sete dias em cada semana.

— Uma vez a cada sete dias.

— Então, quer dizer que a gente vai se encontrar pelo menos a cada sete dias.

Eu gostaria que tivesse outra maneira de vir até aqui.

— Com certeza, se não tiver problema pra você. E talvez... — ela hesitou, sabendo o tamanho do desafio que isso seria — deva haver uma maneira de eu passar mais noites no meu pai, aí então, eu poderia passar mais tempo aqui.

Miea pôs sua salada na mesa.

— Eu ia adorar.

Como exatamente você pretende fazer isso, Beck?

— Eu vou ver o que posso fazer, eu gostaria muito...

Becky sentiu um puxão repentino, quase como se alguém a estivesse agarrando por trás. Ela instintivamente fechou seus olhos e o puxão continuou. *Então é assim que sujeira se sente perto de um aspirador de pó.* Quando abriu os olhos, ela viu o teto do seu quarto no apartamento do pai.

O que aconteceu? Onde está Tamarisk?

Becky fechou os olhos e tentou se concentrar para voltar para Tamarisk, mas não sentiu nenhum movimento. Por fim, ela virou de lado e olhou pela janela. Será que ela tinha provocado um curto-circuito em si mesma ou algo assim? Será que ela teria de reinicializar? O que Miea estaria imaginando que aconteceu?

O gosto de barritts ainda estava em sua boca e ela ansiava pela oportunidade de terminar sua bebida. Outra noite. Ela com certeza ia voltar lá em outra noite. Ela tinha certeza disso.

Becky fechou seus olhos e revisitou Tamarisk em sua mente.

Ir até lá uma vez por semana não seria suficiente.

* * *

Gage observava com admiração, ânimos à flor da pele, imaginação aproximando-se de nirvana. A ponte ligava, juntava dois mundos distintos, mas não separados.

Poucas coisas surpreendiam Gage, mas ele se surpreendeu agora. O uso total de um dom. Um lembrete potente da vitalidade das possibilidades, do potencial da imaginação ao alcançar o inimaginável. Gage se agarrou a esse pensamento por um longo tempo e sentiu o abraço de uma onda acolhedora. Isso, também, era extremamente raro.

Esse novo mundo proporcionava novas possibilidades. Novas maneiras para Gage imaginar, para oferecer. Ele se concentrou no futuro desse mundo. Era amplo, definitivo e envolvia parâmetros.

Também era obscuro. A história aqui não era uma história simples. E nem era aquela que nenhum dos participantes previa. Gage não podia afirmar sobre o futuro, mas tudo indicava que a história aqui seria extremamente dolorosa. Talvez até demais para os envolvidos.

Mesmo assim era uma história que tinha de ser contada. Havia um caminho que somente se completava por meio dessa história. Era uma história que Gage não tinha poderes para influenciar. Ele poderia oferecer dons, mas a história estava agora nas mãos dos participantes.

Eles precisavam superar a dor. Precisavam superar o sofrimento. Precisavam abraçar a essência.

Somente eles poderiam decidir a sina de um mundo de possibilidades.

9

Becky estava dormindo um pouco além da conta naquela manhã, perdendo o início de um iluminado dia de primavera. Chris tinha pensado em pegar seu café e o jornal e ir para o pátio do prédio, mas decidiu esperar pela filha. Ele passou algum tempo olhando uma enciclopédia *on-line* de plantas, e tinha se interessando particularmente pela seção de acidentes comuns, que comparava comer um lírio arum à sensação de centenas de picadas de agulha na boca e também dizia que cães eram mais suscetíveis às toxinas da cebola de Aspen. Depois disso, ele baixou algumas músicas e as ouviu usando o fone de ouvido do computador. Foi então que Becky bateu no seu ombro para lhe dizer que já tinha acordado.

— Coisa boa? — ela perguntou quando ele tirou os fones dos ouvidos.

— Coisa da década de oitenta.

— Ah, o papai está se sentindo meio nostálgico esta manhã.

Chris deu uma risada e levantou do computador.

— Na verdade, eu comecei ao contrário. Eu comecei com coisas novas, mas então, como você não acordava, fui parar na década de oitenta.

Becky deu uma risada irônica para ele.

— Não está tão tarde. São só... — ela olhou para o relógio no decodificador de TV a cabo. — Uau, já são mais de onze horas.

— Você se lembra de quando a gente lhe dizia que você tinha de ficar na cama até às sete horas?

— Não acredito que já é tão tarde. O que a gente vai fazer hoje?

— A primeira coisa que a gente vai fazer é tomar café. Eu estou faminto.

— Você não tomou café?

— Eu estava esperando você.

— Você não precisava ter feito isso. Eu não estou com um pingo de fome, mas eu como alguma coisa.

Eles foram para a cozinha e Chris abriu a geladeira e o freezer ao mesmo tempo. Ele tinha pensado em fazer uma omelete, mas Becky não estava com muita fome, não valia a pena. Ele olhou pra ela.

— Pão bagel?

— Pra mim tudo bem.

Chris tirou do freezer duas unidades cortadas e enroladas em papel alumínio e pôs na torradeira. Ele tinha mania de comprar um monte de uma vez, mesmo sabendo que ele só ia comer algumas frescas. Elas sempre eram uma boa pedida para dias como esses, quando ele tinha de mudar o cardápio de repente.

— Então o que nós *vamos* fazer hoje? — ele perguntou enquanto pegava o requeijão da geladeira.

— O dia está realmente bonito?

— Parece que sim. Eu ainda não saí de casa.

— Quer dar uma volta de carro?

Chris parou de passar o requeijão na torrada e olhou para a filha.

— Brincadeira! — ela disse. — Mas a gente pode ir, se você quiser.

— Vamos colocar essa ideia na nossa lista de opções. — Chris voltou a preparar o lanche e então fatiou um tomate.

— Olhe, eu tenho uma coisa pra dizer.

Algo parecia diferente na voz de Becky e isso chamou a atenção de Chris.

— É sobre Tamarisk. — Ele tinha esperado uma semana inteira para ela tocar no assunto. — Quer dizer, sobre "Tamarisk é real"?

Becky virou os olhos.

— Eu não acredito que você não me perguntou nada sobre isso.

— Eu estava muito ocupado tentando entender o que você quis dizer. Você não ia acreditar nas coisas que passaram pela minha cabeça.

Becky se reclinou no balcão da cozinha.

— Quer dizer que *Tamarisk é real*. O que você acha que eu estava fazendo? Falando em algum tipo de código?

Chris esperava que ele não parecesse tão constrangido como se sentia.

— Não, claro, eu achei que você quis dizer que Tamarisk fosse real — ele respondeu, encabulado. — O que exatamente isso quer dizer?

Becky deu um impulso do balcão e começou a girar animadamente pela cozinha.

— Eu quero dizer que é realmente verdadeira. Ela realmente existe. Não é apenas uma coisa da nossa imaginação.

Chris não se lembrava da última vez em que tinha visto a filha agindo com tanta vitalidade nesse apartamento. Provavelmente a última vez foi quando Lonnie esteve lá. O que cargas d'água ela estava falando?

— Será que você poderia ser mais clara?

Becky andou até ele e colocou o braço ao redor de seus ombros.

— Pai, Tamarisk é um lugar real. Todas aquelas coisas que nós criamos, e muitas outras coisas, na verdade existem. Eu sei. Eu estive lá.

Chris fechou a cara.

— Você esteve em Tamarisk?

— Sim.

— Quando?

— Na noite passada.

Chris contorceu o rosto em uma careta de descrédito.

— Na noite passada? Eu acho que devo instalar trancas nas janelas, não?

Becky se afastou dele.

— Eu não fui lá pelas janelas, eu fui em um tipo de ponte superescura. Foi tipo irado, sério.

— Tipo irado?

— Você está certo: foi *totalmente* irado. Definitivamente a coisa mais legal que eu já fiz.

As torradas pularam da torradeira e Chris foi pegá-las.

— Isso é algum tipo de pegadinha?

Becky olhou para ele intrigada.

— Como assim?

Foi então que Chris percebeu, pela primeira vez, que Becky não estava de brincadeira ou em uma pequena viagem nostálgica. Ela realmente estava falando sério sobre ter ido a Tamarisk. Com certeza — pelo menos provavelmente — um daqueles sonhos incrivelmente vívidos que você jura que aconteceu, mas ela parecia estar convencida.

— Você esteve em Tamarisk ontem à noite?

— Qual foi a última vez que você fez um teste de audição?

Chris estava perplexo. Como um pai deve agir quando sua filha adolescente lhe diz ter viajado para um mundo imaginário? A única coisa que ele pensou para dizer foi:

— E foi legal?

Becky deu uma gargalhada alta.

— Sim, foi muito bom. Foi como estar no meio do filme mais incrível que se pudesse ver. E o melhor é que nós mesmos inventamos muitas dessas coisas juntos. Você não imagina como os hofflers são... eu pus a mão em um deles e ele rastejou por todo o braço de Miea.

— Miea, a princesa?

— Ela é rainha agora, mas sim, ela. Isso tudo não inacreditável?

Chris concordou com a cabeça vagarosamente.

— Sim. Sim, é.

Becky inclinou a cabeça de lado.

— Você acredita em mim, né?

Isso só podia ter sido um daqueles sonhos muito reais. Becky tocando hofflers e interagindo com uma princesa imaginária que havia se tornado rainha. Em inúmeras ocasiões da sua infância e, se ele fosse ser honesto, até mesmo quando adulto, Chris havia sonhado estar em outro mundo, fosse um mundo estranho ou um universo alternativo onde as leis da física eram de alguma forma alteradas. Essa era a sua maneira favorita de deixar a mente vagar. Quando ele criou Tamarisk com Becky, ele até mesmo imaginava ir até lá. Ele pressentia, no entanto, que suas fantasias nunca foram tão reais ou tridimensionais quanto o que Becky havia vivido nos sonhos da noite anterior.

— Sim, claro que eu acredito em você — disse Chris, não querendo estragar o entusiasmo nos olhos da filha naquela manhã. Ela logo perceberia que isso era apenas fantasia. Por enquanto, os dois poderiam curtir essa viagem juntos.

Becky sorriu para ele.

— Eu sabia que você acreditaria. Mal posso esperar pra voltar. Mas ainda tem algumas falhas. Eu acho que só posso ficar lá por um tempo determinado. Ontem, eu estava no meio de uma conversa com a Miea quando fui puxada de volta pra cá. Primeiro, eu achei que tivesse feito alguma coisa que me fez perder a conexão, mas agora estou achando que eu só posso ficar lá por pouco tempo. A outra coisa é que eu acho que eu só posso fazer isso aqui. Eu estou convencida de que tem alguma coisa a ver com a cama. Nós criamos as histórias nela e isso deve ter aberto algum tipo de, sei lá, portal ou algo assim.

A análise de Becky fez com que Chris achasse graça e ele deixou escapar uma risada.

— O que foi?

— Nada. É que isso é uma coisa extraordinária.

Becky olhou para ele, cética, mas seu entusiasmo voltou novamente.

— Extraordinário não dá nem pra começar a descrever como foi. A propósito, esse negócio de transporte é um pouco trabalhoso. Tenho que conseguir ir até lá mais de uma vez por semana. Tem muito pra ver e fazer lá. É por isso que eu decidi falar com a mamãe e pedir pra ela deixar eu dormir aqui às terças também.

Essa foi a coisa mais arrebatadora que Becky tinha dito até então.

— Agora você *está* delirando.

Becky franziu a testa.

— Por que você está dizendo isso? A mamãe vai deixar se eu pedir com jeitinho.

— Você conhece a sua mãe?

— Pai, deixe que eu cuido disso.

Chris não tinha ideia do que esse negócio de Tamarisk queria dizer ou o que realmente estava acontecendo na cabeça da Becky para causar esse tipo de atitude agora. Se de alguma forma ela pudesse convencer a mãe a deixá-la ficar com ele uma noite a mais na semana, Tamarisk seria real para ele também.

* * *

Becky raramente se sentia desconfortável falando com a mãe sobre qualquer assunto. Ela poderia às vezes ficar meio irritada sobre certas coisas, mas nunca fazia com que Becky sentisse que não podia falar com ela. No entanto, quanto mais Becky pensava a respeito, mais percebia que nunca havia conversado com a mãe sobre algo desse tipo antes.

Becky havia tido várias conversas com ela sobre o divórcio ao longo dos anos. Ela era boa em deixá-la saber o que estava acontecendo, e em deixá-la explicar como se sentia. Ela era uma ouvinte melhor que o seu pai. Mas uma coisa que Becky aprendeu a evitar bem depressa eram conversas sobre o quanto ela sentia falta dele ou o quanto ela gostaria de poder passar mais tempo com ele. Ela ficava bem agressiva com esse tipo de assunto, dizendo coisas sobre Chris que Becky não queria ouvir, mesmo que fossem verdade. Alguns meses após o divórcio, Becky percebeu que era melhor tocar no nome do pai o menos possível, e nunca falar com a mãe sobre como ela se sentia sobre ele, mesmo se estivesse realmente brava com ele.

Depois de certo tempo, não falar no pai virou um hábito — o que tornava o que ela queria falar com a mãe naquela noite ainda mais difícil do que a maioria das conversas delas. Becky não podia dizer a verdadeira razão para essa mudança.

Enquanto isso, sua mãe estava com uma agenda completamente diferente.

— Estou feliz que seu pai lhe trouxe pra casa na hora certa hoje — ela disse assim que o pai tinha ido embora.

— O papai sempre me traz pra casa no horário, não?

Sua mãe fechou os olhos e deu de ombros.

— Isso não importa muito. Eu vou fazer a torta de frango da sua tataravó pro jantar.

Becky ainda se sentia cheia com a torrada que havia comido às onze e meia, mas disse "Humm" mesmo assim. Sua mãe se orgulhava daquela torta de frango.

— Eu sei que você adora, por isso pensei em fazer. Mas o que eu realmente quero fazer é ensinar *você* a fazê-la.

Becky animou-se.

— Sério? Uma de suas melhores receitas?

Polly sempre foi uma cozinheira muito boa e seu segredo consistia em fazer pratos que eram passados de geração em geração. Ela até mesmo tinha herdado algumas receitas da mãe de Chris enquanto eles ainda eram casados, inclusive uma carne assada divina.

— Você já tem idade o suficiente. Acho que está pronta.

— Legal. — Essa era realmente uma ideia motivante para Becky. Sua mãe sempre lhe contava histórias sobre como ela aprendeu a fazer as receitas clássicas da sua avó, de como sua avó tinha aprendido com a mãe dela e assim por diante. Becky sabia que ela iniciaria seu aprendizado algum dia, mas ela achava que a mãe estava esperando que ela fosse um pouco mais velha.

Elas foram para a cozinha e começaram a trabalhar. Becky não tinha se esquecido do que ela queria falar, mas ela sabia que poderia deixar para mais tarde. Esta receita era muito especial para complicar com algo que pudesse deixar o clima tenso.

O primeiro passo era cozinhar o frango. Sua mãe pegou um pedaço de pano e mostrou como enchê-lo com vários tipos de ervas e amarrá-lo com um barbante.

— Parabéns — sua mãe disse, orgulhosa. — Você acabou de fazer o seu primeiro *bouquet garni*.

— Uau! — Becky balançou o pacotinho de ervas entre seus dedos. — O que faço com isso?

— Jogue naquela panela. — Polly indicou uma panela com água fervente e Becky jogou o *bouquet garni* dentro dela. Então elas adicionaram o frango picado e deixaram cozinhando enquanto prepararam a massa da torta. Ela pegou farinha, sal e manteiga e encheu uma tigela com água e gelo.

— Temos feito massa de torta desse jeito na família por várias gerações. Minha avó costumava fazer questão de usar somente manteiga. Muitas pessoas colocam gordura vegetal ou algum outro tipo de gordura em suas receitas, algumas usam banha de porco, mas nós sempre fizemos a nossa com manteiga e sempre fica muito mais gostosa.

— E também sem gorduras trans — comentou Becky, relembrando uma conversa sobre saúde que tivera na escola.

— Certo, sem gorduras trans. Se bem que a sua bisavó não sabia nada sobre isso. Ela apenas achava que a manteiga deixava a massa mais gostosa.

A mãe mostrou a Becky como cortar a manteiga e colocar na farinha e como usar a quantidade suficiente de água gelada para dar a consistência certa da massa. Becky já tinha cozinhado com a mãe muitas vezes antes — bolos e coisas assim —, mas ela sempre resistia a deixá-la se envolver no preparo da massa para torta, dizendo que eram "muitos detalhes" para uma criança. Ela ficou animada de novo quando a mãe lhe mostrou como testar a consistência e então fazer uma bola com a massa.

Enquanto a massa descansava, Polly começou a fazer o recheio.

— Tudo tem a ver com o *roux*.

— O que tem a ver com o *roux*?

— O gosto do prato. Muito claro, fica com gosto de farinha. Muito escuro, fica com gosto muito forte. A cor é o segredo.

— Entendi. O que é um *roux*?

A mãe riu e pôs a mão no ombro da filha.

— Um dos nossos pequenos segredos que eu vou lhe ensinar hoje.

No final das contas, *roux* tinha a ver com farinha e manteiga que você ficava mexendo em fogo baixo por um longo tempo até que ficasse moreninho. As pernas de Becky começaram a doer por ficar em pé na frente do fogão por tanto tempo, mas ela não reclamou.

— Memorize essa cor — disse sua mãe, apontando para a panela. — Deve ficar com essa cor.

Becky tentou fazer exatamente isso. Afinal, se o *roux* era a chave para tudo, memorizar essa cor era uma informação fundamental. Becky se esforçou em guardá-la na memória. Ela se perguntou como eles chamariam essa cor em Tamarisk, comparada com as cores que tinha visto na noite anterior, essa cor seria bastante comum, mesmo sendo tão importante.

O *roux* e o frango ficaram prontos quase que ao mesmo tempo. Seria mais um segredo de família ou apenas coincidência? Sua mãe tirou o frango da panela para resfriar e então pegou uma concha do caldo de frango e misturou com o *roux*.

— Fique mexendo até engrossar.

Becky assim o fez e observou a mãe adicionar mais duas conchas de caldo. Era fascinante ver como a mistura absorvia o caldo. Quando ficou pronto, sua mãe lhe pediu para abaixar o fogo e lhe disse para deixar cozinhar por um tempo.

— Agora nós temos que descascar e picar.

Picar as cenouras e o frango era fácil. Descascar as cebolas pequenas era mais difícil para Becky, porém sua mãe as descascava sem o menor problema. Isso era, com certeza, uma daquelas coisas que se adquire prática com o tempo.

— Tô fazendo alguma coisa errada aqui?

— Não, elas são muito chatas mesmo. Quando eu tinha a sua idade, eu conseguia descascar umas três cebolinhas enquanto sua avó descascava todo o resto. Você está ganhando de mim.

Becky olhou para o balcão. Havia cinco cebolinhas descascadas diante dela. *Nossa, eu sou quase duas vezes melhor que a minha mãe.*

Elas colocaram as cenouras, o frango, as cebolas e ervilhas frescas na panela sobre o fogão e deixaram cozinhar por alguns minutos enquanto elas abriam a massa e cortavam em círculos para colocar sobre as três formas individuais.

— Agora, só mais um detalhe — disse a mãe, indo até o armário de bebidas. Ela pegou uma garrafa. — Vinho de Marsala. Meu toque pessoal. Sua avó ficaria brava se me visse fazer isso, apesar de ela adorar minha torta de frango, mas eu acho que um pouco desse vinho dá à torta uma outra dimensão.

Polly foi até a panela, mexeu algumas vezes e então colocou um pouco do vinho. Ela sorriu furtivamente enquanto o fazia, como se ela estivesse infringindo a lei ou algo assim.

— Agora está pronto. Prove um pouco.

Becky pegou a colher e sorriu quando sentiu o sabor. Havia algo de familiar nele. Nada de estranho, pois ela já havia comido esse prato milhões de vezes. Mas não era só isso. O gosto era muito parecido com o gosto de… barritts. Que legal que eles tinham uma bebida em Tamarisk que tinha o mesmo gosto da torta de frango da sua mãe! Claro, isso explicava por que a bebida tinha, a princípio, um gosto tão diferente. Ela se lembraria da próxima vez que a bebesse lá.

Becky recheou as formas, colocou as massas por cima e então as colocou no forno.

Quando ela se virou, sua mãe a abraçou.

— A linhagem de grandes cozinheiras continua.

A torta estava uma delícia como sempre e Becky gostou de saber que ela tinha parte nisso. A conversa durante o jantar girou em torno do "rito de passagem" que havia acontecido na cozinha naquele dia. Al ainda passou uns cinco minutos experimentando um novo sabor de Doritos que tinha sido lançado naquela semana. Quando ele saiu, Becky voltou a se concentrar na conversa que ela queria ter com a mãe e decidiu que ia deixar para quando fosse dormir. Todos — especialmente sua mãe — estavam de bom humor.

Depois do jantar, elas foram para a sala para assistir aos programas de todos os domingos à noite: *Os Simpsons*, *King of the Hill* e *Desperate Housewives*. Depois era hora de Becky ir para cama. Quando a mãe veio para lhe dar um beijo de boa-noite, Becky se encorajou.

— Mãe, eu estava pensando numa coisa.

— O que é, querida? — Polly respondeu, sentando-se ao lado da cama.

— Você sabe o quanto eu gosto de ficar aqui com você e o Al e tudo mais, e eu realmente adoro a ideia de você me ensinar a fazer as receitas de família, mas eu estava pensando que talvez seria uma boa ideia se eu passasse mais tempo na casa do meu pai.

Becky estava feliz apenas pelo fato de poder dizer o que tanto queria, mas um olhar na expressão do rosto da mãe a lembrou porque aquelas palavras eram tão difíceis de serem ditas. Os olhos dela se estreitaram e ela mordeu seu lábio inferior. Ela levou alguns segundos para falar alguma coisa e quando ela o fez, inclinou-se para Becky e a olhou bem dentro de seus olhos.

— Porque você acha isso, amor? — Ela pronunciou as palavras gentilmente, mas Becky podia sentir o estresse por trás de sua voz.

— Eu apenas acho que seria bom. Ele é, você sabe, meu pai.

— Ele é, Beck e eu sei que você adora estar com ele. Mas eu acho que as coisas aqui em casa estão muito boas, não é? Quer dizer, olhe o que fizemos hoje.

O que isso tinha a ver?

— Eu só acho que não teria nada de mais se eu dormisse na casa dele às terças-feiras. Eu passo o dia com ele de qualquer forma, então eu acho que não faria muita diferença.

— Bem, tem a questão dos seus deveres de casa.

— Quando o papai me pega, eu já terminei quase tudo. Eu posso fazer os deveres lá também. Eu fiz uma redação de inglês na casa dele ontem.

— Você sabe que você vai ter de acordar muito mais cedo pra ir pra escola nas quartas de manhã. Não acho que seja uma boa ideia.

— Isso é simples de resolver. Eu vou pra cama meia hora antes.

Sua mãe a olhou cuidadosamente. Becky podia imaginar o que estava passando na cabeça dela.

— Sabe, filha, se seu pai quisesse mais tempo com você, ele deveria me pedir. Eu vou ter de falar com ele sobre isso.

Becky se sentou. A última coisa que ela queria é que isso se tornasse outro assunto difícil entre a mãe e o pai.

— O papai não está por trás disso, mãe. Essa ideia é totalmente minha. Eu juro. Eu nem mesmo cheguei a falar nada disso com ele.

Os olhos de sua mãe se estreitaram ainda mais.

— Se você está dizendo, eu acredito. Eu só estou um pouco confusa. A nossa rotina atual tem dado muito certo do jeito que está.

— Eu acho que ele fica muito sozinho quando eu não estou por perto. É por isso que eu gostaria de ficar mais tempo com ele. Eu só gostaria de ficar com ele às terças-feiras também.

Polly a analisou ainda mais uma vez. Ela estava tentando ler a sua mente? Ela poderia perceber que tinha algo mais que ela não estava dizendo?

— Você realmente quer isso?

— Quero sim.

Os lábios de sua mãe se apertaram.

— Seu pai vai achar que venceu uma batalha sobre mim, você sabe.

— Eu não acho que você deve se preocupar com coisas desse tipo, mãe.

— Você não conhece o seu pai como eu.

— Mas você vai deixar, certo?

Sua mãe parecia um pouco confusa, como se ela realmente achasse que algo tão pequeno como ficar na casa do pai na terça à noite fosse virar o mundo de cabeça para baixo.

— Você realmente quer muito fazer isso?

— Muito, muito.

Sua mãe sacudiu os ombros.

— Então eu acho que tudo bem. — Ela sorriu. — Acho que se eu e Al tivermos mais tempo às terças, ele pode me levar pra restaurantes mais sofisticados. Ele vai adorar.

— Fica bom pra todo mundo, então, certo?

Sua mãe se levantou e deu um beijo na testa de Becky.

— Eu sempre odeio ficar longe de você.

— Eu não vou a lugar algum, mãe.

Polly a beijou novamente e a abraçou bem forte.

— Você é a minha vida.

— Também te amo muito, mãe.

Quando elas se largaram, sua mãe parecia um pouco triste, como se algo terrível tivesse acontecido.

Ela ficaria bem. E o pai ficaria muito feliz. E Becky teria mais tempo em Tamarisk. Ela mal podia esperar por terça à noite.

* * *

Miea examinou três amostras de folhas de um arbusto de targhee proveniente de Jonrae. Dispostas na mesa da sala de conferência, elas ilustravam a progressão gradual que levava à morte.

— O que você está vendo aqui — Dyson começou a explicar — é o efeito da doença em seus três estágios. A primeira folha mostra a coloração verde-escura, que é o primeiro sintoma. A do meio, a que tem manchas amareladas, indica uma planta atacada pelas toxinas da doença. Como você pode ver, ainda tem bastante vitalidade azul nesta folha, mas nesse estágio a planta está muito, muito doente. A terceira folha, a com coloração cinza, representa a planta em estágio de necrose.

Apesar de saber da história antes mesmo de Dyson contá-la, o coração de Miea ainda doía ao ouvi-la. Ela se lembrava de brincar de esconde-esconde com os amigos perto do canteiro de targhee no jardim do palácio quando era pequena. Será possível que esse mesmo canteiro logo estaria tão cinzento quanto aquela folha sobre a mesa? Se isso acontecesse, o que se poderia dizer sobre a condição de todo o reino?

— Quanto dura o ciclo da primeira folha pra última? — ela perguntou, os olhos ainda fixos na vegetação condenada.

— Por volta de três semanas, vossa majestade. Nós vimos arbustos mais resistentes durarem mais, mas a maioria sucumbe por volta desse tempo.

Ela não conseguia se acostumar a ouvir Dyson chamá-la de "Vossa Majestade". Quando estavam juntos, ele tinha vários apelidos carinhosos para ela — desde "joia do palácio" até "minha Miea". Ele parecia inventar um novo apelido toda vez que a via, como se passasse a noite inteira só pensando nisso. Durante suas recentes reuniões, ela era simplesmente "Vossa Majestade". A rainha e seu humilde servo.

— Não é muito tempo.

— Receio que as notícias piorem.

Miea olhou para ele e seus olhares se encontraram. A expressão de Dyson estava mais sombria agora do que quando ele entrou, se isso fosse possível. Claro. Esse não era apenas um trabalho para ele. Ela não disse nada.

— A doença começou a se espalhar aceleradamente.

— Assim como da outra vez.

Dyson abaixou seus olhos.

— Como da outra vez.

Miea sentiu uma onda de tristeza.

— Algo deve ser feito.

— A esterilização ainda é uma opção, Vossa Majestade, apesar de a essa altura nós termos de esterilizar uma área maior ainda.

— A esterilização não é uma opção — ela retrucou rispidamente.

— Tratamentos agressivos foram, na verdade, usados durante o Grande Mal.

— Nós usamos fungicidas e terapias químicas. Nós não destruímos uma região inteira e não sentenciamos múltiplas espécies à extinção. Eu não posso autorizar esse procedimento. Eu *não* autorizarei isso.

— Não autorizando a esterilização, você pode estar fazendo exatamente isso.

Miea sentiu seu rosto se queimar e quase respondeu com raiva. Em vez disso, ela se controlou.

— Existem outras opções. Nós devemos encontrá-las.

Dyson olhou para o horizonte e depois para a mesa. Ele delicadamente tocou a folha mais azul.

— Nosso recurso mais importante é a vida.

O comentário fez as pernas de Miea bambearem. Ela não ouvia aquela frase havia anos. Qualquer raiva que ela tinha sentido com a acusação de Dyson desapareceu.

— O professor Liatris. Quantas vezes ele disse essa frase naquele semestre?

— Pelo menos três vezes por aula.

Dyson olhou para ela novamente e encarou seu olhar desta vez. Havia um sorrido velado no seu rosto. Era o mais próximo de afeição que Dyson havia mostrado e esse fato a mandou de volta para o tempo de escola. Para os dias em que ela estava apaixonada pelo homem à sua frente. Tristemente, sua memória rapidamente a levou para os últimos momentos que passaram juntos.

— Quantas vezes ele disse isso no dia em que me chamaram?

O semblante de um sorriso desapareceu.

— Nenhuma. A aula foi cancelada. Todas as aulas foram suspensas pelo resto da semana.

Miea nunca ficou sabendo disso. É claro que o reino lamentou e, claro, a universidade lamentaria junto com todo mundo. Entretanto, Miea estava tão dominada pela tristeza e prematura responsabilidade que ela nunca havia notado como o resto do seu mundo lidou com a tragédia.

— Eu deveria ter percebido.

— Você tinha outros assuntos com que se preocupar.

Miea não conseguia explicar o que estava sentindo. Era uma mistura de tristeza, ansiedade e arrependimento que ela não podia identificar.

— Eu deveria ter procurado você. Eu deveria ter contado a você o que estava acontecendo. Não fazer isso foi imperdoável. O choque, no entanto... eu mal posso descrever. Aí então tem tudo que aconteceu depois. Eu me senti roubada, como se eu tivesse sido posta na vida de outra pessoa.

— Você não precisa se explicar.

— Eu gostaria de tentar, mas não sei se consigo. Em um momento eu era uma universitária... e sua namorada. Quando percebi, eu era a rainha.

A expressão de Dyson enrijeceu. Ela tinha dito algo errado?

— Como eu disse, você não precisa se explicar.

Sua voz estava fria, Miea não conseguia entender por que.

— Dyson, você não faz ideia — ela disse suavemente.

— Obviamente eu não poderia fazer ideia, Vossa Majestade.

O que tinha acontecido entre eles tinha claramente machucado Dyson, mas por que ele estava agindo dessa maneira agora? Ela estava tentando explicar, mesmo assim ele estava recusando seus esforços.

Se ele não fosse deixar que ela se explicasse, ela não ia implorar a ele. Tinha sido um erro baixar a guarda dessa maneira. Ela não podia permitir que os sentimentos de um passado distante a deixassem vulnerável. Não quando o reino contava com sua fortaleza moral. Por um momento, olhando para Dyson, ela tinha sido transportada para outra vida, outro tempo. No entanto, aquela vida e aquele tempo haviam terminado para sempre. Assim como, tristemente, o amor que o homem à sua frente tinha por ela. Eles tinham um novo relacionamento agora. Uma relação construída pela necessidade comum de salvar sua terra de uma ameaça traiçoeira. Esta relação ultrapassava qualquer coisa que eles pudessem ter compartilhado em tempos normais. E era assim que deveria ser.

Ela olhou para as folhas sobre a mesa, pegou as três e entregou-as para Dyson.

— Obrigada pela atualização. Por favor, me informe imediatamente caso haja progressos. Caso contrário, aguardo seu próximo relatório em dois dias.

— Como desejar, Vossa Majestade.

10

Chris ainda achava difícil de acreditar que Becky ia passar a noite com ele. Quando ele ligou para ela na noite anterior, ela mencionou a novidade naturalmente, como se realmente achasse que isso fosse acontecer. Ele estava curioso para saber como a conversa com Polly tinha sido, mas achou que estaria forçando a barra se perguntasse. Mesmo assim, Polly não devia ter aceitado a ideia facilmente. Se fosse o caso, significava que tudo que ele sabia sobre ela estava errado.

Depois de falar com Becky, Chris foi ao supermercado para comprar os ingredientes para fazer uma torta. Era um dos pratos favoritos de Becky e ele podia deixar semipronta de véspera. Chris geralmente não cozinhava para Becky às terças por causa do pouco tempo que tinham juntos, mas se eles fossem ter uma noite inteira, uma refeição caseira era definitivamente melhor do que comida chinesa.

Enquanto eles esperavam a torta ficar pronta, eles comeram cenourinhas e Chris ajudou Becky a fazer o dever de geometria.

— Você é muito bom nisso — ela comentou depois que ele a ajudou a usar a fórmula para calcular a superfície da área de uma esfera. — A mamãe sempre se atrapalhava em multiplicar as frações, então eu parei de pedir ajuda.

— Alguns de nós tínhamos de ter mais aulas de matemática que outros. Eu devo ser bom até cálculo. Não prometo nada mais que isso.

Chris se lembrou de como Becky costumava deixar alguns exercícios para quando ele chegasse em casa para pedir sua ajuda. Não que Polly não pudesse ajudá-la, ou mesmo que Becky não conseguisse resolver uma questão, mas ela parecia gostar que ele a ajudasse. Toda a noite, depois do jantar, ela mostrava o dever que já tinha feito e o que ela gostaria de fazer com ele. Geralmente, isso significava apenas que ele ia ficar sentado em sua escrivaninha enquanto ela estudava, mas de vez em quando ele tinha de dar assistência. Ele se orgulhava em nunca ter de fazer o dever para ela, mesmo que muitas vezes tivesse sido bem mais fácil, especialmente quando a matéria era nova.

A lembrança de quando eles faziam isso juntos todas as noites comoveu Chris, mas ele se esforçou em se concentrar no presente. De algum modo, por alguma razão, ele estava tendo a oportunidade de viver tudo aquilo novamente e não ia deixar feridas antigas estragarem isso.

Becky fechou o livro de matemática e pegou o texto de biologia.

— Como você é com isso?

— Eu meio que trabalho com ciência, lembra?

— Mas na área de *botânica*, certo?

— Ainda assim eu tive três períodos de biologia na faculdade. Eu tenho certeza de que dou conta do conteúdo do nono ano.

Becky abriu o livro e o forno apitou.

— O jantar está pronto — Chris avisou. — Você quer terminar o dever antes ou depois do jantar?

— Vamos jantar. Eu adoro essa torta.

Becky não comeu tanto quanto ele tinha imaginado, mas parecia ter gostado do que comeu.

Ele se lembrou de que ela não estava com uma "superfome" no final de semana e pensou que talvez ela estivesse começando a prestar mais atenção ao seu peso — ela era magra para os padrões mais sensatos, mas ele já tinha lido o bastante sobre assuntos relacionados a padrões de beleza de adolescentes para saber que isso não era necessariamente importante. Ele prestaria mais atenção a isso no futuro e até mesmo falaria com Becky a respeito se um padrão emergisse. Esse tipo de coisa era território proibido para ele — ele nunca tinha participado dos assuntos de adolescente de Becky —, mas essa noite ele percebeu que deveria estar preparado para o desafio. Mais importante, ele sentia que Becky lhe daria ouvidos sobre esse assunto.

Depois do jantar, Becky terminou o exercício que faltava, deixando algum tempo para eles assistirem juntos a um episódio de *I love the '90s* no canal VH1 antes de Becky ir para a cama. 1999, o ano de *Harry Potter*, Britney Spears, Mia Hamm e Jar Jar Binks — e também o ano em que Becky teve sua festa de aniversário com o tema da Pequena Sereia, em que se vestiu de pirata no Halloween e mostrou seu primeiro interesse sério pelos Beatles. Aos três anos de idade, Becky mudou completamente. Ela era comunicativa e tinha opiniões próprias e era muito melhor em algumas coisas. Tinha seus jogos favoritos, pratos favoritos e outras atividades que gostava de fazer fora de casa. Ela começou a pré-escola naquele ano e depois de alguns dias chegou em casa dizendo que Lonnie Cera era sua melhor amiga do mundo, o que veio a ser verdade. 1999 pode não ter sido um ano muito marcante para a cultura popular, mas foi um ano inesquecível para Chris como pai. Nessa mesma época, ele se lembra de Polly comentando que Becky estava crescendo muito rápido para a idade que tinha. No entanto, Chris achava que ela estava crescendo na medida certa e que todos os seus progressos o fascinavam.

Mas, agora, a história era completamente diferente.

Agora não havia dúvidas de que ela tinha crescido muito rápido. Havia aquela certa nostalgia nas séries de TV que mostravam o mesmo ano em que Becky começou a pré-escola. Será que as músicas lançadas em 1999 seriam consideradas fora de moda também? Ele tremeu por dentro ao pensar nessas coisas. Ele se perguntava se ficaria tão pensativo toda terça à noite ou se ele ia se acostumar com essa nova rotina e simplesmente incorporar isso na sua vida.

— Hora de ir pra cama — ele disse, dando uns tapinhas na perna da filha assim que terminou o programa.

— Você vai deixar a televisão ligada?

— Por enquanto, sim. Eu vou dormir daqui a uma hora mais ou menos.

Becky se levantou e deu alguns passos em direção ao seu banheiro.

— Que tal se você lesse algo em vez de assistir TV?

— Tudo bem, eu acho. Por quê?

— Com a TV ligada eu acho que não vou conseguir me concentrar?

Chris se levantou.

— Se concentrar?

— Eu preciso me concentrar muito para fazer os exercícios de meditação que me levam a Tamarisk.

Chris tinha se esquecido de que essa era a real razão por que Becky estava ficando com ele às terças-feiras.

— Eu posso ler se você acha que vai ser melhor pra você.

Becky foi até ele e lhe deu um beijo no rosto.

— Obrigado, pai, vou escovar os dentes e me deitar.

Passados quinze minutos, Chris estava sentado no sofá com um livro, o único som que se escutava no apartamento era o do virar das folhas do exemplar. Quando ele foi dar um beijo de boa-noite em Becky, ele notou que ela estava muito confiante em voltar para Tamarisk naquela noite. No entanto, com toda certeza, não importando o quanto ela meditasse, ela não seria capaz de recriar aquele sonho novamente. Como ela ia se sentir a respeito? Ela ia acordar na manhã seguinte desapontada ou até mesmo cabisbaixa?

Caso isso acontecesse, será que ela ia decidir que não precisava mais passar as noites de terça no apartamento dele? No entanto, se o seu apartamento não servisse como uma passagem para Tamarisk assim como a casa da mãe não serviu, então para que o pai ia servir?

Chris olhou para o livro e para a sala vazia. Ele adorava a ideia de que era um dia da semana e que a filha estava dormindo lá. Ele só esperava que não fosse a última vez.

* * *

Becky abriu os olhos quando ouviu o alvoroço. Ela estava mais uma vez nos aposentos de Miea, mas, apesar dos sons, não havia ninguém à vista.

Era um alívio estar ali de novo. A maneira como ela foi puxada de volta para a cama da última vez a tinha deixado um pouco preocupada com a possibilidade de alguma coisa ter dado errado e ela nunca mais poder voltar a Tamarisk. Os exercícios de meditação funcionaram sem nenhum problema naquela noite. Isso significava que, agora que a mãe tinha permitido que ela ficasse com o pai duas vezes na semana, ela teria duas vezes mais oportunidades de viajar até lá.

Becky se perguntava onde Miea estaria. Ela não tinha pensado muito no lugar em que ia aparecer em Tamarisk, mas ela meio que pensou que apareceria no meio da ação. Ela saiu dos aposentos para o corredor, onde ela encontrou um homen que Miea havia apresentado a ela da última vez. Seu nome era Sorbus. Becky tinha criado ele como ajudante de Miea quando ela deu algumas responsabilidades para a princesa nas últimas histórias de Tamarisk. Ela gostaria de chamá-lo de Sheldon porque ele era muito parecido com o avô de Lonnie, o que era meio estranho considerando a roupa que ele estava vestindo.

— Olá mais uma vez — ele disse cordialmente.

— Oi... Aposto que você está se perguntando o que eu estou fazendo aqui.

O homem sorriu.

— Na verdade, Sua Majestade me contou muitas coisas sobre você depois da sua última visita. Ela me disse que você talvez voltasse para nos visitar mais uma vez.

— Espero que muito mais vezes no futuro. Quer dizer, se Sua Majestade não se incomodar.

— Eu creio que a rainha ficará muito contente.

Becky sorriu e olhou na direção do quarto de Miea.

— Eu acho que ela deve estar ocupada agora, né?

Sorbus inclinou a cabeça em direção ao corredor.

— Ela está no fórum aberto semanal com os súditos.

— O congresso do reino.

Sorbus sorriu mais uma vez.

— Sim, claro que você saberia do que se trata. — Ele parecia ser um cara legal e Becky podia dizer pela maneira como ele falava que ele se importava muito com Miea. — Eu tenho certeza de que Sua Majestade ficaria feliz se se juntasse a ela no congresso.

— Sério? Isso seria ótimo.

Sorbus fez um gesto com a mão direita.

— Deixe-me mostrar o caminho.

Eles usaram o mesmo corredor em que Becky havia caminhado com Miea três dias antes. Mas em vez de seguir para o jardim eles viraram em outra direção. Ao se aproximarem, Becky ouviu os sons de uma grande multidão murmurando e se movimentando. Sorbus levou Becky até uma porta fechada e de repente ela estava nos "fundos" da grande sala do palácio. Funcionários moviam-se agitadamente pelo salão, parecendo muito determinados a fazer as coisas. Apesar de parecer serem as férias mais deliciosas para Becky, ela percebeu que muitas pessoas aqui tinham serviços importantes a fazer.

Sorbus a levou até a borda do palco, que não era um palco, mas, sim, um grande trono com múltiplas camadas. Miea estava sentada em uma cadeira decorada enquanto nas outras havia duas faixas, uma delas de uma cor uva-cítrico brilhante e a segunda de um tom de bronze que era mais intenso e vívido que qualquer outra que ela já tinha visto. Sorbus fez menção para que Becky se sentasse na parte de trás do trono, e, quando ela fez isso, Miea se virou e acenou para ela com brilho nos olhos, e logo depois voltou sua atenção novamente para o súdito à sua frente.

Agora sentada, Becky teve a oportunidade de absorver a magnitude da grande sala. O teto tinha facilmente a altura de um prédio de cinco andares, e dos caibros saíam bolhas brilhantes que estouravam quando batiam no teto, soltando um jato de bolhas menores e de coloração mais intensa que desciam flutuando até mais ou menos um terço da altura da sala antes de começarem a subir, aumentando de tamanho e repetindo esse padrão constantemente. As paredes da sala hexagonal eram feitas de um cristal moldável conhecido como okanogan, e centenas de cadeiras que preenchiam a sala eram feitas da mesma winema que ela tinha visto no outro dia na sala de reuniões. Pela leveza da construção e das bolhas vagando pelo ar, parecia que todo o palácio estava flutuando.

Estava, com certeza, cheio de vida. Cada cadeira tinha uma pessoa vestida com roupas de várias cores das mesmas que ela tinha visto na outra visita, mas muitas delas acrescentavam os próprios acessórios de maneira surpreendente — com contas, galhos, uma substância líquida e plástica que Becky não conhecia e com várias combinações dos três. Mais do que humanos ocupavam a sala. Nos primeiros anos das histórias de Tamarisk, Becky e seu pai tinham criado dezenas de espécies para habitar seu mundo e eles haviam lhe dado a fala. Com o passar dos anos, Becky começou a achar que animais falantes, mesmo que fossem animais que ela mesmo tinha inventado, eram muito infantis para a sua Tamarisk. Ela tirou a voz deles, mas deixou vários com inteligência e até, para alguns, formas muito sofisticadas de comunicação. Essas espécies estavam na grande sala também. O carrizo peludo, angular e observador. O pequeno pássaro esvoaçante conhecido como norbek, que tinha quatro bicos e o mesmo número de olhos. O real e gracioso katmai, capaz de grande destreza com suas seis patas enormes.

Becky estava tão absorta no ato de admirar as maravilhas na sala que não notou de imediato que a rainha já havia concluído suas obrigações com o súdito diante dela, e já tinha passado para o próximo. Um homem corpulento e desgastado pelo tempo e com um rosto amigável curvou-se para ela. Havia um grupo de adolescentes atrás dele.

— Vossa Majestade — ele começou, em tom grave —, esse grupo de jovens é sem sombra de dúvidas o melhor que eu já treinei. Eu tenho me envolvido com speedcatch juvenil por aproximadamente trinta anos e, como sabe, nossa pequena cidade, Ribault, mal tem os recursos para competir com as maiores cidades no campeonato do reino. Mas esse ano nós conseguimos, e contra um time muito forte de Pinzon, devido à dedicação dessas crianças. É um prazer apresentá-las à senhora.

O treinador virou-se para o time e todos na grande sala aplaudiram. Miea levantou-se e, com um sorriso largo, abriu seus braços para receber o time no trono. As crianças — devia haver vinte delas — correram até ela e ficaram à sua volta enquanto o treinador vinha atrás vagarosamente. Um servo entrou pela lateral da sala carregando versões em miniatura das "coisas de bolha" — Becky não sabia como chamá-las porque ela não as tinha inventado — sobre uma bandeja. A rainha parabenizou os membros do time individualmente, anexando uma bolha no peito de cada um. Quando ela o fazia, as bolhas começavam a estourar e voltavam a se formar da mesma maneira como faziam no teto. Era tudo muito festivo. Na vez do treinador, Miea o premiou com uma bolha maior, que tinha um efeito ainda maior e que parecia tê-lo pego de surpresa. As pessoas vibraram novamente.

— Vocês provavelmente não sabem disso — Miea disse quando terminou —, mas eu jogava no time de speedcatch júnior. Pena que eu não era muito boa pra ajudar o time do palácio. Vocês deixaram o reino orgulhoso com suas realizações e a vitória da pequena Ribault não será esquecida.

Miea curvou-se em direção ao time, que retribuiu o cumprimento. As pessoas aplaudiram muito uma terceira vez e Becky se viu aplaudindo também. Ela queria ter estado por perto para ver o torneio. Speedcatch, um jogo que envolvia correr, jogar e pular enquanto o time adversário o impedia de fazê-lo, era um esporte que ela e o pai levaram várias semanas da primavera para criar. Eles até mesmo jogaram uma versão simplificada com algumas crianças da vizinhança algumas vezes. Talvez ela tenha a oportunidade de assistir os profissionais jogarem durante uma visita futura.

O time desceu do trono e Becky esperou que outra pessoa desse um passo à frente. Quando ninguém o fez, Becky olhou para Miea, que tinha os olhos fixos no céu na parte de trás da grande sala. Becky focou sua atenção naquela direção, mas não conseguia ver nada. Finalmente, ela viu um pequeno norbeck voando em espirais em direção ao trono. O norbeck circulou o trono duas vezes, voou em direção ao teto e então pousou em uma cadeira ocupada na primeira fileira, cobrindo sua cabeça com as asas.

Miea, sentando-se de novo, sorriu.

— Suas entradas são sempre bem dramáticas, Ostrya.

Um servo colocou uma tábua de madeira na cadeira e Ostrya pousou sobre ela. O pássaro bicou a tábua com um bico, e então rapidamente se virou para dar duas bicadas rápidas com o outro.

— É muito gentil de sua parte — Miea disse. Becky lembrou que, quando era uma jovem princesa, Miea tornou-se fluente nos vários métodos de comunicação das espécies não humanas em Tamarisk. Ela obviamente podia "conversar" com Ostrya.

O norbeck bicava ativamente durante alguns segundos, usando os quatro bicos. Muitas pessoas murmuravam, apreciando.

— Muito impressionante, Ostrya. Eu não tinha ideia de que a sinfonia estava quase completa.

O norbeck bicou novamente, terminando esse comentário esfregando a asa sobre a cabeça.

— Sim, eu gostaria de ouvir um pedaço. Tenho certeza de que todos aqui gostariam também. — Miea olhou para a multidão e eles aplaudiram entusiasticamente.

O norbeck bicou rapidamente quatro vezes e todos na sala ficaram quietos. Da parte de trás de onde estava Miea veio um acorde trilado. Então, outro acorde veio do fundo da grande sala. Depois, mais um acima de Becky. Ostrya alçou voo e emitiu três acordes fortes, usando todos os bicos para soar notas diferentes em um som que parecia a combinação de uma flauta e uma trompa. Com isso, dúzias de norbecks apareceram nos caibros, juntando suas vozes à sinfonia. A música tinha muito a ver com movimentos assim como com sons, com notas e combinações de notas circulando e se movimentando pela sala. Em certo momento, um norbeck esvoaçou alguns metros acima da cabeça de Becky produzindo uma série de arpejos rápidos antes de voar para o alto novamente. Então, de repente, as criaturas soaram em uníssono, oferecendo quatro acordes magistrais (Becky pensou reconhecê-los como escala principal) antes de ficarem quietos.

Por um momento, não havia nenhum som na sala. Então Miea levantou-se e todos — incluindo Becky — levantaram-se e aplaudiram.

— Isso foi magnífico, Ostrya — comentou a rainha. — Se o resto da sinfonia se parecer com isso, o reino logo terá um novo tesouro.

Ostrya deus mais três bicadas, mais uma vez cobriu a cabeça com as asas e então voou para fora do salão rapidamente.

Becky sentiu-se emocionalmente tocada pela experiência musical. Ela adorava música e já tinha ido a vários concertos, desde ainda bem jovem, mas a breve apresentação dos norbecks a tocou de maneira inesperada. Era quase como se ela sentisse algo novo, algo que beirava alegria e confusão. O concerto a deixou fisicamente agitada, do jeito que se sentia depois de correr ou jogar tênis. Ela levou alguns momentos para se recompor.

Enquanto as pessoas se acalmavam, uma mulher caminhou em direção ao trono. Ela trazia duas cascas de algo que se parecia com milho.

— Vossa Majestade, minha família tem cultivado a mesma terra em Custis por cinco gerações e nunca precisamos da assistência do palácio antes. — A mulher usou um tom grave. — Mas receio que nosso atual sofrimento seja algo maior do que podemos tolerar.

Miea sentou em sua cadeira se inclinado para a frente.

— O que aconteceu?

— Eu trouxe isto para lhe mostrar, Vossa Majestade.

A mulher tirou uma parte da casca e tudo se desmanchou. Não havia nada dentro além de partículas cinzentas que caíram no chão. A mulher descascou a segunda espiga e a mesma coisa aconteceu.

A expressão de Miea mudou drasticamente. Ela parecia quase assustada.

— Você diz que isso aconteceu em Custis?

— Sim, Vossa Majestade.

— A área de cultivo mais próxima do palácio. — Miea levantou o olhar na direção da área de onde Becky havia entrado, mas não sabia dizer o que ou quem ela estava procurando. — Você tem alguma ideia de como isso aconteceu? — Becky notou que Miea estava realmente preocupada. Sua reação parecia um pouco exagerada. Já houve vezes em que as colheitas não foram muito boas, certo?

— Receio que sim, Vossa Majestade.

Miea parecia surpresa pela resposta.

— Você sabe?

— São aqueles malditos vilases, Vossa Majestade. Eles entram nas espigas e comem tudo, deixando apenas a casca. Eles são a pestilência mais devastadora do reino.

Aquilo soou meio estranho para Becky, mas a notícia pareceu deixar Miea mais relaxada. Ela reclinou-se na cadeira.

— Posso entender sua raiva, mas os vilases não são uma praga maldita. Eles vivem dessa maneira.

— Eles vivem pra destruir as plantações da minha família — disse a mulher amargamente antes de se recompor e acrescentar —, Vossa Majestade.

Miea chamou um dos servos.

— Por favor, estabeleça um subsídio para essa mulher e sua família pelo resto da estação de cultivo. Também arrume uma equipe para ir aos seus campos para retirar e redistribuir os vilases. — Ela se virou para a mulher. — Eles não causam nenhum problema quando estão espalhados. Na verdade, eles podem até ser benéficos. Infelizmente, eles se concentram neste momento em um local... e você já viu os resultados.

— Obrigado por sua ajuda e generosidade, Vossa Majestade. — A mulher se curvou e foi embora.

Miea olhou para o lado do palco, acenou com a cabeça e se levantou.

— O congresso de hoje está encerrado. Agradeço a todos por terem vindo e por compartilharem seus pensamentos, suas contribuições e preocupações. Antes de encerrarmos, eu gostaria de fazer uma apresentação.

Miea olhou para Becky e fez um gesto para ela se levantar.

— Becky Astor veio nos visitar de... uma terra distante. Eu peço a todos para lhe dar boas-vindas. Ela é uma amiga muito importante e ela vai viajar por todo o reino. Por favor, considerem-na um membro valioso do palácio.

A multidão aplaudiu. Becky não tinha muita certeza do que fazer, então ela inclinou o corpo numa pequena mesura, o que fez com que ela imediatamente se sentisse tola. Ela trouxe a mão para o lado do corpo de novo e observou enquanto Miea se aproximava dela.

— Bem-vinda novamente. Eu tenho um pouco de tempo antes da minha próxima reunião. Venha comigo.

* * *

Becky se acomodou no sofá enquanto Miea pedia a Sorbus para trazer alguma coisa que elas pudessem comer. Miea torceu o pescoço e arqueou seus ombros. Ela parecia enrijecida e desconfortável. Becky imaginou que não deveria ser a coisa mais fácil do mundo ser o centro de uma grande multidão por um período muito longo — e Miea fazia uma reunião dessas todas as semanas. Becky sempre gostou de falar em público, mas isso não chegava nem perto. Ela se perguntou como se sairia nessas circunstâncias.

— Foi uma experiência e tanto — ela comentou quando Miea veio se sentar.

— O congresso de hoje foi muito bom. Eu gosto dessas reuniões. Elas fazem com que eu me sinta conectada, como se eu estivesse fazendo alguma coisa.

— Você não está fazendo alguma coisa o tempo todo?

— De certa maneira, sim. Há algumas partes de ser uma rainha em que conseguir não perder o controle é uma grande conquista. Eu sinto que, com o congresso, nós sempre seguimos em frente. Às vezes penso que Tamarisk seria um lugar bem melhor se eu pudesse fazer um congresso todos os dias.

Becky concordou com a cabeça como se ela não estivesse inteiramente certa de que entendia o que Miea estava dizendo. Tudo parecia correr tão bem em Tamarisk.

— Bom, eu achei tudo maravilhoso.

Miea sorriu.

— Eu fico feliz. Aquela pequena demonstração dos norbecks foi bem impressionante, não foi?

Os olhos de Becky se arregalaram.

— Eu diria que sim. Eu ouço muitas músicas e eu posso com certeza lhe dizer que eu nunca tinha ouvido nada parecido.

— Ostrya é um compositor notável. Ele merece cada elogio que recebe. Não existe um compositor humano no reino que se assemelhe à criatividade dele.

Sorbus entrou e colocou uma bandeja de pedra entalhada sobre a mesa perto delas. Ele deu a Miea uma xícara de madeira que ela segurou com as duas mãos na altura do rosto, permitindo que vapor e pequenas bolhas a tocassem. Ele, então, deu a Becky um copo de cristal. O cheiro imediatamente a fez se lembrar da última vez em que estivera em Tamarisk.

— Eu pedi mais barritts pra você — disse Miea. — Você pareceu ter gostado.

Becky tomou um gole. O gosto não era tão surpreendente dessa vez, claro, e ela descobriu que gostava ainda mais.

— Eu gostei, sim, mas eu quero provar de tudo um pouco.

Miea levantou sua xícara para Becky.

— Você gostaria de experimentar um pouco de argo?

— Não, obrigado. Por enquanto isso é o suficiente.

Becky tomou outro gole. Sim, definitivamente havia sabores do *bouquet garni* na bebida. Era emocionante pensar em quantas descobertas — e redescobertas — esperavam por ela em Tamarisk. Ela queria ver tudo o que ela tinha imaginado se tornar realidade. E tão importante quanto era ver coisas novas, sentir que ela fazia parte daquele lugar.

— O que você faz quando não está exercendo o papel de rainha?

Miea deu uma breve risada.

— Eu acho que sempre estou exercendo o papel de rainha.

— Mas você deve ter um tempo só pra você. Mesmo o presidente dos Estados Unidos, esse é o líder do país de onde venho, vai para o Camp David de vez em quando.

Miea concordou com um gesto de cabeça.

— Eu receio que não haja um lugar desses pra mim. Minhas últimas férias foram antes de meus pais morrerem. Desde então, eu não tenho tido muito tempo livre a não ser pra dormir e as raras noites pra mim mesma.

— Deve ser cansativo.

Miea deu um suspiro e relaxou seu pescoço novamente.

— Você se acostuma.

Becky não podia imaginar como seria ficar quatro anos sem um dia de folga. Ela achava difícil quando tinha de fazer muitas tarefas nos finais de semana e não podia sair de casa antes do anoitecer.

— Era assim com os seus pais também? Eles nunca tinham tempo pra ficar com você quando você estava crescendo?

— Era diferente pra eles. Eles tinham um ao outro e cada um tinha uma área de responsabilidade. Eu tenho mais ajudantes do que posso contar, mas sou eu que tenho que tomar as decisões. Eu nunca me senti confortável em ficar longe de tudo.

Becky colocou seu copo de barritts na mesa e apontou na direção de Miea.

— Parece que só tem uma coisa pra você fazer então.

Miea balançou sua cabeça

— E o que seria?

— Você precisa encontrar um rei pra você.

Miea deu uma risada alta. Era a coisa mais feminina que Becky a tinha visto fazer. Na imaginação de Becky, a Miea das suas histórias de Tamarisk era uma adolescente extremamente confiante que ainda agia como uma adolescente. Era legal ver que ela tinha um pouco disso em sua vida real.

— Um rei? — Miea repetiu num tom de surpresa na voz. — Tipo um marido? Onde eu consigo arrumar um?

— Você está brincando? Você deu uma olhada na grande sala hoje? Tinha uns homens maravilhosos lá.

Miea fez um gesto com as mãos.

— Sim, tinha. Acredite em mim, eu percebi. Sempre tem. — Seu sorriso se desfez. — Esse tipo de coisa é um pouco complicada pra mim. Eu tenho tanto o que fazer. Não sei como eu começaria um romance.

Becky sentiu pena de Miea. Parecia que ela tinha que deixar muitas coisas de lado porque era uma rainha. Não era isso que Becky tinha imaginado para ela.

— Então quer dizer que você nunca se apaixonou?

Os olhos de Miea turvaram-se.

— Eu não disse isso. — A rainha olhou para sua xícara e então a segurou contra o rosto.

— Você pode me contar sobre ele?

Miea olhou para Becky com uma expressão que a deixou confusa.

— Eu estou fazendo muitas perguntas? — Becky emendou rapidamente.

Miea olhou para sua xícara de argo novamente.

— Não, de forma alguma. Já faz muito tempo que ninguém me faz esse tipo de pergunta.

— Então me fale sobre ele.

A rainha sorriu suavemente.

— Ele era maravilhoso. Nós nos dávamos muito bem. E então os eventos conspiraram contra nós.

Ela disse isso com muita tristeza na voz. Becky já havia conversado com muitas pessoas sobre seus relacionamentos — amigos e sua mãe, na maioria das vezes —, mas ela nunca tinha visto alguém parecer tão triste falando de um ex-namorado. Lonnie parecia terminar com um garoto diferente a cada semana e às vezes ela ficava muito triste com as separações, mas quando isso acontecia, era como o choro de um bebê depois de levar um tombo. Becky tinha a impressão de que Miea nunca ia esquecer a perda desse amor.

— Você sabe o que aconteceu com ele?

— Eu sou a rainha. — Miea deu uma risada sem graça. — Eu sei de tudo.

Conversar sobre meninos com Lonnie definitivamente não tinha nada a ver com isso. Becky achava isso fascinante mesmo se seu coração se partisse por Miea

— Talvez você possa voltar com ele.

O rosto de Miea se enrijeceu.

— Isso não é possível.

— Poderia ser.

Naquele mometo, Sorbus retornou. Becky esperava que ele fosse apenas levar a bandeja embora, mas não.

— Vossa Majestade, desculpe-me por interromper, mas o ministro Thuja está aqui para vê-la.

A expressão de Miea se fechou e ela colocou sua xícara na mesa.

— Thuja em pessoa?

— Sim, Vossa Majestade. Ele diz ter um relatório que ele mesmo gostaria de entregar.

Miea levou algum tempo para se recompor e então acenou com a cabeça.

— Diga a ele que estou indo. — Ela se virou para Becky: — Desculpe-me, mas vou ter de descobrir por que o ministro Thuja está aqui.

Becky não tinha ideia do que se tratava, mas qualquer um podia adivinhar que não era algo bom.

— Claro. Devo ir embora? — Becky percebeu que ela não sabia como voltar para o seu quarto sozinha.

— Fique aqui o quanto quiser. Sorbus pode encontrar alguém pra lhe mostrar as coisas, se você quiser. Eu só voltarei tarde da noite. Meu tempo de folga está oficialmente terminado por hoje.

— Agradeço por você tê-lo passado comigo.

Miea sorriu gentilmente e lhe estendeu a mão. Becky a segurou por um instante.

— Estou muito feliz por tê-lo feito. Foi um verdadeiro prazer. — A rainha indicou a porta com um gesto de cabeça. — Eu receio não poder deixar o ministro esperando.

Com isso, ela se virou e saiu. Era fascinante ver quão rapidamente Miea se levantou quando Sorbus lhe disse que o ministro estava lá. Devia estar acontecendo algum tipo de problema. Becky não se lembrava de um ministro Thuja, então ela não sabia que ministro ele era.

Ela tomou o restante da bebida e se levantou para encontrar Sorbus. Não se importaria em passar mais algum tempo no jardim, ou até mesmo sair para conhecer Tamarisk City. Mas ao dar o primeiro passo, ela sentiu seu corpo sendo puxado na direção oposta.

Quase instantaneamente, ela estava de volta ao seu quarto.

Sentindo-se sacudida, ela se sentou rapidamente, como se tivesse acordado de um sonho perturbador. Ao fazê-lo, o quarto pareceu balançar e a tontura fez com que ela se deitasse novamente. Sua cabeça continuava a girar.

Foi a última coisa de que ela se lembrava de ter feito naquela noite.

11

O programa de mensagens de Becky apitou novamente e ela olhou de relance para o computador: monsterjam18? Quem era esse? Ela tentou pensar em quem ela conhecia com aquele apelido e seu cérebro rodou por dezenas e dezenas de amigos e colegas. Finalmente ela se lembrou de um cara que ela conhecera fazia alguns meses na casa da Kaila e do Matt. Bonitinho. Segundo ano da faculdade. Bem alto. Ele parecia bem legal, tinham trocado algumas mensagens, mas alguma coisa não estava certa com ele. Talvez fosse seu nome. Monsterjam18. Não exatamente o tipo dela.

Pela décima terceira vez hoje, no mínimo, Becky relembrou a conversa que teve com a Miea na noite anterior. O que a rainha ia pensar do Sr. Monster Jam? Provavelmente que ele não era do tipo adequado para se tornar rei. E ela definitivamente estaria certa quanto a isso. Mas e quanto ao rapaz por quem ela estava apaixonada? Becky realmente desejou ter conversado com ela um pouco mais. Miea parecia tão triste quando mencionou seu antigo namorado. Definitivamente, ou melhor, com certeza, havia muita coisa mal resolvida ali, muitas coisas com as quais ela precisaria lidar.

Talvez quando Becky a conhecesse um pouco melhor Miea pudesse se abrir um pouco mais. Becky talvez até pudesse ajudá-la a lidar com tudo isso. Ela era ótima para ajudar Lonnie com as suas várias crises relacionadas a seus namorados, embora ela suspeitasse de que a crise de Miea fosse um pouco mais séria do que qualquer coisa que Lonnie houvesse experimentado.

Becky voltou a atenção para o livro de história. Ela estava tendo um pouco de dificuldade para se concentrar naquela noite. Estava se sentindo um pouco enjoada, e deve ter sido por causa da comida que o Al preparou para o jantar. Ele conseguia estragar até mesmo uma torrada, o que era engraçado já que ele gostava tanto de comer. Ela deveria ter se oferecido para cozinhar como a mãe não estava por perto. Ou então sugerido que eles saíssem para comer uma pizza ou outra coisa parecida. Talvez até mesmo sugerido passar a noite com seu pai. Al era maravilhoso, mas seu pai era o seu pai. Não fazia mais sentido estar com ele quando sua mãe não estava por perto? Nesse caso ela poderia ter ido para Tamarisk, e talvez ter tido outra oportunidade para uma boa conversa com a Miea.

Durante o dia todo Becky desejou experimentar novamente o gosto do barritts, sentir a maciez do payette ou escutar uma sinfonia tocada por dezenas de norbecks. Ela estava com tanta saudade de Tamarisk hoje, muito mais que antes. Quanto mais tempo passava no reino, mais vontade ela tinha de ficar lá. Aquele lugar despertava os seus sentidos. Fazia com que ela tivesse vontade de sair para explorar e descobrir coisas novas. Se pelo menos ela conseguisse ir para lá todas as vezes em que tivesse vontade. Talvez dar uma corrida para uma rápida visitinha durante as aulas. Seu corpo ficaria aqui, ia parecer apenas que ela estava um pouco preocupada, distraída.

Ela sacudiu a cabeça levemente. *Hora de voltar para o planeta Terra, Becky.* Ela precisava se concentrar na lição de casa e prestar atenção na Revolução Industrial. No sábado à noite, quando ela fosse dormir no apartamento do pai, ela teria oportunidade de correr pelos campos de Jonrae ou talvez andar pelos arcos do comércio de Pinzon. Contudo, a única certeza que ela tinha no momento era a de que ia ter uma prova de história na quarta aula do dia seguinte. Apesar disso não ser tão atraente quanto um congresso do reino, ela precisava concentrar toda a sua atenção ali. Ela se desconectou do programa de mensagens — o monsterjam18 ficaria arrasado por aqueles quatro minutos — e começou a estudar novamente. Cerca de uma hora mais tarde sua mãe bateu na porta e colocou a cabeça dentro do quarto.

— Oi, meu bem.

— Oi, mãe — Becky falou girando na cadeira. A mãe entrou e a beijou na testa. — O jantar foi bom?

— As garotas são ótimas. É sempre bom estar com elas. Nós ficamos por dentro das últimas novidades. A filha da Denise está namorando um ciclista, e parece que a Denise sentiu cheiro de bebida nela na noite passada. — A mãe se inclinou e beijou Becky novamente. — Você deveria ficar satisfeita de eu ir a esses jantares de vez em quando. Isso me faz lembrar como devo me sentir feliz. Isso me faz lembrar como eu tenho sorte.

Becky deu um sorrisinho.

— Ei, mãe, eu pensei que você não precisasse ser lembrada disso.

— Na verdade não preciso. Mas isso sempre vem como um bônus, não é, é como uma margarita. Tudo bem nessa noite?

— Sim, tudo estava ótimo. Eu fiquei aqui estudando.

— O jantar do Al estava comível?

— Foi um dos melhores — Becky sorriu para ter certeza de que a mãe entendia o que ela estava falando. Polly a abraçou.

— Eu realmente devia deixar algo pronto pra vocês dois quando eu saio, mas ele ficou tão ofendido da última vez que eu fiz isso. Ele realmente acredita que sabe cozinhar. Sinto muito, Becky, mas não quero magoá-lo.

Becky acenou com a mão.

— Não é nada de mais, tenho certeza de que vou sobreviver. O armário do banheiro está cheio de antiácidos.

Polly se sentou na beirada da cama de Becky, o que significava que ela pretendia ficar ali mais um pouco.

— Bem, eu não vejo você direito desde ontem à tarde. Preciso ajeitar minha agenda pra essas terças e quartas-feiras. Como foram as coisas com o seu pai na noite passada?

— Estava tudo realmente muito bom.

— Ele fez você dormir numa hora razoável?

Becky revirou os olhos.

— Sim.

— E ele fez você ir pra escola na hora certa?

— Mãe, o papai é um adulto também.

Por um segundo, pareceu que Polly ia querer discutir o assunto, mas então ela simplesmente comentou:

— Eu sei que ele é, mas sua rotina é importante. Ele não está acostumado com isso, e eu não quero que você tenha problemas porque seu pai não consegue se organizar.

— Na verdade foi ele quem teve de esperar por mim, e eu cheguei na escola dez minutos adiantada.

— E ele simplesmente deixou você esperando ali? Você teve de ficar esperando do lado de fora?

Becky deu uma risada.

— Ele ficou esperando comigo, mãe. Não se preocupe, vai dar tudo certo.

Polly suspirou.

— Tenho certeza de que vai. Você dormiu bem? Nem sempre você dorme bem quando está lá.

— Dormi maravilhosamente bem. Nem consigo me lembrar da última vez que acordei me sentindo tão bem.

Aquilo não foi, provavelmente, a melhor coisa a se dizer.

— O que isso quer dizer?

— Não quer dizer nada. Eu simplesmente dormi bem e eu vi umas coisas fantásticas, e tive uma conversa realmente interessante com a Miea e... — assim que disse essas palavras ela mesma não acreditou no que tinha deixado escapar.

— Maya? Quem é Maya? Seu pai está com uma nova namorada? Se ele estiver ele deveria ter me avisado que ia apresentar você pra ela.

Polly não tinha contado nada para Chris sobre o Al até eles estarem juntos já havia alguns meses, mas essa não era a questão.

— Meu pai não está com uma namorada nova.

— Então quem é Maya?

— Não é nada.

A mãe olhou para ela, desconfiada por um momento, e então afastou o olhar como se estivesse tentando se lembrar de alguma coisa.

— Miea era o nome da princesa naquela coisa Tamarisk que você costumava fazer com o seu pai, não é?

Becky ficou surpresa da mãe ainda se lembrar daquilo.

— Sim, é.

A mãe se aproximou um pouco mais. Ela parecia ficar mais alta quando fazia isso.

— Ele não convenceu você a fazer isso novamente, convenceu?

Becky se afastou.

— Meu pai não tem nada a ver com isso. A não ser que eu preciso da cama no meu quarto lá.

Polly contorceu o rosto.

— O quê?

Você sempre me diz que não quer que haja segredos entre nós, mãe, Becky pensou, inclinando o corpo para a frente porque não conseguia pensar em mais nada a fazer.

— Você não vai acreditar nisso — ela disse superentusiasmada.
— Descobri um jeito de ir pra Tamarisk.

A mãe se aproximou dela.

— É verdade, mas eu só consigo fazer isso na cama do apartamento do meu pai, esse é um dos motivos porque eu queria passar mais uma noite lá.

— Pra você poder viajar pra Tamarisk.

Becky deu um sorriso largo.

— Não é incrível?

— Essa não é exatamente a palavra que eu teria usado, meu bem. Querida, você percebe que Tamarisk é um lugar de faz de conta que você criou quando era bem pequenininha, lembra?

— Sim, eu pensava a mesma coisa. Mas é de verdade.

A mãe se levantou e caminhou em direção à porta, batendo no ombro de Becky ao passar.

— Ou eu bebi margaritas demais, ou o seu pai colocou alguma coisa na sua sobremesa na noite passada. Uma de nós duas definitivamente não está pensando com clareza.

Ela parou na porta, olhou para a filha e sacudiu a cabeça de modo desaprovador. Então se virou e desceu as escadas.

Beacky teve vontade de bater com a cabeça na parede. Ela não acreditava que havia deixado escapar o nome de Miea sem querer. E, além disso, ainda mencionou o fato de viajar para Tamarisk. Ela poderia ter falado sobre qualquer outra coisa, menos isso.

Ainda assim, a mãe dela não precisava ficar olhando para ela como se ela estivesse louca ao contar isso. Sim, ela entendia que era um pouquinho estranho — OK, talvez fosse mesmo bastante estranho —, mas Becky não era o tipo de pessoa que ficava falando besteira o tempo todo. Será que ela não merecia um voto de confiança? E sua mãe não conseguia pensar nem por um minuto na possibilidade de Tamarisk existir?

Pelo menos o pai acreditava nela. Ele não achava que ela estava maluca. Sua mãe nunca entendia coisas como Tamarisk.

Talvez ela fosse esquecer a coisa toda por causa das margaritas que havia bebido. Talvez ela pensasse que foi tudo fruto da sua imaginação. Sem chance. Ela provavelmente estaria lá embaixo agora contando para o Al como a filha estava ruim da cabeça.

Nota: lembre-se de usar a cabeça da próxima vez. Becky nunca mais ia mencionar Tamarisk para a mãe novamente. Talvez ela esquecesse. Afinal de contas, quem sabe ela nem fosse se lembrar da coisa toda, né?

* * *

A mente de Chris não conseguia se afastar da geometria. Ajudar Becky com o dever de casa na noite anterior havia revitalizado uma parte do seu cérebro que estava adormecida havia muito tempo. Se ele pudesse novamente calcular a superfície da área de uma esfera, será que ele conseguiria se lembrar de como calcular a de um prisma e a de um trapézio? E quanto a volumes e perímetros? Ele imaginava que tipo de lição de matemática Becky teria tido essa noite. Será que ela precisou da ajuda dele? Ela não falou nada quando conversaram ao telefone, mas ele deixou bem claro que estava à sua disposição 24 horas por dia caso ela precisasse.

Chris fechou o livro que estava lendo, um que ele havia começado na noite anterior, quando Becky pediu a ele para ficar quieto para que ela pudesse se "concentrar". O romance começou promissor, mas os últimos capítulos tinham deixado de prender sua atenção. Houve uma época na vida de Chris que ele sentia necessidade de terminar todos os livros que começava, mesmo se não estivesse gostando. Ele não era mais assim. Se esse aqui não despertasse seu interesse até o próximo capítulo ele ia guardá-lo.

Não havia nenhum som no apartamento. Na noite passada àquela hora, Becky e ele estavam lembrando as cenas mais assustadoras de *O sexto sentido* enquanto assistiam *Eu amo os anos 90*. Foi a melhor noite que ele tinha tido em muito tempo. Era estranho que algo tão simples e tão mediano quanto assistir TV com a filha numa terça-feira à noite pudesse ser considerado um ponto alto, mas era exatamente a simplicidade disso tudo que tornava o fato tão importante. Ele sentia falta disso tudo, mas isso ele já sabia. Ele só não tinha imaginado o quanto até experimentar novamente.

Chris ouviu o relógio metafórico gritando cada vez mais alto. Para ele, ser pai era um gráfico cheio de marcos importantes. Quando seu filho nasce, cada uma das suas conquistas parecem superar a anterior, e cada uma faz você se sentir cada vez mais conectado a ele. Simples necessidades biológicas dão lugar à interação, que dá lugar às brincadeiras, que dão lugar a conversas relevantes e assim por diante. O relacionamento fica mais próximo a cada fase. A certa altura, no entanto, você chega ao topo da curva. Seu filho continua a crescer, a se tornar um ser humano mais completo e mais denso, mas a sua ligação com esses eventos se torna cada vez mais distante. Ele passa a ter conversas relevantes com os amigos em vez de com você. Ele aprende lições importantes da vida longe de casa. Ele interage cada vez mais com o mundo e consideravelmente menos com você. Ele olha para o futuro e vê um lugar onde você é um pouco mais que um número na sua agenda de telefone. Claro, se você é divorciado da mãe dele, e o vê apenas nas terças-feiras e nos finais de semana, você desce essa curva ainda mais rápido.

No dia em que Becky iniciou o Ensino Médio, Chris começou a pensar sobre ela indo para a faculdade. Agora, seu ano de caloura estava quase terminado. Quando terminar, ela terá apenas mais três anos antes de sair de casa para sempre. Ela vai estar em casa nos feriados e nas férias de verão, mas isso não será nada mais que uma visita prolongada. Então, depois que se formar na faculdade quem poderá dizer onde ela vai parar, e com que frequência ele vai vê-la?

Deveria haver mais avisos de que você está se aproximando do alto da curva e de que você está prestes a despencar, Chris pensou. *Se eu soubesse como eu estava perto, teria feito alguma coisa — não sei o quê — para marcar a ocasião.*

Ele não conseguia afirmar com certeza quando ele tinha atingido o alto da curva com Becky, embora tivesse certa ideia. Será que foi no dia em que ele saiu de casa? Alguns meses antes ou depois daquilo? Tudo o que ele sabia é que estava deslizando ladeira abaixo. Quando ele chegasse ao fundo, ela teria partido. Ele não conseguia imaginar se estaria mais preparado para este evento daqui à três anos do que estava hoje.

Ainda assim houve a noite passada. Talvez todas as terças-feiras seriam como aquela no futuro. Talvez fosse algo para ser construído. Talvez a vida com a filha não fosse a curva de um gráfico, mas uma forma de onda. Talvez conseguisse subir nela novamente. Ele foi para a cozinha para passar uma água na louça da noite anterior e colocá-la na máquina de lavar, algo que ele não estava a fim de fazer quando terminou de comer. Ele quase comeu um sanduíche nessa noite, mas se forçou a preparar uma refeição. Era um desafio porque estava sozinho, mas ele se sentia forçado a preparar as refeições do mesmo modo como sabia que era importante arrumar a cama todas as manhãs, muito embora ninguém fosse ver se o quarto estava bagunçado ou não.

O telefone tocou. Ele fechou a torneira e pegou o aparelho.

— Alô?

— Você deve estar brincando comigo. — A voz brusca de Polly era inconfundível. Era o que ele mais associava a ela.

— Estou brincando com o quê?

— Você está conversando com a sua filha adolescente de catorze anos sobre um mundo de faz de conta novamente?

Becky tinha contado a Polly sobre Tamarisk? O que ela tinha na cabeça?

— Que parte disso é um problema?

— Que parte disso eu acho que é um problema? Vamos ver: talvez a parte em que você não percebe que a sua filha está crescendo. Ou talvez a parte em que você está tão desesperado pra conseguir o afeto da Becky que seria capaz de explorar os sentimentos dela. Ou talvez a parte em que você a envolveu tanto nisso que ela realmente pensa que está conversando com elfos e fadas.

— É isso realmente o que está te incomodando, Polly?

— Você não acha que isso deveria me incomodar?

Chris hesitou por um segundo. Ele precisava ir devagar para poder pensar.

— Eu não acho que este seja o problema.

— Realmente. O que você acha que é o problema?

— Acho que o problema foi a noite passada.

A voz de Polly se elevou novamente.

— Você pode apostar que o problema foi a noite passada. Falei com a Becky ainda agora e ela me contou que está viajando pra Tamarisk do seu apartamento. Você não acha que eu ia achar isso um pouco perturbador?

Dessa vez não houve hesitação da parte dele.

— Acho que o que está incomodando você é que ela estava aqui na noite passada. Depois de quatro anos, quatro anos nos quais você não fez nada pra esclarecer pra sua filha que foi você quem rompeu o nosso casamento, ela finalmente deu um passo na minha direção e isso está acabando com você.

Houve uma risada amarga do outro lado da linha.

— Você realmente acha que isso é tudo, não acha? Você realmente acha que tudo tem a ver com o ciúme que eu sinto de você dois, e como eu a tirei deliberadamente da sua vida. Cresça, Chris.

Chris tentou controlar o tom da sua voz. Ele não queria que Polly pensasse que o estava atingindo.

— Sabe o que mais? Eu até que estava esperando essa ligação. Eu não sabia exatamente sobre o que seria, mas eu tinha certeza de que você ia encontrar um jeito ou outro de sugerir que eu não estava preparado pra ter Becky aqui durante a semana.

— Se você está fazendo lavagem cerebral nela com essa baboseira de Tamarisk que a deixou tão iludida a ponto de ela achar que está viajando pra outros mundos nos seus sonhos, então você não está preparado, ponto final.

Chris sentiu o sangue ferver.

— Isso é algum tipo de ameaça?

Polly não respondeu imediatamente.

— Chris, eu não preciso ameaçar você. Quando a Becky descobrir o que você está fazendo, e ela vai descobrir tudo isso sozinha, ela nunca mais vai ser capaz de olhar pra você do mesmo jeito. Você deveria pensar um pouco nisso antes de seguir adiante com essas histórias.

Chris pensou em dizer a Polly que foi a própria Becky quem iniciou a conversa sobre Tamarisk. No entanto, em que isso ia ajudar, e o que ele ia dizer se Polly perguntasse se ele realmente acreditava que a filha pudesse ir para lá? Becky parecia tão convencida — essa manhã ela tinha conversado com ele sobre a viagem da noite passada para Tamarisk sem parar — e ele mesmo estava começando a acreditar nisso, por mais estranho que parecesse.

No entanto, se ele admitisse isso para Polly, ela ia ter um chilique ainda maior.

Ele respirou fundo e disse simplesmente.

— Obrigado pelo sábio conselho.

— Estou lhe dizendo, Chris, você está cometendo um grande erro. Você pode ser muito esperto, mas essa sua nova tática não vai dar certo. E se eu perceber que isso está afetando a Becky de alguma maneira, vou tomar as providências necessárias.

Chris tinha de desligar o telefone. Se ele não fizesse, com certeza começaria a explodir novamente e diria alguma coisa da qual se arrependeria mais tarde — não porque ele não quisesse dizer aquilo, mas porque era realmente o que ele queria dizer.

— Preciso desligar, Polly. Eu estou no meio de um trabalho.

E desligou o telefone e o colocou bruscamente no balcão. Ele sentiu a onda de adrenalina que acompanhava cada discussão que tinha com sua ex-mulher. Ela sempre conseguia transformar alguma coisa mágica entre Becky e ele numa coisa ruim.

Sério, o que é que Becky estava pensando quando mencionou isso para Polly? Será que essa coisa de Tamarisk a perturbara tanto a ponto de ela esquecer tudo? Isso não parecia possível. Ela sabia o que Tamarisk representava para a mãe dela. Será que ela esperava que Polly aceitasse isso bem? Ou será que ela fez de propósito por algum motivo? Se foi esse o caso, o que ela estava tentando ganhar?

Chris pensou em mandar uma mensagem para Becky, ela provavelmente ainda estava acordada. Mas a última coisa que ele queria que acontecesse era que Polly entrasse no quarto da filha enquanto ele estava mandando a mensagem e reconhecesse o nome dele na tela do celular. Talvez eles pudessem conversar sobre isso no dia seguinte pelo telefone. Até então, ele teria de respirar fundo e tentar pensar em coisas mais agradáveis.

Isso era uma coisa com que eles teriam de lidar. Se Becky fosse continuar a "viajar" para Tamarisk — o que quer que aquilo significasse para ela —, ela teria de fazer isso sem a sua mãe tomar conhecimento do fato. Se Becky não entendesse nada mais, ela teria de entender isso.

12

Os últimos dias foram bem difíceis. A mãe estava olhando para ela de um jeito diferente, mas graças a Deus não mencionou o assunto diretamente. O pai havia perguntado se ela tinha contado alguma coisa para a mãe sobre Tamarisk, e Becky realmente não conseguia entender por que ela tinha deixado aquela história escapar. Enquanto isso, Cam Parker mal estava conversando com ela e Lonnie estava tão apaixonada por Dylon Spence — o favorito da semana — que ela não conseguia falar sobre qualquer outra coisa.

Além de tudo, Becky estava tendo dores de cabeça horríveis. Ela teve uma tão forte enquanto estava jantando com o pai nesse sábado que ela pensou que ia vomitar na mesa. Ela conseguiu terminar de comer, mas acabou cancelando os planos com os amigos para aquela noite, e foi para a cama mais cedo.

Ela tomou um analgésico e deitou. Nunca ela tinha tido tantas dores de cabeça como nessa semana. Se continuassem assim, ela teria de contar para a mãe e ir ao médico, o que não era exatamente o que mais queria fazer. Para falar a verdade, ela não podia evitar ir ao médico para sempre. De qualquer forma, ela tinha um *check-up* anual para dali a alguns meses. Se houvesse realmente alguma coisa errada com ela, eles iam acabar descobrindo. O melhor que ela podia fazer era esperar um pouco mais. Ela estava se saindo bem em lidar com o medo do desconhecido. Mas ela não tinha certeza de que lidaria tão bem assim com o conhecido.

Ficar deitada deixou sua cabeça pulsando com mais intensidade. Ela sabia que dormir seria a melhor coisa no momento, mas não tinha certeza se ia conseguir relaxar a ponto de cair no sono. Havia também a questão de Tamarisk. Será que ela devia tentar ir para lá nessas condições? Será que ia conseguir ir para lá do jeito que estava? Se tentasse meditar, será que a cabeça explodiria?

Com certeza ela não queria ter de esperar até terça-feira à noite para voltar. Talvez a meditação fizesse com que ela se sentisse um pouquinho melhor. As pessoas não costumavam usar meditação para tratar de dores de cabeça? Claro, quando os outros meditavam eles certamente não fugiam para outra realidade (pelo menos ela achava que não), mas essa não era a questão agora.

Lentamente, ciente da dor latejante na cabeça, Becky começou o processo. Ela ia precisar lutar contra essa dor ou nunca seria capaz de chegar a seu destino. Por um período curto, isso pareceu impossível. Ela continuou tentando e aos poucos foi capaz de afastar a dor, do mesmo modo que afastava todo o resto.

Ela abriu os olhos e estava no escritório de Miea. Mais uma vez a rainha não estava lá e Becky deu um passo para o corredor para tentar encontrar Sorbus.

— Que bom ver você novamente — o assistente disse.

— É bom ver você também, Sorbus. Acho que a rainha não está por perto, está?

A expressão de Sorbus mudou e ele abaixou os olhos. Foi uma reação estranha.

— Ela está um pouco ocupada hoje, receio. Ela vai ficar triste de saber que não encontrou você.

Becky concordou. Ela realmente tinha esperança de conversar com Miea, mas não podia esperar que a rainha ficasse o dia todo esperando por ela. Talvez isso fosse possível se ela soubesse quando Becky ia chegar, mas ela não tinha nem ideia de quando isso ia acontecer.

— Sua Majestade e eu conversamos sobre o que fazer se você chegasse e ela não estivesse disponível. Ela deu uma sugestão que talvez a interesse. Você já esteve em um waccasassa?

Era a mesma coisa que perguntar para Becky se ela já estivera em Alfa Centauro, mas Sorbus não podia imaginar isso.

— Não, não posso dizer que conheço um.

— Posso verificar se a rainha vai estar disponível quando você voltar depois do passeio pelo reinado.

Os olhos de Becky se iluminaram.

— Você acha que consegue?

— Sua Majestade foi bem clara em dizer que você poderia ter acesso a todos os seus recursos luxuosos. Afinal de contas, ela raramente os utiliza.

Becky ficou toda animada.

— Eu adoraria andar num waccasassa. Eles são seguros, não são?

— Ah, eles são bem seguros. Por favor, vamos até lá fora comigo.

Eles desceram um longo corredor e chegaram a um imenso campo. As cores e a música de Tamarisk imediatamente tomaram conta de Becky. Alguns desses sons estavam diferentes hoje: havia uma batida rítmica que parecia soar de um tímpano e um som ocasional de cordas, mas o efeito total era o de uma sinfonia já que era a primeira vez que Becky saía ao ar livre no reino. Uma pequena criatura bípede, de rosto achatado e uma pelagem sedosa, caminhou confiante em direção a ela, esticou uma pata para tocar sua perna, e então se aproximou e se encostou numa pedra para observá-la. Becky lhe deu um sorriso, mas a expressão da criatura permaneceu inalterada.

Ela percebeu que sua dor de cabeça tinha desaparecido completamente. Obviamente, tudo que ela precisava era de uma boa dose de aventura para fazer com que as coisas ruins fossem embora. *Vou explo-*

rar. Vou descobrir coisas. Tem tantas coisas pra eu fazer aqui. Ela deu um passo à frente em direção ao bípede, com a intenção de acariciá-lo, mas ele saiu correndo para o palácio.

Ela se virou para Sorbus, que estava dizendo alguma coisa a outro homem. O homem se afastou, e, talvez um minuto mais tarde, Becky sentiu o ar mudar com o som de enormes asas batendo à sua volta. Ela viu a sombra de um waccasassa antes mesmo de ver o próprio pássaro. Por mais que ele fosse grande, o waccasassa tocou o solo com uma leveza incrível.

A criatura que parecia uma gaivota era muito maior do que Becky tinha imaginado, com uns três metros de comprimento e uns três metros de altura. Tinha uma plumagem verde prateada nas asas, a cabeça marrom e tufos escuros no meio das costas. A cabeça era reta e o bico longo brilhante apontava diretamente para o horizonte.

— Pode subir quando quiser — Sorbus disse levantando a mão em direção à megagaivota.

Becky deu uma olhada no pássaro.

— Subir? Como? Onde?

Ela percebeu que nas histórias em que tinha imaginado um passeio num waccasassa tinha deixado de lado alguns detalhes, tipo como subir numa dessas coisas, por exemplo.

Sorbus levou Becky para a frente do pássaro. Quando chegaram lá, o waccasassa abaixou o bico, e Becky notou vários sulcos ao longo do pássaro. Sorbus fez um gesto indicando que ela se utilizasse desses sulcos, como se fossem uma escada. Sorrindo para si mesma, ela se aproximou do bico e subiu nas enormes costas do pássaro, se acomodando naqueles tufos centrais. Olhou em volta procurando um cinto de segurança, ou alguma coisa para se segurar, quando se lembrou de que ela tinha imaginado os tufos bem fortes, o suficiente para manterem a pessoa naquele lugar.

— Será que eu preciso de um capacete? — ela perguntou gritando para Sorbus.

— Capacete? Para quê?

Em Connecticut só se tinha permissão para andar de patins usando um capacete, mas obviamente, em Tamarisk, era perfeitamente normal voar em pássaros enormes sem eles.

— E quanto à pressão do ar?

— O que tem a pressão do ar?

Becky balançou a cabeça.

— Nada, não tem importância. Ei, se eu vou fazer um passeio, não vou precisar de um guia?

Sorbus virou as mãos para cima.

— Eu adoraria acompanhá-la, mas receio não poder hoje. A rainha precisa de mim e estamos com pessoal limitado.

— Como vou saber pra onde ir?

— O waccasassa sabe o seu itinerário. Acho que você vai adorar o passeio.

Becky deu uma risada.

Ela então se acomodou. Estava prestes a perguntar para Sorbus como fazer para o waccasassa partir quando sentiu um movimento para a frente. O pássaro deu quatro passadas enormes e um longo salto para o ar. Becky sentiu o estômago afundar, do mesmo jeito que fazia quando estava na montanha-russa, e ela instintivamente fechou os olhos. Mas, à medida que o pássaro começou a deslizar, ela se sentiu mais confortável, mais segura, e começou a olhar à sua volta.

Lá do alto do céu a paisagem era decididamente azul. Havia pontos e manchas coloridos em todos os lugares, mas era como se fossem uma decoração num enorme tapete azul. Não era fácil de ver, pois as costas do waccasassa eram muito grandes. Mas o corpo do pássaro se curvava com cada movimento de asas, proporcionando a Becky um ângulo diferente para olhar. O palácio ficou para trás e era surpreendente como rapidamente Tamarisk City desapareceu.

Não demorou muito para que Becky se acostumasse à sensação de estar no ar. Voar a céu aberto era completamente diferente de tudo o que ela já havia experimentado — na verdade, era mais parecido com aqueles ataques de tontura que ela sentia ultimamente, mas muito, muito mais agradáveis — e ela estava se deliciando. Era quase como se ela mesma tivesse asas. Ela sabia que algumas pessoas sonhavam que eram capazes de voar, mas ela nunca tinha tido um sonho desses. Se aquelas pessoas soubessem o que estavam perdendo...

Quando fazia apenas alguns minutos que Becky estava voando, ela já não podia ver nada além das florestas. Não muito tempo depois, a paisagem se achatou e eles chegaram a uma enorme planície marcada por profundas fileiras negras de solo e talos azuis brilhantes das lavouras locais.

O waccasassa desceu rapidamente. Para Becky parecia que estava descendo rápido *demais*. Será que os pássaros tinham problemas de funcionamento? Se eles caíssem, será que esses tufos iam segurá-la? Talvez ela devesse ter insistido em usar um capacete. Será que ela ia se machucar em Tamarisk? De repente, ela ficou muito nervosa, mas quando estavam a apenas alguns metros do solo, o pássaro fez um arco para cima, alongou suas asas ao máximo e aterrizou suavemente no solo.

Este era um método de transporte muito, mas muito legal.

Os tufos que seguravam Becky tinham se deslocado e endurecido durante o voo, e ela levou algum tempo para se livrar deles. Mas logo ela conseguiu descer. Becky viu que estava em algum tipo de fazenda. A plantação que ela tinha visualizado lá de cima estava bem perto dali. Numa colina, animais enormes que ela tinha chamado de bonsals pastavam preguiçosamente, enquanto purismas tagarelas bicavam e cuidavam deles, e pulgases quase redondos, mas incrivelmente ágeis, pulavam para a frente e para trás sobre as formas pesadas dos bonsals. Este movimento constante dos pulgases em volta dos bolsals devia ser irritante, porque de vez em quando um deles se sentava, rolava no chão e tentava chutar e afastar os pulgases, sem sucesso — os animais enormes eram lentos demais. Ela sentiu pena dos pobres e atormentados bichos. Ela deveria ter dado a eles mais destreza, mas não tinha pensado nisso quando criou as histórias deles.

O som era diferente ali. Se os sons em volta do palácio pareciam uma sinfonia, naquele lugar eram mais parecidos com uma canção folclórica. Os ruídos eram bem mais simples e mais ordenados, e a "melodia" era mais básica. Becky podia se imaginar cantarolando o tom que a natureza criava por aqui. Havia, no entanto, uma nota dissonante. Aquele mesmo som que Becky tinha ouvido da primeira vez que ela havia estado em Tamarisk, e tinha ouvido novamente hoje perto do palácio, estava presente ali naquele pedaço de terra. Era algo que dissonava de todo o restante, e era mais barulhento ali do que era quando estava perto da rainha. Talvez esse som fosse um daqueles que Tamarisk havia "inventado" ele mesmo. Talvez os tamariskianos tivessem uma percepção ligeiramente diferente do que parecia bom — embora, pelo que ela tinha ouvido do compositor norbeck, o som deles parecesse ótimo. Os mistérios eram tão legais. Ela ia se divertir tentando resolver mais esse.

Havia uma estrutura de madeira logo abaixo da colina onde ela estava. Becky começou a andar naquela direção e então se virou de encontro ao waccasassa. Será que ela precisava dizer a ele para esperar? Os waccasassas pareciam saber de tudo lá em Tamarisk, mas eles precisavam de treinadores especiais para lhes dar instruções. Becky não tinha ideia de como conversar com o pássaro.

— Vou voltar em alguns minutos — ela disse, praticamente certa de que o waccasassa, o único modo com o qual ela poderia voltar ao palácio, não conseguiu entendê-la.

Quando Becky se aproximou do celeiro (parecia mais um enorme galpão de depósito, mas as fazendas tinham celeiros, não tinham?), ela ouviu um barulho forte de algo chacoalhando, algo parecido com bolinhas de gude numa lata, seguido por um assovio. A porta do celeiro estava aberta e ela viu um homem batendo a ponta coberta de lama de um enorme talo azul contra um engradado e colocando o talo numa barril de água e o mexendo rapidamente. Ele repetiu o processo duas vezes enquanto ela o observava. Ao acabar, Becky notou centenas de pequenos legumes saindo da lama e surgindo no talo. Ela estava numa microfazenda. Havia poucas delas em Tamarisk.

O fazendeiro começou a bater o talo do outro lado do engradado novamente, quando ele percebeu a presença dela. Seus olhos se encontraram, e por um segundo Becky sentiu que já havia visto aquele homem antes. Quando ela olhou para ele novamente, no entanto, percebeu que ele não lhe era familiar.

— Bem, olá — ele disse.

— Olá, espero não estar perturbando.

— A única coisa que me perturba agora é essa lama em volta desses fenigers. — Ele bateu o talo com um pouco mais de força e um pouco mais de sujeira se soltou. — É uma coisinha persistente.

Ele deu outra batida no talo e então o mergulhou novamente na água com mais força. Quando retirou o talo do barril, examinou o cacho ainda coberto de lama e retirou um pouco da sujeira com seus próprios dedos.

— Estou conseguindo. Muito, muito lentamente, mas estou conseguindo.

Ele cavou mais fundo com seus próprios dedos, e conseguiu soltar uma estreita raiz vermelha. Parecia uma cenoura, mas era bem pequenininha e estava retorcida como se fosse um macarrão parafuso.

— Você gosta de fenigers? — Ele perguntou segurando o legume para ela ver.

— Eu nunca experimentei um.

O fazendeiro olhou para ela sem acreditar.

— Você não mora por aqui, mora?

— Não, não moro não, mas eu gosto bastante daqui.

O fazendeiro acenou com a cabeça e então jogou o feniger no barril de água para limpar o restante da sujeira. Ele o entregou para Becky.

— Experimente.

— Obrigada — Becky disse examinando o legume.

— Morda pedacinhos pequenos.

— Sim, eu me lembro.

Ela deu uma pequena mordida no feniger — até a primeira voltinha — e sua boca instantaneamente inundou de sabor. Foi como se ela tivesse engolido um prato inteiro de comida de uma vez só. O feniger era amanteigado, como um saboroso purê de batatas, mas um pouco apimentado também, como se tivesse pequenas pimentinhas misturadas na massa. Enquanto Becky mastigava — não a coisa mais fácil de fazer, já que a mordida que ela tinha dado foi muito pequena —, mais sabores entraram em contato com suas papilas gustativas.

Algo amargo como pimentão verde e pungente como vinagre balsâmico. Então, o sabor do purê de batatas reapareceu e ficou na sua língua por um longo tempo.

— Uau — ela disse olhando para o fazendeiro.

— Você conseguiu um bom sabor?

— Eu não saberia a diferença, mas eu acho que esse foi um sabor muito bom.

Becky deu outra mordida e a sensação tomou conta dela de novo. De repente, ela estava vorazmente faminta e terminou o restante do feniger de um bocado só. Isso foi um erro. A sua fome foi embora instantaneamente, e foi substituída por uma pesada sensação de que ela tinha comido o equivalente a uma pizza gigante.

— A maioria das pessoas come isso um pouco mais devagar — o fazendeiro disse.

Becky colocou a mão sobre o estômago. Estava estufado.

— Acho que me distraí. Foi uma bobagem.

— Se você conseguiu um pedaço bom, entendo a tentação.

O homem deu um sorriso e então inclinou a cabeça.

— Bom, se você não é dessas bandas, de onde você é?

— Eu moro... perto do palácio.

O fazendeiro assentiu.

— É uma distância bem grande. Você está por aqui visitando familiares ou amigos?

O sabor do feniger ainda saturava a boca de Becky. Ela tinha a sensação de que não passaria por um bom tempo.

— Eu só estou dando um passeio.

— Que belo passeio. Bom, foi bom conhecer você, aproveite o resto do dia. — O fazendeiro se voltou novamente para o talo e o balde. — Se você me permite, preciso limpar o resto dessas belezuras antes do meu centésimo aniversário.

— É claro. Não tive a intenção de atrapalhar, parece um trabalho bem difícil.

— Não, difícil não, apenas lento. Na verdade eu não devia reclamar. Um fazendeiro normal precisa recolher uma fileira inteira de legumes normais pra conseguir o que eu consigo colher de um talo apenas. Eu me lembro disso a cada trinta batidas mais ou menos. Mas é melhor eu voltar pro trabalho.

Becky começou a se virar para ir embora, mas parou.

— Você se importaria se eu desse algumas batidas?

O fazendeiro pareceu confuso com o pedido

— As suas roupas são muito bonitas, eles certamente se vestem diferente perto do palácio, não quero que você se suje.

— Talvez só uma batida?

O fazendeiro deu de ombros.

— Claro, se é o que você quer. Eu vou descansar um pouco perto da cerca e você pode bater à vontade.

Becky deu um sorriso e caminhou para perto do talo agradecendo ao homem. Isso era muito empolgante para ela. Ela ia *fazer alguma coisa* em Tamarisk. Até agora ela estava apenas se divertindo, era apenas uma expectadora. Mesmo se fosse para colher um microlegume ela estaria contribuindo, o que era uma sensação muito boa.

Quando ela pegou o caule, ele não era como ela esperava. A casca era esponjosa e maleável, mas, ainda assim, um pouco rígida. Ela olhou no fundo do vegetal e viu principalmente barro e raízes fininhas, junto com algumas pontas encaracoladas dos fenigers. Ela examinou o engradado contra o qual o fazendeiro estava batendo os talos, e notou apenas algums legumes ao fundo. Há quanto tempo ele estava fazendo isso? Será que o que ela estava vendo era resultado de um único dia de trabalho?

— Eu coloco na água primeiro ou no engradado?

— Bata algumas vezes. Às vezes, quando você deixa que ele descanse por alguns minutos, você pode tirar toda a sujeira e a lama de uma só vez.

Becky levantou o caule e tentou repetir o movimento que o fazendeiro tinha feito antes. Ela bateu o pedaço de lama de encontro ao engradado três vezes, mas nada aconteceu. Eles não tinham maquinário para cuidar desse tipo de coisas? Ela puxou o pedaço de lama para perto de si e tentou libertar alguns legumes com as próprias unhas. A terra preta e escura era granular, mais parecida com o sal do que com a terra em Connecticut. Ainda assim ela estava presa nos fenigers como a lama mais grossa.

— Você precisa colocar essas coisas na água — o fazendeiro disse.

Mas isso não vai formar ainda mais lama? O processo todo parecia inútil para Becky, mas ela deu o máximo de si.

— Quantos fenigers estão aqui na verdade?

— Dezenas. Talvez mais do que cem. Eu vou colocá-los para fora ao anoitecer.

Não se você deixar que eu faça isso, você não vai conseguir. Ela bateu e molhou os fenigers várias vezes mais, determinada a conseguir algum sucesso. Quase por acidente dois fenigers se soltaram, e ela os arrancou da raiz e os jogou no engradado. Seus braços estavam cansados, embora ela se sentisse bem — como se tivesse trabalhado duro numa aula de ginástica da academia.

Ela suspendeu o caule.

— Acho que eu devia deixar isso pra um especialista fazer.

O fazendeiro se levantou e pegou o caule das mãos dela

— As unhas da sua mão vão ficar manchadas.

Becky olhou para suas mãos. Por que o barro simplesmente não descascava? Ela pensou em perguntar se podia lavar as mãos, mas depois decidiu que era melhor não.

— Obrigada por me deixar tentar fazer isso.

— Fico feliz em ajudar. Volte quando quiser. É sempre bom ter alguém pra me ajudar. Vista roupas diferentes da próxima vez se quiser. O solo nessa área é diferente do solo da maior parte do reino. É muito bom pra pequenas plantações, mas não é muito bom pra roupas bonitas.

Becky deu um passo em direção à entrada do celeiro.

— Vou me lembrar disso. Obrigada novamente.

— Divirta-se na volta do seu passeio.

Becky deu adeus com a mão e se dirigiu para a colina. Quando ela chegou ao topo ficou aliviada de ver que o waccasassa ainda estava esperando por ela. O que teria acontecido se o pássaro tivesse voado sem ela? Será que ela ainda conseguiria ser levada de volta e estar na cama na hora certa, do mesmo modo como ela tinha conseguido nas outras noites? Ou ela estaria longe demais para o sinal alcançá-la (ou o que quer que seja que a estivesse conectando com os dois mundos), deixando-a para trás para descobrir outro modo de voltar para o palácio — e então dar algum jeito de voltar para casa — sozinha? Felizmente ela não precisou responder essas perguntas.

Ela subiu na gaivota e se colocou entre seus tufos. Olhou de volta em direção ao celeiro e viu o fazendeiro olhando para ela. Ela mal podia ver o rosto dele, mas viu o suficiente para compreender que a presença do pássaro o surpreendeu. Os waccasassas provavelmente não costumavam pousar nessa área com muita frequência. Ela acenou para ele novamente, e ele acenou de volta, hesitante. *Ele provavelmente acha que eu sou rica ou da realeza ou algo parecido. Se ele soubesse o que eu sou realmente, ele ficaria ainda mais surpreso.*

O pássaro estava novamente em pleno ar, dando algumas passadas rápidas e alongadas e então subiu em direção aos céus. Becky achava estranho não ter ideia de para onde estava indo, mas certamente se sentia segura, aninhada no waccasassa (especialmente agora que ela tinha experimentado sua primeira aterrissagem), e no fundo ela sabia que a gaivota nunca ia colocá-la em perigo. Ela fechou os olhos e se permitiu sentir o voo nas alturas. Isso não era nada igual a voar num avião. Ela levantou as mãos para o alto do modo que ela sempre fazia quando estava numa montanha-russa, e a sensação de voo se intensificou. Esse lugar simplesmente parecia ter um número infindável de experiências marcantes prontas para ela experimentar.

O pássaro fez uma volta rápida e abrupta como se alguma coisa o tivesse chamado. O waccasassa esticou o pescoço em todo a sua extensão, e Becky percebeu uma mudança na velocidade. Qual era a velocidade desse pássaro? E, mais importante ainda, que velocidade eles deviam atingir e ainda mantê-la segura no ar? Quanta coisa para sentimentos instintivos! Agora ela não podia mais se concentrar na paisagem. O ar passava tão rápido que era difícil se concentrar em qualquer outra coisa. Ela teve a impressão de que isso não tinha importância. O solo estava simplesmente deslizando debaixo dela.

Alguns minutos mais tarde, o pássaro diminuiu a velocidade. Becky sentiu seu corpo relaxar à medida que a velocidade diminuía. Quando o waccasassa aterrissou, parecia que ela tinha voado numa pipa. Ela amava esses animais.

Becky desceu num campo que era bem diferente dos outros que tinha conhecido em Tamarisk. Muito cinza ao redor. Ela não se lembrava de ter feito nada cinza nas histórias que ela havia criado — certamente não um campo inteiro (ou, pelo menos, a maior parte de um já que havia alguns pontos de azul). Ela parou para tocar numa planta. Não tinha só uma cor estranha, estava murcha. A videira que estava segurando não estava completamente morta — na verdade, parecia um pouco mais azul vista de perto do que parecia a distância — e não estava completamente caída. Mas ninguém poderia chamá-la de saudável. O que havia acontecido com aquele lugar? Becky se lembrou da mulher no congresso do reinado que reclamou sobre uma infestação de vilases. Será que alguma coisa desse tipo fez todo esse estrago?

Ficar parada aqui encheu Becky de tristeza. Não foi assim que ela imaginava que Tamarisk seria. Isso estava errado. Muito errado. Ao mesmo tempo, no entanto, Becky se sentiu fortemente motivada. Talvez fosse por isso que ela tivesse "sujado as mãos". Agora ela sentia que fazia parte do lugar. Isso significava que se ele precisasse de ajuda ela deveria saber o que fazer para ajudar. Ela não tinha ideia do sentido de tudo aquilo — ou de qual era o problema dali —, mas sentia necessidade de tentar consertar.

Becky olhou para o alto e viu uma figura a distância. Será que era o fazendeiro dessa lavoura? Ele provavelmente saberia o que estava acontecendo. À medida que Becky se aproximou, ela notou que a pessoa que ela achava ser o fazendeiro era alguém que parecia ser apenas alguns anos mais velho do que ela. Usava óculos escuros e um chapéu. Becky podia até dizer que ele era bonito. Talvez ainda mais bonito que Cam Parker.

O rapaz estava trabalhando com a pá e jogando algumas plantas murchas num saco. Quando ela se aproximou ele se levantou e foi em sua direção.

— Isso é seu? — ele perguntou.

Becky não entendeu o que ele quis dizer imediatamente.

— O campo? Não, na verdade eu achei que era seu.

O rapaz levou alguns segundos para entender.

— Estou de visita — ele disse finalmente.

— Sim, eu também.

O rapaz olhou de volta para o saco. Becky teve a nítida impressão de que ela o havia perturbado. Quando ele não disse nada mais ela completou:

— A propósito, meu nome é Becky.

O menino levantou a mão numa meia saudação.

— Eu sou Rubus.

— De onde você está vindo?

Novamente ele não respondeu imediatamente.

— De uma outra... parte do reino.

Não havia como saber se ele estava dizendo a verdade ou não. Será possível que ele tinha vindo de outro mundo também? Quão estranho isso não seria?

— Você sabe o que aconteceu aqui? Eu não acho que essas plantas devessem estar desse modo.

— Alguma coisa as atingiu. Não consigo descobrir o quê.

— É por isso que você está colocando essas coisas no saco? Você está fazendo algum tipo de pesquisa?

Os olhos do garoto se voltaram em direção ao saco novamente.

— Eu... é... sim. É isso que estou fazendo.

Ou Rubus não gostava de conversar com garotas ou ele estava nervoso por alguma outra razão.

— Bem, boa sorte com isso. Seria uma pena se esse fazendeiro perdesse toda essa plantação.

Rubus concordou, olhou para as mãos, olhou para Becky por um longo momento e então deu uma olhada para a paisagem.

— É um lindo lugar, não é?

Becky seguiu os olhos dele. Mesmo esse campo murcho parecia bonito. Não era tão cinzento, era mais prateado.

— Você está certo, é lindo sim. No entanto, eu gostaria que fosse mais saudável.

— Não apenas aqui, estou falando de tudo aqui em volta. Tão lindo. Tão cheio de vida. Não sei como eles conseguiram isso, quando acabamos envolvidos em tanto concreto e metal?

Concreto e metal? Até onde Becky sabia, não havia nenhuma parte de Tamarisk cheia de concreto e metal. De onde esse cara estava vindo? De algum universo de ficção científica futurística? A única parte desse mundo que na maioria era feito de concreto e metal era...

— Gunnthorn.

O menino se assustou quando ela disse a palavra.

— Do que você está falando?

— Você é de Gunnthorn?

— Por que você acha isso?

— Você é um espião?

Rubus deu um passo rápido em direção a ela e por um segundo Becky achou que ele fosse atacá-la. Então ele parou e seus ombros caíram.

— Não sou um espião.

— Mas você é de Gunnthorn.

— Não disse isso. E você está vindo de onde?

Foi a vez de Becky hesitar.

— Eu sou... de algum lugar de fora do reino.

Rubus sorriu, irônico.

— Acho que nós dois temos segredos, não?

Becky deu uma risada. Alguma coisa no jeito dele de dizer isso a deixou mais tranquila. Ela não tinha ideia de quem era Rubus, mas ele não parecia ser um cara mau. E ele era muito, mas *muito* bonito.

— Também não sou uma espiã.

— Isso é ótimo. Se você fosse uma espiã eu teria de denunciar você. — Ele sorriu para ela novamente e apontou em direção ao waccasassa. — Belo pássaro.

— Sim, eu te ofereceria uma carona, mas estou aprendendo como ele funciona, não tenho certeza de quantos passageiros ele pode carregar.

— Que pena. Nunca andei num. A vista lá de cima deve ser incrível.

Becky se lembrou de que Gunnthorn tinha aviões (bom, algo parecido com eles) em vez de gaivotas transportadoras, mas eles não tinham permissão de voar no espaço aéreo de Tamarisk.

— Você realmente gosta daqui, não é?

Rubus fez uma cara de quem estava sonhando.

— Aqui? Eu amo isso aqui. Não consigo nem imaginar o que eu faria com uma terra como essa.

Essas palavras vindas de um thorn deixaram Becky um pouco desconfiada.

— Por que você não se muda pra cá?

Ele riu.

— Não é tão fácil pra alguém como eu.

— Por que não?

Ele abaixou os olhos novamente.

— Minha família não aprovaria.

Becky pensou na conversa que havia tido com a mãe.

— Sim, eu posso imaginar.

— Os pais às vezes podem ser bem difíceis.

— Nem me diga. Os meus às vezes podem ser um saco. Mas eles são OK na maior parte do tempo.

— Gostaria de poder dizer a mesma coisa. Olha, tenho de voltar pra minha... pesquisa. Talvez a gente possa se encontrar novamente.

Becky sentiu o rosto corar. *O que é isso? Eu não costumo ficar vermelha.*

— Sim, seria legal.

— Você vai ficar aqui mais algum tempo?

— Eu vou e volto.

— Eu também. Onde posso procurar por você?

Becky torceu o nariz.

— Não é fácil me encontrar por aqui.

Rubus pareceu refletir sobre isso por um bom tempo.

— Que pena! — ele disse, e então sua expressão se iluminou. — Mas, quem sabe? Talvez o destino nos coloque juntos novamente.

— Isso seria muito legal. — Becky levantou a mão imitando o seu meio aceno anterior. — Vejo você por aí.

Ele deu um meio aceno de volta.

— Espero que sim.

Becky andou de volta para o pássaro se virando uma vez. Rubus a estava observando. Seus olhos ainda estavam focados nela quando ela subiu no waccasassa. Quando se virou para o pássaro, ela notou que ele estava evitando olhar para ela, como se estivesse envergonhado de alguma coisa. O que será? Será que o pássaro a havia levado para algum lugar onde ela não deveria ir? Era difícil acreditar que Miea queria que ela visse esse campo destruído. Becky desejou não ter tirado as vozes dos animais. Seria bom saber o que estava acontecendo perguntando ao waccasassa. Ela então subiu no pássaro e eles partiram.

Tinham um longo voo pela frente, e o pássaro fez aquela coisa supersônica novamente. Mas, dessa vez, Becky estava mais bem preparada. Finalmente chegaram a um imenso campo azul. Quando desceu do waccasassa, Becky não viu nada à sua volta. Então, de uma colina atrás dela, ela escutou o som:

Step-crek.

Step-step-crek.

Step-step-step-crek-step-crek-step-crek-step-crek.

Poledisk! Becky deu uma risada e subiu correndo a colina para olhar do outro lado. Lá ela encontrou uma dezena de adolescentes jogando um dos jogos que ela havia inventado. Três atacantes faziam um círculo em volta do lançador, protegendo-o enquanto ele se preparava para lançar o disco que parecia um Frisbee. Enquanto isso, dois outros adolescentes disparavam pelo campo abaixo, com os tacos levantados para o alto, esperando para pegar o disco lançado. Os seis adolescentes do outro lado eram da defesa. Seguravam os tacos para o alto e tentavam impedir os avanços do time ofensivo — ou melhor, tentavam capturar o disco e partir para o ataque.

O lançador jogou o disco para longe do taco da defesa e o disco fez um arco pelo campo em direção ao receptador. Ele devia ser muito bom porque dois adolescentes da defesa o estavam cobrindo. Apesar disso, ele pegou o disco e saiu correndo, girando o objeto no alto do taco o tempo todo, como era exigido pelo jogo. Finalmente, um dos defensores conseguiu derrubar o taco do receptador, fazendo o disco cair no chão, onde uma nova jogada ia começar.

Becky se sentou na colina para assistir ao jogo. Esses adolescentes pareciam muito bons no que faziam. Devia ser uma brincadeira, já que não havia nenhum treinador por perto. Então o primeiro time fez um ponto, atravessando a linha do gol numa jogada em que o jogador quase derrubou o disco. Agora, o segundo time estava na ofensiva. O lançador deles tinha um braço bem forte, mas não era muito preciso. Seus lançamentos pareciam ir para todos os lados, e duas vezes os representantes da defesa quase o interceptaram. Lentamente, no entanto, seu time avançou pelo campo. Antes que cada jogada começasse, os atacantes se alinhavam e faziam o mesmo ato para indicar esse recomeço, pisando com força no chão e batendo com seus tacos juntos.

Step-crek.

Step-step-crek.

Step-step-step-crek-step-crek-step-crek-step-crek.

É claro que eles não sabiam que faziam isso porque Becky teve essa ideia depois das suas aulas de dança irlandesa.

As jogadas instáveis do lançador ameaçavam acabar com as chances de seu time. Sua última jogada foi tão longe da marca que o disco acabou caindo alguns metros fora do campo. Uma das receptadoras deixou seu taco no chão e saiu correndo atrás dele, olhando para trás com uma raiva aparente. Quando ele pegou o disco, olhou para o alto da colina e viu Becky.

— Oi — a garota disse.

— Oi — Becky respondeu.

— O que você está fazendo?

— Só estou olhando. Tudo bem?

A garota revirou os olhos.

— Desde que você goste de assistir a uma matança, nós estamos perdendo de cinco.

— Ui!

— É. Você gosta de jogar poledisk?

— Nunca joguei.

A garota olhou para ela de um modo estranho.

— Você nunca jogou poledisk?

Becky torceu o nariz.

— Eles não jogam isso onde eu moro.

Pela expressão da garota, Becky podia perceber que ela achou estranho, mas deixou passar. Ela pegou seu taco.

— Você gostaria de tentar?

Becky inclinou o corpo para a frente.

— Você quer dizer tentar jogar?

— Sim. Você pode usar o meu taco. Ou talvez um dos tacos extras. Eles não vão se importar se a gente jogar com sete em vez de seis, já que estão vencendo.

Becky se levantou. Ela estava um pouco nervosa com a ideia de jogar. Afinal de contas ela apenas tinha criado o jogo, isso não significava que seria boa jogadora.

— Tudo bem. Eu jogo.

A garota sorriu e entregou o taco para Becky quando ela desceu a colina. E ela era parecida com alguém, mas Becky não conseguia lembrar com quem.

Como era esperado, o outro time concordou com um jogador a mais. Nas primeiras jogadas Becky ficou no círculo, o que era bom, já que isso não exigia muita habilidade dela além de dar os passos adequadamente. Ela conseguiu manter os atacantes longe do lançador embora o desempenho instável do lançador tenha acabado com a jogada. Quando eles passaram para a defesa, seus companheiros colocaram Becky na linha novamente. Não demorou muito para ela perceber que os adolescentes da linha eram aqueles que tinham menos talento. Se levarmos em consideração que a experiência prática de Becky com o poledisk tinha apenas alguns minutos, era difícil argumentar com eles sobre a questão. Acontece que ela também não era uma boa atacante. Ela deixou o taco cair na primeira jogada e não chegou nem perto de fazer outra jogada na segunda vez. O lançador do outro time conseguiu fazer uma bela jogada e agora estavam bem próximos da linha do gol.

No caminho de volta depois daquele lance, ela sacudiu os ombros e se desculpou com seus colegas. Eles pareceram aceitar bem sua participação a não ser por um cara que parecia estar fazendo caretas para ela.

A próxima jogada foi incrível. Becky tentou avançar novamente e se viu bem mais longe do lançador do que havia acontecido na jogada anterior. Quando o lançador soltou o disco, um dos colegas de Becky o tocou. Em vez de ir para a frente, o disco foi para a lateral — bem na direção de Becky. Sem saber direito o que estava fazendo, Becky levantou seu taco e pegou o disco que veio na sua direção. Ela se lembrou de que precisava girar o disco para mantê-lo no taco, e ela o fez desesperadamente. Então se lembrou de que deveria correr com ele. Com o campo aberto à sua frente, ela saiu correndo em direção ao gol do lado oposto, girando o taco como uma louca. Ela não queria ver quem estava atrás dela, então correu o mais rápido que pôde. Quando chegou ao gol, ela se virou e viu os colegas correndo atrás dela e o outro time balançando as cabeças.

— Seu primeiro ponto — disse a garota que a tinha convidado para jogar, batendo levemente na perna dela com o taco. *Caitlin Krieger, é com ela que essa menina parece,* Becky pensou. Caitlin se sentava perto dela no terceiro ano e tinham feito alguns trabalhos de escola juntas, muito embora elas não tivessem se tornado amigas. Foi no terceiro ano que Becky inventou o poledisk.

— Foi pura sorte — Becky disse sorrindo.

— Bom trabalho — disse o garoto que havia feito careta para ela na jogada anterior. — Você pode parar de ficar girando agora.

Becky levantou os olhos para o taco, e percebeu que ainda estava segurando o disco no alto. Ela parou de girar o taco e o disco caiu no chão.

— Pronta pra tentar cobrir um receptador? — outro garoto perguntou.

Aquilo tinha sido muito divertido e Becky gostou de o garoto demonstrar confiança nela — muito embora o ponto que ela fez tenha sido puramente um acidente —, mas ela ficou imaginando quanto tempo ainda teria naquela noite em Tamarisk. Talvez fosse melhor voltar para o waccasassa.

— Obrigada, mas eu realmente tenho de ir embora.

— Pra onde você vai? — A garota parecida com Caitlin Krieger perguntou.

— Minha carona está esperando por mim. Obrigada novamente por me deixar jogar.

Ela se despediu dos outros tocando o taco com alguns deles, antes de colocar o seu na linha lateral e subir de volta a colina. Quando se aproximou do waccasassa, ela pôde ouvir os sons do jogo recomeçando.

Rapidamente eles estavam no ar de novo. Com alguns minutos de voo, a gaivota desceu até estar a poucos metros acima do chão. Ela se inclinou para a esquerda e Becky pensou que estavam prestes a aterrissar, mas o waccasassa continuou. O ângulo era um pouco desconfortável para Becky e ela se mexeu para tentar se acomodar. Então ela olhou para baixo e percebeu que o ângulo em que o pássaro estava voando lhe dava uma visão clara do solo embaixo deles.

E era uma vista incrível. Enquanto a linha do horizonte perto do palácio e nos outros lugares que ela havia visitado hoje era azul, com folhagens e pontilhada com estradas e aldeias, agora eles viajavam sobre uma enorme extensão de água. Ondas de turquesa — um reflexo do céu de Tamarisk — cobriram o campo de visão de Becky. De vez em quando ela vislumbrava ilhas que pareciam feitas de um plástico ondulante que esvoaçava ao vento, como se enormes sacos de lixo se levantassem de alguns pontos sob a superfície. No entanto, Becky sabia que elas não eram nem feitas de plástico nem esvoaçavam.

Eram os pântanos. O waccasassa a estava levando para uma das suas criações mais exóticas em Tamarisk.

O pássaro mergulhou mais uma vez e agora eles estavam praticamente deslizando sobre a água. Becky viu as ondas se agitarem embaixo deles, claramente uma reação ao tamanho do pássaro e suas enormes asas. Ela podia sentir a umidade no rosto quando eles se aproximaram. Finalmente o pássaro se ergueu e eles desceram numa pista, seu pouso surpreendentemente sólido numa superfície agitada.

Becky se levantou e olhou ao redor. A ilha era tão pequena que ela podia ver a água por todos os lados. Mas a água não era a grande atração por ali. Ela desceu do pássaro e deu alguns passos incertos para a frente. Então o solo brilhante e liso ondulou para fora e para dentro e depois para os lados. Um momento depois a terra se elevou numa enorme bolha, e a bolha rolou para a extremidade da ilha antes de afundar. Como acontecia em todo o reino de Tamarisk, os sons da natureza eram musicais, mas ali os sons eram todos de percussão — címbalos, carrilhões e estalos e estrondos.

Becky não tinha certeza de por onde caminhar. A qualquer momento alguma coisa poderia surgir e derrubá-la ou fazê-la cair sentada. Ainda assim ela tinha de explorar. Ela seguiu em frente usando o bico do waccasassa como referência — será que era norte, sul ou alguma outra direção que só existia naquele lugar? — e tentou prever os movimentos do chão bamboleante. Ela não foi tão bem-sucedida nisso, escorregando depois de alguns passos e caindo de joelhos em seguida. Ela colocou ambas as mãos no chão para se levantar. Então uma pequena onda passou sob ela e parou a uns trinta centímetros da sua mão. De lá saiu a cabeça de um lagarto vermelho, esguio e sem escamas, que Becky havia chamado de coweeta muito tempo atrás. Ele balançou a cabeça para trás e para a frente tão rapidamente que não dava para vê-lo direito, e então parou e olhou diretamente nos olhos de Becky. Seus olhos se estreitaram e ele começou a subir e a sair do buraco. Por mais de um minuto ele continuou a se erguer. O coweeta estava a menos de dois centímetros dela, mas o seu corpo tinha mais de três metros de comprimento. Becky ficou o tempo todo quieta, esperando, vendo o que estava acontecendo, enquanto o animal avançava passo a passo e se aproximava pelo seu lado esquerdo. Quando o rabo atarracado do lagarto finalmente emergiu do buraco, ele se virou e começou a caminhar em sua direção. Ele deu uma volta no chão por baixo dos braços e pernas dela, e então se virou e começou a rastejar em um dos seus braços.

Becky não tinha muita certeza de como estava se sentindo. Era muito legal estar interagindo com a vida selvagem de Tamarisk deste modo, mas aquilo era mais parecido com ter uma enorme centopeia rastejando sobre você — uma enorme centopeia com a pele parecendo couro e pequenas patas pontudas. Ainda assim, ela não se mexeu. O coweeta subiu até seus ombros. *Se essa coisa descer pela gola da minha camisa eu vou ter de tirar ela de lá.* Então o lagarto deslizou para o ombro direito — claro que alguma parte dele ainda estava no chão — e depois subiu no seu outro braço. Quando suas pernas dianteiras chegaram ao outro lado, o coweeta olhou diretamente nos olhos de Becky de novo, e escorregou rapidamente de volta para o seu buraco. Assim que ela desapareceu o buraco também sumiu. Becky sentiu pequenas agulhadas por todo o corpo, onde o coweeta tinha passado. Era muito estranho, mas também de certa maneira refrescante. Talvez fosse assim que a acupuntura funcionasse.

Becky finalmente se levantou. E logo outra bolha surgiu à direita e continuou a rolar até chegar à extremidade da ilha. Dessa vez, em vez de afundar, a coisa que criou a bolha — uma jornada — rolou o seu corpo gelatinoso para dentro da ilha. A jornada era transparente, talvez com um metro e oitenta de diâmetro. Parecia um pouco com uma água-viva, e também com um globo enorme de bolas de borracha. Becky não teve ideia de para onde direcionar o olhar quando viu a coisa. Ela se lembrou de que a criatura anfíbia "via" com outra camada da pele, mas sua visão realmente só identificava padrões de calor. Era impossível dizer se a coisa estava realmente olhando para ela. Mas ela sabia que o animal estava ciente da sua presença ali. Na verdade, era bem provável que ela tivesse ido para a superfície simplesmente porque Becky estava lá.

Becky ficou fascinada com a coisa, mas não tinha muita certeza se deveria se aproximar ou não. Seu pai e ela tinham desenvolvido essas criaturas com muitos detalhes, mas ela não conseguia se lembrar de todos. Além disso, os dois nunca tinham trabalhado cada mínimo detalhe. E se uma das características que eles não tinham trabalhado bem fosse o fato de a jornada ser altamente venenosa ou gostar de se prender aos corpos humanos e viver lá por vários meses? Isso fez Becky hesitar por um momento ou dois, mas aquela coisa era interessante demais para ser ignorada. Ela deu um passo à frente. Suas passadas, é claro, desafiadas pelo movimento dos coweetas, dos gwynedds, farallons, e o que mais vivesse sob a superfície.

Ela ficou a uns três metros da jornada quando o animal subitamente se derreteu. Seu corpo todo se liquefez e se espalhou. Um pouco do líquido ficou aos pés dela. *Decididamente nós não pensamos nisso.* Então, do mesmo modo como apareceu, a jornada rapidamente se sugou e rolou para debaixo da superfície. Sua bolha deslizou o "plástico" por alguns metros e então afundou.

Será que eu a assustei?

Será que esse é o jeito dela de dizer "oi"?

Becky se curvou novamente e passou suas mãos carinhosamente sobre o solo. Tão suave. Tão elástico. No entanto, se ela enfiasse um dedo nele, o dedo voltaria cheio de sujeira normalmente. Essa era uma das suas mais incríveis invenções.

Ela estava a ponto de explorar um pouco mais quando a waccasassa fez um estardalhaço. Foi o primeiro som que ela ouviu o pássaro fazer e, a princípio, não percebeu de onde o som estava vindo. A gaivota rapidamente repetiu o som, e Becky se levantou e foi em sua direção. O bico do waccasassa apontava para o chão. Quando Becky não se moveu ele fez um alarde novamente apontando o bico para baixo.

Acho que ele está me dizendo que é hora de ir embora. Becky acariciou a terra — que ondulou — uma vez mais, e então subiu de volta no waccasassa. O pássaro voou a uma altura muito maior dessa vez, e parecia que eles estavam se movendo a uma velocidade muito maior que antes. Era difícil ver muita coisa dessa altitude, e então Becky fechou os olhos e se deixou levar pela sensação de estar voando. Ela sentiu as curvas e os mergulhos do pássaro, e abria seus olhos somente quando o waccasassa encontrava alguma turbulência.

Ela abriu os olhos novamente quando o pássaro começou a descer, reconhecendo os arredores do palácio, e então viu o próprio palácio. Obviamente o passeio havia terminado. O pássaro aterrissou gentilmente no mesmo campo de onde haviam decolado. Sorbus estava esperando por ela e Becky ficou imaginando se ele tinha ficado parado ali o tempo todo.

— Vocês fizeram um bom voo? — Ele quis saber quando ela desceu.

— Maravilhoso. Muito obrigada por sugerir isso.

Sorbus assentiu.

— Na verdade foi Sua Majestade quem sugeriu. Por falar nisso, ela já está de volta aos seus aposentos. Ela ainda tem alguns minutos antes da próxima reunião.

— Você acha que eu posso falar com ela?

— Tenho certeza de que ela adoraria.

* * *

Sorbus levou Becky para os aposentos de Miea. Ela achou um pouco estranho que a rainha estivesse no quarto em vez de no escritório, já que teria sua próxima reunião em alguns minutos, mas Becky estava feliz demais por poder dizer um simples oi para a amiga. Quando chegou ao quarto da rainha, no entanto, a expressão de Miea parecia sombria e seu cumprimento foi apenas educado.

— Estou perturbando você, não estou? — Becky perguntou.

Miea lhe deu um pequeno sorriso.

— Não, é claro que não. Sorbus me disse que você saiu pra um passeio no nosso waccasassa. Você gostou?

— Como eu poderia não gostar? Tudo nesse lugar é incrível: as pessoas, os animais, as paisagens...

Miea suspirou longamente e sussurrou:

— Sim, as paisagens.

Becky nunca tinha visto Miea assim. Ela já a tinha visto cansada e triste, mas isso era diferente, alguma coisa estava errada e Becky ficou assustada.

— O que há de errado?

Miea suspirou de novo e olhou para o teto. Quando baixou os olhos ela olhou diretamente para Becky, e Becky achou que ela estava deprimida.

— Podemos dizer que essa paisagem não vai durar muito mais.

Essas palavras assustaram Becky.

— Do que você está falando?

Miea sacudiu a cabeça tristemente.

— Não quero sobrecarregar você com isso. Quero que as suas visitas aqui sejam alegres e despreocupadas. No entanto, estou muito chateada pra fingir que está tudo bem, Becky. Acabei de sair da pior reunião da minha vida. — Miea se sentou e se inclinou ligeiramente para a frente. Ela fez um gesto para que Becky se sentasse, o que era bom, porque àquela altura Becky não tinha certeza se ia conseguir ficar em pé muito mais. — Tamarisk está passando por um momento terrível, por uma praga. Ela já destruiu inúmeros campos de plantação, e a praga está consumindo nossa terra a cada dia. Hoje fiquei sabendo que a peste destruiu todo o niwot, um inseto nativo de Jonrae. Uma criatura que existe aqui desde sempre e agora ela foi embora por causa da peste.

Becky sentiu as lágrimas tomarem conta dos seus olhos.

— Isso é terrível.

Miea fechou os olhos e os abriu depois lentamente.

— É terrível, mas não é a coisa mais terrível que está acontecendo por aqui. Os esforços dos mais importantes cientistas de Tamarisk não têm produzido nenhum resultado para descobrir como acabar com a praga. Não temos ideia do que está causando tudo isso. Nenhuma ideia.

— E se você não sabe a causa...

— ... então não sabemos como dar fim.

Becky não conseguia acreditar no que estava escutando. Esse mundo maravilhoso, um mundo que parecera tão mágico para ela há apenas alguns minutos, estava com sérios problemas. A praga já havia acabado com uma das espécies de lá. Será que em algum momento ia acabar com tudo em Tamarisk?

— Acho que eu vi uma plantação destruída hoje.

Miea franziu as sobrancelhas.

— Você viu um campo destruído? Isso certamente não estava na nossa programação. Você sabe onde era?

Becky deu de ombros.

— Não sei onde era, mas estava quase tudo cinza.

Miea acenou com a cabeça.

— É assim que as plantas ficam no final.

— Sinto muito, Miea.

Miea pegou na mão de Becky e a apertou.

— Eu sei que você sente. E você pode imaginar como eu me sinto. E muito mais profunda que a minha dor é a minha sensação de inutilidade. Eu me recuso a acreditar que não há nada que eu possa fazer. Mas a cada dia eu fico mais perto de acreditar exatamente nisso.

Becky segurou na mão de Miea. Seus dedos estavam frios.

— Existe algo que eu possa fazer? Eu gostaria de ajudar.

Miea apertou a mão.

— Quem sabe? Talvez exista alguma coisa. Obrigada por oferecer.

— Esse lugar também é meu.

A expressão de Miea se iluminou por um instante.

— Sim. É sim.

Becky se lembrou de Rubus por um instante.

— Havia um garoto naquela plantação comigo. Tenho certeza de que ele veio de Gunnthorn, mas ele não disse exatamente de onde era.

Os olhos de Miea se arregalaram.

— Um garoto thorn? O que ele estava fazendo?

— Ele estava colocando plantas em um saco, ele disse que estava fazendo uma pesquisa.

— Eu sabia. Eu sabia que eles estavam envolvidos nisso de algum modo. Becky, você pode me dizer um pouco mais sobre o garoto ou sobre essa plantação?

— Eu não sei onde estávamos. O waccasassa voou muito rápido até chegarmos lá. Os pássaros não têm algum tipo de registro que você possa acessar?

— Não, não há nada parecido.

— O garoto me disse que o nome dele era Rubus. Eu não consegui sobrenome.

Essa informação pareceu deixar a rainha um pouco confusa.

— É o filho do vice-chanceler.

— Aquele garoto é o filho do vice-chanceler de Gunnthorn?

Miea parecia furiosa. Becky nunca a tinha visto desse jeito.

— Acho que sim. E nós vamos confrontá-lo.

Becky não sabia o que dizer. Quando voltou o olhar para Miea, ela sentiu um puxão, como se alguém a estivesse puxando por trás. Ela sabia o que isso significava.

— Eu volto assim que puder — ela disse rapidamente.

Não tinha certeza se Miea a tinha escutado porque sentiu um enorme solavanco e então a sensação firme do colchão debaixo do seu corpo.

Ela estava de volta à sua cama. O waccasassa, os pântanos inchados e tudo de Tamarisk havia sido tirado dela por aquela noite.

Ela pensou na peste e no garoto que tinha encontrado, e que talvez tivesse dado início a tudo isso. Ela sabia que a realidade daquela tragédia ia ficar marcada nela.

Becky olhou para os dedos e notou que estavam limpos. A sujeira tamariskiana havia desaparecido deles, mas não do seu coração. Sempre estaria ali.

Ela encarou o teto e visualizou a expressão triste da rainha. Ela precisava fazer alguma coisa para ajudar Miea e Tamarisk. Eles eram importantes demais para que ela não fizesse tudo o que estava a seu alcance.

Ela não poderia perder aquele lugar justamente agora que o havia encontrado.

13

Becky sempre foi linda para o pai. Ela era linda quando ele a segurou nos braços logo depois do nascimento, mesmo com o rosto avermelhado e os olhos inchados. Ela linda quando era pequenininha, com os longos cabelos encaracolados, um sorriso lindo e uma expressão permanentemente curiosa. Ela era linda quando todo aquele cabelo desapareceu e sua curiosidade se transformou em preocupação. E ela era linda agora caminhando pela sala pouco antes das dez da manhã de um domingo. Ainda assim, Chris não podia deixar de notar que Becky parecia exausta, como se ela tivesse despertado depois de uma longa noite numa festa. Ela parecia deprimida, cansada. Era como se o sono daquela noite não tivesse sido totalmente reparador, mas ao contrário, a tivesse deixado ainda mais debilitada.

Quanto daquilo tinha a ver com aquelas “viagens” que ela fazia para Tamarisk? Será que havia alguma coisa nisso que a estava machucando fisicamente (muito embora ela não estivesse realmente indo lá — Chris não sabia ao certo se aquilo era bom ou não)? Ela com certeza parecia mais abatida todas as manhãs depois que começou a falar daquele mundo novamente.

— Oi, querida — ele disse quando ela se sentou em uma das cadeiras à sua frente esfregando os olhos. — Você está bem?

Becky respirou fundo e se endireitou.

— Sim, estou bem.

— Você parece cansada.

— Não. Estou bem. Acho que estou ficando gripada ou coisa do tipo.

Ela lhe deu um sorriso forçado, o mesmo que ele havia visto nos últimos anos, mas que tinha desaparecido nas últimas semanas. Como ele devia interpretar tudo isso? Será que isso queria dizer que havia algo mais que uma simples gripe? Ou isso significava que ela não queria preocupá-lo com alguma outra coisa? Ou talvez ela não se sentisse à vontade de falar com ele sobre o que a estava realmente incomodando? Como ele não queria pressioná-la, decidiu ir por outro caminho.

— Como está Miea?

A resposta de Becky não poderia tê-lo surpreendido mais se ela tivesse se tornado ela mesma uma rainha. Do nada, seus olhos começaram a tremer e se encheram de lágrimas. Uma lágrima escorreu rapidamente por seu rosto.

— Pai, alguma coisa terrível está acontecendo.

— Becky, o que está havendo?

Ela fungou e respirou fundo. Chris não se lembrava da última vez que tinha visto a filha chorar, e ficou nervoso ao vê-la tentando se controlar.

— Becky, o que aconteceu?

Ela fechou os olhos fazendo com que outra lágrima escorresse pela sua face.

— Tamarisk está com um sério problema. Uma praga está destruindo tudo. As espécies estão morrendo e ninguém sabe como solucionar isso.

Quando Becky tinha três anos, Chris havia chegado em casa uma noite e a encontrou chorando porque Chester, seu animalzinho de pelúcia, um cachorrinho basset de cor púrpura, havia ido para o hospital. Na verdade, uma das suas amiguinhas da pré-escola tinha quebrado a perna e estava no hospital, e Becky havia transferido toda a sua ansiedade e confusão diante desse fato para um dos seus brinquedos favoritos. Será que a mesma coisa estava acontecendo agora? Naquela época, Chris tinha simplesmente esquentado um prato de canja de galinha para o Chester e o cachorro ficou melhor depois de uma hora.

— Que tipo de praga é essa?

— Ninguém sabe! Eles não conseguem descobrir nada. A única coisa que Miea sabe é que ela está destruindo o reino. Ela acha que os thorns podem estar envolvidos.

— Eles vão resolver isso, querida. Tenho certeza de que eles têm muita gente trabalhando nisso.

— Eles estão com *todo mundo* trabalhando nisso, mas parece que nada dá resultado.

Se Becky estava imaginando isso, certamente era muito mais vívido do que qualquer outra fantasia que ela havia experimentado antes. Chris não tinha dúvidas de que isso era muito real para ela. Mesmo nos seus momentos mais criativos na história de Tamarisk, ele nunca a tinha visto ficar tão preocupada com um acontecimento dramático assim.

A lembrança desses dias de contar histórias lhe deu uma súbita inspiração.

— Talvez nós possamos resolver isso.

Becky fungou novamente e esfregou os olhos.

— O que você quer dizer com isso?

— Becky, você criou esse mundo. Tudo em Tamarisk é algo que você inventou.

— Tudo não, não é mais. Eu disse pra você, as coisas mudaram.

— Ok, não tudo. Uma grande parte dele. E tudo que você criou ainda está lá, não está?

— Acho que sim, não fiz nenhum inventário pra verificar isso.

— O que significa que se você criasse uma coisa nova, ela estaria lá também, não é?

Ele podia ver um brilho surgindo nos olhos de Becky.

— Tipo o quê?

— Por exemplo, uma cura para a peste.

Sua expressão se iluminou.

— Você pode contar uma nova história?

— Era exatamente nisso que eu estava pensando.

Ela deu um pulo da cadeira e o abraçou esfregando a lágrima que escorria pelo rosto.

— Você é um gênio, pai. Por que não pensei nisso antes?

— Só porque seu próprio gênio não está completamente desenvolvido ainda.

Ela lhe lançou um enorme sorriso. Era maravilhoso ver aquele sorriso substituir a expressão preocupada no rosto dela.

— Tudo bem, deve ser isso. Vamos.

— Ir aonde?

Becky começou a caminhar e sair da sala.

— Pro meu quarto. Temos de fazer isso como sempre fizemos, né?

* * *

Chris nunca ia se esquecer das últimas histórias de Tamarisk que ele havia contado para Becky. Foi na noite anterior à sua mudança, na noite antes que Polly e ele revelaram à Becky o que estava acontecendo com a família. Chris tinha estado tão ocupado em manter tudo o mais normal possível que ele não pensou em sugerir que a história daquela noite fosse diferente das noites anteriores. Apesar de tudo, foi impossível evitar aquela tensão crescente que estava se estabelecendo na casa, e ameaçando aquele mundo de fantasia.

Os thorns foram uma invenção de Chris. Antes de sugerir isso para Becky, ele pensou por um longo tempo se era uma boa ideia introduzir um inimigo "de guerra" nas histórias. Antes daquilo, Tamarisk tinha sido um mundo relativamente livre de antagonistas. Havia um ladrão ocasional, ou um malfeitor, e às vezes uma das criaturas não humanas agia com agressividade, mas nada que se aproximasse de uma grande força do mal. Os thorns gerariam mais conflitos para as histórias, mas também iam roubar um pouco da inocência de Tamarisk. Por fim, Chris decidiu que isso ia dar a Becky uma forma diferente de lidar com e de "controlar" o mal, e isso seria algo saudável para ela.

Nos dias anteriores às últimas histórias, Becky tinha iniciado uma trama sobre uma ameaça de guerra. Os thorns tinham começado alguns combates pequenos na fronteira e aprisionado certo número de inocentes tamariskianos como espiões. No final da história, o rei e a rainha de Tamarisk e alguns dos seus conselheiros mais próximos debateram a possibilidade de uma ação militar. Eles decidiram investir numa missão diplomática em vez disso, na esperança de salvar vidas. Quando a história terminou, a comitiva real saiu indecisa do palácio, sem saber se deveriam ou não estreitar a relação com os thorns, mas sentindo a necessidade de fazer um esforço em relação a isso.

Chris nunca teria imaginado que os dias de Tamarisk iam acabar dessa forma. Mesmo depois de algumas semanas de Becky anunciar que não estava mais disposta a contar aquelas histórias ele ainda acreditava que iam retomar o hábito. Ele continuava a pensar em novas estratégias diplomáticas que criariam uma paz mais sólida com os thorns. Chris nunca teve oportunidade de dividir essas ideias com a filha.

Agora, no entanto, parecia que aquela história tensa da viagem do rei e da rainha para Gunnthorn não seria a última história que Chris contaria para Becky. Haveria pelo menos mais uma, embora as circunstâncias não fossem aquelas que Chris tinha imaginado.

Para um efeito completo, eles se posicionaram do mesmo modo como fizeram nas milhares de vezes em que haviam contado as histórias antes. Becky se deitou debaixo das cobertas com a cabeça sobre os travesseiros, e Chris se encostou na parede ao lado de sua cama.

Quando minha vida passar perante meus olhos, Chris pensou, *é essa imagem que eu quero ver.*

— Essa é a continuação da saga da terra de Tamarisk — Becky anunciou usando as palavras que ela sempre usava para prefaciar uma nova história.

— Uma criação de Rebecca e Christopher Astor — Chris completou, contribuindo com sua parte na introdução.

Becky sorriu para ele e então olhou para o alto. Chris sabia por experiência que ela estava imaginando novas ideias para as histórias. Ele esperava que o teto desse apartamento tivesse tão boas ideias quanto aquele da casa que eles tinham em Moorewood.

— Aqueles dias foram sombrios por toda Tamarisk — ela começou num tom mais baixo do que sua voz de costume. Chris ficou com vontade de rir por dentro ao perceber que Becky ainda fazia isso, um produto das suas tentativas infantis de ter a voz de um narrador (sem sucesso, diga-se de passagem, apesar de ele nunca ter mencionado isso). — Uma doença se espalhou por toda a terra destruindo a vegetação, privando criaturas delicadas de alimentação e abrigo. Os campos de um azul profundo tinham ficado manchados de cinza. O que a princípio aparentava ser uma simples infestação, tinha se transformado em algo muito, muito pior. Era uma... uma praga!

"Pior ainda, ninguém conseguia descobrir sua causa. Os cientistas faziam relatórios. Os líderes militares procuravam sinais de traição nas fronteiras. O palácio considerava todas as opções. Foi a primeira vez nos quatro anos de reinado da rainha que ela se sentiu completamente inútil."

Chris observou Becky contar a história com o cenho franzido e a voz melancólica. No entanto, ele não pôde deixar de perceber que havia mais drama e mais assombro nas suas palavras. Talvez fosse porque suas habilidades linguísticas eram maiores agora do que tinham sido há quatro anos. Mas a Tamarisk de que Becky falava parecia mais real do que jamais fora.

Ele levou um momento para notar que Becky tinha parado de falar. Ele demorou um pouco mais para perceber — muito embora ele estivesse olhando diretamente para ela — que ela estava olhando para ele.

— É minha hora de entrar? — ele perguntou.

— A parte ruim é a parte mais difícil pra mim.

Chris se encostou e passou o braço direito por cima da cabeça. Era sua posição favorita para pensar.

Você não me deu muita opção aqui, Becky. Você já mencionou todos os cientistas e os militares. Será que eu tenho de ir pra alguma coisa espiritual? Algo sobrenatural? Ou talvez um adolescente de um outro planeta chega e salva o dia.

— É uma criatura — ele fala brilhantemente.

— Hã?

— Algo no ecossistema em que eles não haviam pensado. Talvez algum padrão de migração tenha mudado, e uma coisa levou a outra.

— E de repente o reino todo tem uma doença? Isso não parece certo.

Chris sacudiu a cabeça.

— Você está certa, não é? — Ele voltou para sua posição de pensar. Ficou olhando para a parede mais distante.

— Não, não é um padrão de migração. Ou na verdade *é* um padrão de migração, mas não de uma terra para outra. É de um nível para outro.

— Estou completamente perdida.

— Alguma espécie de inseto subterrâneo, ou alguma outra coisa que sempre viveu debaixo da terra, debaixo da superfície, começa a se mover para cima por alguma razão que nós ainda não sabemos, e quando ele o faz, começa a se alimentar dos nutrientes que as plantas da superfície precisam para viver. Essa espécie não percebe o que está fazendo, mas está matando de fome todo o resto.

As sobrancelhas de Becky se ergueram.

— Isso é muito bom. Quer dizer, pode ser realmente isto que esteja acontecendo.

— Isso não importa, não é? Se a gente diz que está acontecendo, então é isso que está acontecendo, não é?

Becky deu um sorriso.

— Acho que sim. Conte essa parte, pai.

Chris se lembrou de que não bastava apenas contar as histórias. Ele sempre tinha de contar as histórias de modo que isso sempre fizesse parte de um registro oficial das histórias de Tamarisk. Chris às vezes se via compondo frases para as histórias da noite seguinte, enquanto trabalhava no laboratório.

— Por semanas, enquanto a população se desesperava, a rainha e seus conselheiros eram desafiados, a praga continuava descontrolada e sua origem, desconhecida. Finalmente a rainha decidiu ela mesma verificar o que estava acontecendo. "Leve-me para os campos de..." — Chris olhou para Becky. — Onde eles encontraram pela primeira vez a praga?

— Em Jonrae.

— "Leve-me para os campos de Jonrae", ela disse aos seus conselheiros. Assim que chegou aos campos, a rainha olhou para a paisagem destruída, e caiu de joelhos. Seu adorado reino estava murchando à sua frente. Ela passou as mãos carinhosamente pela terra preta, e sentiu uma súbita inspiração. Rapidamente pediu uma pá e começou a cavar. Ela não tinha ideia de por que estava cavando, mas o fez com toda a sua energia. "Vossa Majestade, deixe algum dos empregados fazer esse trabalho", um dos seus conselheiros falou.

— "Não", a rainha disse — Becky completou imediatamente, colocando-se no seu papel de rainha. — "Eu mesma preciso fazer isso, existe alguma coisa aqui. Eu estou sentindo."

Por um momento nem Chris nem Becky disseram nada. Chris imaginou que Becky quisesse continuar a história, mas ela olhou para ele como se estivesse esperando que ele continuasse.

— Continuo?

— Você sabe o que vai acontecer em seguida, eu não.

Chris não tinha muita certeza se sabia o que ia acontecer em seguida, mas ele esperava que a ideia surgisse à medida que continuasse a contar a história.

— Por quase quinze minutos a rainha cavou. Alguma coisa dentro dela lhe dizia que ela encontraria alguma coisa ali se continuasse a cavar. Depois de alguns minutos, os outros se juntaram a ela. Agora quase uma dúzia de pessoas estava cavando ao mesmo tempo, e o buraco cresceu rapidamente.

"A rainha apoiou a pá na terra por um momento. Seus braços estavam queimando de exaustão, mas ela não tinha intenção de parar, ela apenas ia descansar por um minuto. Foi aí que notou o movimento." Chris hesitou.

Notou o movimento de quê? Ele olhou para Becky e a viu olhando para ele, ansiosa. *Invente alguma coisa agora.*

— O inseto era muito pequenino — ele falou lentamente, ainda procurando inspiração —, quase pequenino demais para se ver. Era preto também, quase se misturando com a cor do solo. Quando a rainha parou para examiná-lo, viu que o inseto não estava sozinho. Ele tinha cinco ou seis companheiros marchando atrás dele, e quando a rainha mexeu na terra solta, pelo menos mais uma dúzia de insetos apareceu.

"A rainha, que tinha um vasto conhecimento das espécies de Tamarisk, nunca tinha visto esse pequeno inseto antes. Ela pegou um, e a criaturinha parou de se mexer por completo, parecendo espantada. A coisinha era feita de uma casca dura como se fosse uma concha bem escura, praticamente negra. Tinha quatro patas traseiras e duas minúsculas patinhas na frente. A rainha tinha certeza de que estava olhando para algo que nunca ninguém do reino havia visto."

Chris deu um sorriso sem graça para Becky esperando que ela fosse continuar a história de onde ele tinha parado, pois ele não tinha mais nada a dizer. Becky olhou para o alto por um momento e então continuou.

— Miea segurou o inseto e o mostrou para o cientista chefe que estava no local para que ele o examinasse. "Você já viu isso antes?" O cientista se curvou para a frente e examinou a criatura cuidadosamente. "Não, Vossa Majestade, nunca", ele respondeu. Miea segurou o inseto perto de si novamente. "Existe uma resposta aqui", ela disse. "Eu simplesmente sei disso."

Os olhos de Becky se encontraram com os de Chris.

— Qual é a resposta?

— Sim, eu imaginei que você estava pensando nisso.

Chris se sentiu um pouco como se estivesse encurralado. Como cientista — mesmo um que passasse o dia todo como um administrador agora —, ele queria que sua solução para o problema de Tamarisk fizesse sentido. Ao mesmo tempo, no entanto, muitas das coisas que eles haviam criado em Tamarisk eram cientificamente duvidosas. No fim das contas, a precisão científica não era a questão aqui. Eles tinham dado saltos enormes ao inventar esse mundo. O que era uma coisinha a mais?

— Nas horas seguintes, todos os cientistas analisaram o solo em volta dessa colônia de insetos e o compararam com o solo mais perto da superfície. Eles chegaram a uma conclusão impressionante: o solo onde as criaturas se instalaram estava totalmente desprovido dos nutrientes necessários para manter a vida da flora.

Chris viu Becky sorrindo.

— O quê? — ele perguntou.

— Agora o que você vai fazer em relação a isso?

Ele deu um sorriso de volta. Ela estava com uma expressão tão melhor do que aquela de quando chegou na sala há menos de uma hora.

— Agora é minha chance de passar a história pra você.

— Sem chance!

— Becky, você está pronta pra salvar Tamarisk — ele disse com uma doçura fingida na voz. — Seria muito egoísmo da minha parte tirar isso de você.

— De jeito nenhum, você está me enrolando, pai. Tenho certeza de que você tem alguma coisa brilhante na cabeça.

— Não, realmente a história é toda sua.

Os olhos de Becky se estreitaram.

— Você não acha que eu posso fazer isso, né?

— Claro que eu acho que você consegue, portanto, vá em frente.

— Tudo bem, eu vou.

Becky se recostou novamente no travesseiro e não disse uma palavra por vários minutos. Chris tentou achar um jeito de dar continuidade, caso ela chegasse à conclusão de que não saberia para onde ir com a história. Ela se sentou e começou.

— Com uma rapidez incrível... — Chris riu para si mesmo. “Com uma rapidez incrível” era um código para “vou dar um grande salto aqui.” — ... os cientistas analisaram os insetos e o seu meio ambiente. Miea contribuiu com a experiência que havia conquistado ao trabalhar nos campos e estudar na universidade. E ela e um enorme grupo de cientistas chamados para trabalhar no projeto chegaram à conclusão de que os insetos saíram das profundezas da terra para a superfície porque estavam morrendo de fome. A solução era complicada, mas com as melhores mentes de Tamarisk, trabalhando noite e dia, iam construir máquinas para cobrir a terra com novos nutrientes, que chegassem até o local de origem dos insetos. Os insetos deixariam de fazer a migração e rapidamente se enfiariam nas profundezas da terra de onde tinham vindo, deixando a superfície para a vegetação de Tamarisk.

"Quase imediatamente as plantas começaram a mostrar novos sinais de vida. Em menos de um mês o reino estava tão azul e brilhante como antes. Uma crise horrível havia sido evitada por causa da intuição da brilhante e inteligente jovem rainha."

Becky olhou de soslaio para Chris.

Ela sabe como essa solução parece absurda, mas ela também sabe que eu vou deixar as coisas acontecerem.

— Essa Miea é uma pessoa incrível — ele comentou.

— É, não é?

— Tudo certo?

— Acho que sim.

— Pronta pras palavras finais?

— Certo. Então hoje termina a saga da terra de Tamarisk. — Ela sorriu timidamente para ele.

Essas não são as palavras finais, Becky, de jeito nenhum. Você deve dizer "nossa história retorna novamente amanhã à noite".

— Então como você se sente salvando um reino inteiro? — Chris perguntou.

Becky suspirou fundo.

— Muito bem. Você acha que nós conseguimos?

— Acho que a gente conseguiu sim, temos uma boa chance. Você acha que vai voltar pra descobrir?

— Não posso. Todas as vezes que sou arrancada de lá não consigo voltar por um bom tempo. Acredite em mim, já tentei isso antes.

Ela está absolutamente convencida de que isso acontece. Acho que a essa altura ela até me convenceu, meu Deus.

— Essa ideia que você teve foi maravilhosa — Becky disse.

— Você quer dizer essa coisa com os insetos?

— Isso foi muito bom, não foi sua melhor ideia, mas definitivamente foi muito boa. Estou me referindo a essa coisa de contar a história pra fazer as coisas melhorarem por lá. Eu só espero que tenha funcionado.

— Sim, eu também.

Becky olhou para o teto por um momento. Então saiu das cobertas, abriu os braços e abraçou Chris.

— Obrigada, pai.

— Estou feliz de ter podido ajudar, querida.

* * *

Como Becky não podia voltar para Tamarisk, ela decidiu que ir ao cinema com o pai era uma alternativa aceitável. Chris a levou para ver um filme de um diretor que fazia menos de um ano ele havia chamado de "muito sombrio" para ela. O filme, que lidava com temas de abuso de drogas por adolescentes, alienação, rejeição de autoridade, recebeu ótimas críticas e muitos dos amigos de Becky já haviam assistido. Chris não tinha muita certeza se ela estava pronta para isso. Ele ficou com menos certeza ainda se era bom para ela assistir o filme na companhia dele.

— Ainda bem que você não é parecida com a Pauline — ele disse para Becky no café depois do filme, se referindo à heroína do filme.

— Como você sabe, pai? — Becky deu um sorriso maroto. — Talvez eu tenha uma vida secreta.

Chris apontou um biscoito em direção a ela.

— Eu já sei da sua vida secreta. Acho que Pauline nunca fez carinho num hoffler.

Becky refletiu sobre aquilo por um momento.

— Talvez, se ela tivesse feito, as coisas tivessem sido diferentes pra ela.

Chris tomou um gole do seu café com leite e admirou os olhos reluzentes da filha.

— É, talvez.

Eles ficaram o restante do dia passeando pelas lojas, olhando os livros na livraria e fazendo uma caminhada pelo parque. Só passando o tempo. Chris nem se preocupou com o tráfego sobre a ponte, o que era inevitável até mesmo num domingo à noite.

O humor mudou instantaneamente quando ele chegou à casa de Polly. Ela não estava presente quando ele pegou Becky no dia anterior, e ele não a tinha visto desde aquela breve conversa ao telefone. Ficou imediatamente claro, no entanto, que Polly não havia esquecido a sua última troca de farpas. Chris podia jurar que os olhos de Polly se franziam quando ela ficava irritada. Ela deu um beijo na testa de Becky antes mesmo de a menina entrar em casa. Chris achou que talvez fosse uma boa ideia dizer adeus a Becky ali mesmo, na frente da casa, mas antes que ele pudesse fazer isso Polly perguntou:

— Você teve um bom fim de semana, Becky?

— Sim, foi ótimo — Becky disse naturalmente.

Chris se aproximou para dar mais um abraço na filha, mas Polly falou novamente, e dessa vez para ele.

— Vocês dois ainda estão brincando com aquele jogo de faz de conta?

Chris imediatamente sentiu sua raiva borbulhar. Ele não queria discutir com Polly na frente de Becky, mas não ia deixar que ela ridicularizasse os dois também.

— Fomos ao cinema. — Polly fez uma careta. Ele percebeu que ela provavelmente estava se preparando para essa conversa desde terça-feira à noite.

— Isso foi antes ou depois que você a levou praquela viagem na terra da fantasia?

— Mãe, pare com isso, tá?

Polly deu uma olhada de relance para Becky e então encarou Chris.

— Eu realmente quero saber até que ponto foi a fantasia dessa vez. Vocês deram as mãos a algum dragão talvez?

Chris se lembrou do abraço que Becky havia dado nele quando eles terminaram sua história de Tamarisk naquela manhã. O contraste entre aquele momento e agora quase fez lágrimas surgirem nos seus olhos.

— Polly, não seja ridícula.

Polly revirou os olhos para o alto.

— Ridícula — ela repetiu rispidamente.

— Não há dragões em Tamarisk de modo algum. Pássaros gigantes, sim. Peixes do tamanho de prédios de apartamentos, sim. Até mesmo glóbulos sensíveis. Mas não há dragões.

Chris viu Becky dar uma risada pelo canto dos olhos. Ele mesmo quase sorriu, mas manteve a expressão séria na frente da ex-mulher.

— Pássaros gigantes, mas sem dragões — Polly disse lentamente.

— Totalmente zero dragões.

Polly inclinou a cabeça para a direita, se ela tivesse inclinado a cabeça para a esquerda isso ia significar que ela estava sendo empática ou demonstrando simpatia. Quando ela inclinava a cabeça para a direita era exatamente o oposto.

— Você *esteve* em Tamarisk, Chris?

Chris inclinou a cabeça involuntariamente por um momento, e então a endireitou de volta.

— Infelizmente não Polly, não tive essa sorte.

Polly deu um sorriso sem graça.

— Mas você está dizendo que realmente acredita que Becky esteve lá, nesse mundo imaginário que você construiu.

Chris lançou um olhar para Becky. Ela o estava olhando ansiosa. *Sem pressão*. Realmente, não havia nenhuma pressão mesmo. Becky o havia convencido. Ele não havia dito essas mesmas palavras pela manhã bem cedo? A última coisa que ele iria fazer era trair a filha, só para ficar bem com a ex-mulher.

— Sim, eu acredito que Becky esteve lá. Tenho certeza disso.

— Polly baixou os ombros, mas seu olhar permaneceu firme no dele.

— Você está falando sério?

A raiva controlada de Polly de repente pareceu engraçada para ele. Ele deu um sorriso seco.

— O mais sério que eu posso, Polly.

Ele queria ver como Becky estava reagindo a isso, mas ele não queria envolvê-la olhando na sua direção. Polly deu um passo atrás e olhou para cima novamente, e então olhou sarcasticamente para os dois.

— Não tenho certeza do que vocês pensam que estão fazendo, mas se você acha que eu vou me juntar a isso, você está completamente enganado. Becky, se você continuar a ter alucinações desse tipo nós vamos precisar procurar ajuda profissional. — Ela olhou para baixo, sacudiu a cabeça, e então olhou firme para Chris novamente. — E se você continuar a participar dessa loucura, vou chamar o meu advogado.

Foi a primeira vez que Polly o ameaçou de ir ao tribunal em anos. Portanto, isso teria de provocar um grande impacto em Chris. A ameaça, no entanto, não teve muito poder. Ele sabia instintivamente que ela não ia tentar afastar Becky dele. Não agora.

Interessante, Polly nem esperou por uma resposta dele. Assim que terminou de falar ela caminhou firme de volta para casa, deixando Becky para trás. Chris se aproximou da filha e passou os braços sobre seus ombros.

— As coisas vão ficar feias por aqui hoje à noite, né?

Becky olhou na direção da porta da frente e depois deu de ombros.

— Não, assim que estivermos sozinhas ela vai acalmar. Ela está realmente brava com você.

— Como você sabe a diferença?

Becky deu um sorriso. Então colocou os braços em volta da cintura dele e lhe deu um abraço.

— Obrigada por tudo hoje, pai, amo você.

— Amo você também, Becky. Tem certeza de que você não quer ir pra minha casa hoje à noite?

— Ah, seria muito bom ir — ela o abraçou novamente —, mas é melhor eu entrar.

Chris deu um beijo no alto da cabeça da filha e a deixou ir. Assim que Becky chegou à porta, ela acenou para ele e murmurou "tchau". Isso imediatamente o fez se lembrar do dia em que foi embora pela primeira vez.

Mas, havia uma enorme diferença agora. Dessa vez os olhos de Becky estavam brilhantes.

14

Na manhã seguinte, Polly ainda estava furiosa por causa da discussão com Chris. Ela detestava ficar tão agitada na frente da Becky, mas Chris a pressionava de tal maneira que parecia provocá-la de todos os jeitos. Por que ela estava sempre tão irritada perto dele? Dezenas de vezes desde o divórcio ela tinha se convencido de que um relacionamento mais cordial e aberto com o ex-marido seria o melhor para todos. No entanto, quando ela o via — ou até mesmo quando conversava com ele ao telefone — alguma coisa a irritava e tornava impossível fazer qualquer concessão em relação a ele.

Agora essa coisa de Tamarisk estava realmente passando dos limites. Tinha sido tudo muito bonitinho quando Becky era pequenininha e Becky e Chris pareciam se divertir muito com aquilo tudo. Polly sabia que isso era uma distração para Becky, principalmente nos primeiros dias de sua doença, e por causa disso Polly era sinceramente agradecida. Mas a ideia de Chris usar uma coisa tão infantil para tentar cair nas graças de Becky de novo era simplesmente espantoso. O mais apavorante ainda era que isso parecia realmente estar funcionando — o bastante para fazer Becky criar histórias sobre "viajar" para Tamarisk para mostrar a ela que eles tinham um novo vínculo. Como Chris tinha conseguido isso? Será possível que Polly realmente não tivesse percebido os sinais de que Becky precisava mais da presença do pai? Até há algumas semanas, ela tinha demonstrado exatamente o contrário.

Se a intenção de Chris era criar um poço entre Becky e Polly, ele estava obtendo um sucesso temporário ao menos. Becky ficou mal-humorada e afastada dela pelo restante do domingo, e conversou muito pouco com a mãe antes de ir para a escola pela manhã.

Isso colocou uma sombra no dia, fazendo com que ela revivesse sua batalha com Chris inúmeras vezes. Enquanto isso, Polly estava presa em casa esperando que o eletricista aparecesse. Ela detestava ficar esperando prestadores de serviços domésticos. Na noite anterior uma tomada tinha estourado na sala, provavelmente sobrecarregada por todos os brinquedos de Al. Depois disso, eles não puderam mais ligar o computador nem a TV grande ao mesmo tempo, e Al suplicou para ela consertar isso até o jogo de basebol da noite. Portanto ela ficou presa em casa — remoendo sua raiva para passar o tempo — até Gary chegar.

Ele finalmente apareceu às quinze para o meio-dia. Gary já tinha feito consertos na casa inúmeras vezes desde que Polly a havia comprado, e ela esperava que ele tivesse chegado mais cedo. Obviamente clientes antigos não recebiam tratamento preferencial desse cara. Ele entrou na sala e disse "Ui, essa foi boa" quando viu a tomada e foi direto para o subsolo mexer no circuito. Ele finalmente desligou a energia da sala e subiu para trabalhar na tomada.

— Você viu aquele programa no Discovery Channel na noite passada? — Gary perguntou enquanto explorava o estrago com uma lanterna pequena.

— A energia ficou caindo nessa sala, portanto, não vimos quase nada.

— Foi um negócio incrível. Falava tudo sobre planos alternativos de existência.

Polly estremeceu.

— O quê?

— Você sabe, mundos paralelos, versões diferentes do planeta Terra, planetas alienígenas, esse tipo de coisa.

— Por que eu ia assistir a um programa desses?

— Estava no Discovery Channel.

Polly passou a mão na cabeça sentindo uma enxaqueca que estava começando a surgir.

— Como eu disse, foi difícil assistir televisão na noite passada.

— A mente aberta leva ao enriquecimento.

Polly se inclinou em direção ao eletricista.

— Desculpa, não entendi.

— Novos mundos embelezam os mundos existentes, levando a um crescimento em potencial.

Polly estava começando a imaginar se Gary havia se eletrocutado. Talvez ele estivesse tendo algum tipo de ataque ou algo parecido. Sua conversa parecia diferente.

— Seu conhecimento pode ajudar a acalmar outros — o eletricista disse —, tornar possíveis outras soluções. Você tem um papel a desempenhar.

Polly sentira os pelos do seu pescoço se eriçarem. Será que os paramédicos podiam chegar aqui a tempo caso ela precisasse?

— Gary, por que você está falando tudo isso?

O eletricista não respondeu, ele simplesmente ficou concentrado no seu trabalho. Por duas vezes, no entanto, ele repetiu a frase "o conhecimento enriquece" naquela voz fantasmagórica. Polly sentiu vontade de se sentar. Ela nunca tinha tido uma experiência psicótica antes. Ela tinha vontade de sair da sala, mas não tinha certeza se seria seguro deixar Gary sozinho.

Novamente Gary disse "o conhecimento enriquece". E então ele reconectou os fios, desligou sua lanterna e aparafusou a placa da tomada. Ele se levantou, acenou para ela, que assentiu, e disse "vamos experimentar". Ele falou como o Gary normal, de sempre.

Gary passou por ela sem olhar nos seus olhos e desceu para o subsolo, religou a energia, voltou para a sala e ligou a televisão. Com um toque no controle remoto a televisão ligou.

— Está tudo pronto — Gary disse.

Polly desligou a televisão.

— Obrigada.

Gary acenou com a cabeça e juntou suas ferramentas.

— Gary, você está bem?

— Sim, tô ótimo. Por quê?

— O que foi a aquela coisa que você falou sobre o Discovery Channel?

Gary olhou para ela como se não tivesse entendido a pergunta e então seu rosto se iluminou se lembrando.

— Ah, isso mesmo, aquele programa sobre planos alternativos de existência. Eu estava passando pelos canais na noite passada e parei nele. Nem sei por que, eu nunca assisto a esse tipo de programa. Que piada. Me fez dar muita risada. Eu fiquei imaginando se você tinha assistido também.

— E quanto à outra coisa?

— Que outra coisa?

— Aquela outra coisa que você estava dizendo sobre ter a mente aberta, enriquecimento e esse tipo de coisa.

Polly pôde perceber pela reação de Gary que ele não tinha ideia do que ela estava falando.

— Não estou te entendendo.

Ela acenou com a mão.

— Não tem importância.

Gary pegou sua maleta e seguiu para a porta.

— Eu não acredito em nada dessas coisas sobre outros mundos — Polly falou indo atrás dele.

Gary pôs a mão na maçaneta e se virou para ela.

— Nem eu. Por isso que o programa me fez dar tanta risada — ele fez uma pausa e sua expressão mudou. Seus olhos pareciam mais profundos, mais pensativos. Ele olhou para ela cuidadosamente e esse seu jeito deixou Polly desconfortável. Involuntariamente, ela deu um passo para trás.

Então o rosto de Gary ficou normal de novo. Ele lhe deu um sorriso afável e olhou para a maçaneta como se tivesse esquecido de que havia colocado sua mão ali.

Será que ele realmente não se lembrava do que havia dito alguns minutos antes? Ele parecia estar bem, mas será possível que ele tivesse tido algum tipo de ataque.

— Você não acha que devia descansar pelo resto dia?

Seus olhos se estreitaram.

— Hã?

Polly estava começando a ficar envergonhada.

— Esqueça o que eu disse. Tenha um bom dia. Obrigada por consertar a tomada.

— Tudo bem. Sabe, acho que você devia descansar um pouco.

— Sim, acho que é isso que vou fazer. Agora que você consertou a televisão acho que vou ficar em frente a ela e relaxar. — Ela deu um sorriso envergonhado. — Mas não pretendo assistir ao Discovery Chanel.

* * *

Pela terceira vez naquela tarde Miea sentiu que não estava entendendo uma conversa. Primeiro houve aquela discussão com o vice-chanceler thorn quando ela o confrontou sobre a presença de Rubus no campo destruído de Tamarisk. Ela havia esperado que o vice-chanceler desmentisse, mas a sua reação foi totalmente inesperada, ele havia declarado que seu filho tinha desaparecido e teve a audácia de sugerir que Miea o havia raptado.

Logo depois disso, Becky havia aparecido em seus aposentos. Os olhos dela circularam pelo cômodo como se houvesse alguma coisa fora do lugar. Ela caminhou até a janela e ficou olhando para fora, e então, quando Miea fez uma breve referência a uma reunião sobre a praga, Becky repentinamente ficou muito agitada e com os olhos cheios de água. Sem dizer nada mais que um "preciso voltar", Becky desapareceu deixando Miea sem saber o que tinha acontecido.

Agora Dyson tinha chegado para sua reunião, mas não tinha trazido nenhuma informação nova. *Quais foram os resultados do estudo das vibrações do solo em Jonrae?* Inconclusivo. *Ficamos sabendo alguma coisa a mais da relativa carência do bosque de tongass na parte central dos campos de Eannes?* Parecia que não. *E quanto à minha sugestão de enviar mais analistas para Eannes?* O ministro Thuja quer pensar um pouco mais sobre isso. Dyson deu suas repostas bruscamente e sem rodeios. Parecia que ele estava fazendo um esforço enorme para não dizer nada.

— Pra que você veio nessa reunião hoje? — Miea o questionou, irritada.

Por um breve instante a expressão de Dyson revelou uma ponta de tristeza. Então, do mesmo jeito como ela veio, ele recuperou sua atitude profissional, olhando além dela em vez de para ela.

— A senhora exigiu que essas reuniões fossem feitas regularmente, Vossa Majestade. Portanto, eu vim para fazer o meu relatório.

— Mas eu esperava que *você dissesse alguma coisa* durante essas reuniões. É inconcebível pensar que não há nada de novo para relatar. Não nessas circunstâncias.

— Só posso lhe trazer a informação que está disponível, Vossa Majestade.

Será que Dyson a chamava de "Vossa Majestade" com mais frequência do que qualquer outro no reino ou ela achava isso porque essas palavras soavam tão erradas vindas dos seus lábios?

— Não estou totalmente convencida de que este é o caso, Dyson.

A expressão de Dyson continuou firme.

— Sinto muito, Vossa Majestade. Não tenho certeza se entendo o que está querendo dizer.

— Não estou totalmente convencida de que estou recebendo toda a informação que está disponível. Acredito que o ministro Thuja esteja apenas me dando a informação que ele acha que eu preciso saber.

— Não acredito que isso seja verdade, Vossa Majestade.

Se ele realmente não acreditasse que isso era verdade, é porque ele não prestava atenção quando ela e Thuja estavam na mesma sala juntos.

As tentativas claras do ministro de aparentar respeito e ao mesmo tempo de demonstrar sua desconfiança na juventude dela eram inequívocas. Thuja não queria lhe contar tudo ou porque temia que ela tivesse uma reação exagerada ou porque ele queria controlar as coisas de tal modo que ela não pudesse tomar nenhuma decisão a respeito. Dado o tamanho da crise, isso era inaceitável.

— Por acaso o ministro confia em você, Dyson?

Os olhos de Dyson se agitaram levemente.

— Como, Vossa Majestade?

Miea se inclinou para a frente, de encontro à mesa.

— Estou querendo saber se você discute as informações com o ministro quando elas chegam de várias fontes. Estou imaginando se Thuja e você recebem relatórios diferentes.

Dyson não disse nada por um momento. Quando falou, ele ainda não olhava para ela.

— Sou um membro da equipe do ministro. Ele nos encoraja a trocar ideias. Isso faz parte do ambiente de trabalho.

— Então posso acreditar que algumas das informações trocadas nessas conversas não aparecem nos meus relatórios?

— Nada de vital importância fica de fora desses relatórios, Vossa Majestade.

— Dada a natureza confusa dessa praga, eu imagino que deva ser difícil determinar qual informação é vital e qual não é. Talvez você pudesse me contar um pouco dessas conversas e sobre o que conversaram nos últimos dias.

Pela primeira vez desde que ele chegou ao escritório dela naquele dia, Dyson olhou diretamente para os olhos de Miea.

— Não vou ser o seu espião, Vossa Majestade.

Miea desviou o olhar.

— Dyson, você sabe como os detalhes são importantes pra mim.

— Posso lhe garantir que lhe passo toda a informação que tenho permissão de lhe transmitir. Se realmente acredita que o ministro Thuja está lhe escondendo alguma coisa, você deveria discutir isso abertamente com ele. Você é a rainha. Dê uma ordem se achar que isso é necessário.

Miea se levantou como se tivesse sido cutucada, sentindo uma mistura de sentimentos fugazes de angústia e frustração.

— Você entende o que está em jogo aqui? O reino que eu amo está se desintegrando e eu não posso fazer nada quanto a isso. Talvez pudesse fazer alguma coisa se tivesse acesso a todos os dados, se estivesse lá fora nos campos, se estivesse trabalhando com os analistas, mas não vamos saber disso nunca porque o ministro e seu portante ajudante acreditam que eu não estou preparada para lidar com a informação.

Enquanto Miea sentia seu controle ir embora, ela ficou impressionada como Dyson era capaz de manter sua própria calma. A cabeça acompanhava seus movimentos, mas o rosto continuava calmo.

— Vossa Majestade, novamente eu sugiro que discuta esse assunto com o ministro Thuja. Se a senhora realmente acredita que estamos escondendo algo vital, ele é a única pessoa que pode lhe garantir o contrário.

Miea fechou os olhos. Por alguma razão ela se lembrou do olhar de desespero no rosto de Becky quando ela disse que precisava voltar. Miea não tinha ideia da razão, mas a garota estava terrivelmente chateada e até mesmo confusa. Miea certamente sabia o que era aquela sensação. Nada estava dando certo. Não estavam mais perto de uma solução para esse mal — pelo menos até onde ela sabia — do que quando o descobriram. Thuja tinha desafiado sua autoridade abertamente, e Dyson a estava tratando com formalidade.

Com os olhos ainda fechados, Miea sentiu seus joelhos bambearem ligeiramente. Ela não achou que fosse desmaiar, nem mesmo cair, mas por um segundo parecia que o chão havia se movido sob seus pés. Ela abriu os olhos e levou um momento para se recuperar. Sentou-se novamente na sua mesa.

— Você está bem? — Dyson perguntou num tom que ela já não estava mais acostumada a ouvir.

Seus olhos se fixaram nos dele e ela percebeu sua preocupação.

Não, não estou bem, estou preocupada. Estou frustrada. Estou sozinha. Não estou certa de poder lidar com isso.

— Sim — ela disse acenando lentamente com a cabeça —, estou bem, vou pedir um pouco de água e talvez algo para comer. Não tive tempo para almoçar hoje.

— Mas você está bem?

— Claro que estou bem.

O que aconteceria se eu dissesse que não estou? O que você faria então, Dyson? Você me ajudaria a superar isso? Será que você conseguiria fazer isso mesmo que quisesse?

— Obrigada pelo seu relatório.

Dyson se levantou e, por um breve momento, Miea não conseguiu entender a expressão dele. Ele se recompôs rapidamente.

— Obrigado, Vossa Majestade.

Ele se curvou ligeiramente, virou e saiu da sala. Miea o observou ir embora e continuou a olhar na direção dele por vários segundos depois que ele desapareceu. Só a chegada de Sorbus na sua porta a fez voltar ao presente.

— O contingente do Comitê do Festival está aqui, Vossa Majestade.

Ela respirou fundo e deu um sorriso abatido para Sorbus.

— Faça-os entrar, por favor.

* * *

Assim que Becky estava de volta na sua cama ela se arrependeu de ter saído de Tamarisk tão abruptamente. Como ela tinha feito aquilo? Ela disse apenas "preciso voltar" e estava em casa novamente. Era só isso que ela tinha para fazer?

Ela certamente devia uma explicação a Miea do porquê estava tão chateada. Por dois dias ela havia se agarrado à crença de que a sessão de contação de histórias com o pai havia curado a praga. Quando viajou para Tamarisk novamente e ficou sabendo que a crise continuava a existir, ela sentiu o chão se abrir. Ela sentiu vontade de chorar, e, apesar de não ter nenhum problema em chorar na frente de Miea, ela não sabia como explicar por que estava tão chateada. Naquele momento a única coisa que parecia certa era ir embora.

O que será que Miea pensou da saída repentina dela? Será que ficou insultada? Confusa? Becky não poderia voltar ate lá antes de sábado para poder se explicar.

Enquanto isso, as aulas na escola pareciam se arrastar. A angústia sobre Tamarisk havia aborrecido Becky, e ela mal conseguia escutar o que os professores diziam — todos eles pareciam ter decidido que hoje era o dia perfeito para fazerem palestras infindáveis sobre assuntos sem sentido. Na hora do almoço ela já estava pronta para ir embora. Infelizmente aulas de biologia, geometria e espanhol esperavam por ela na parte da tarde. Os cookies de chocolate que ela havia comprado na cantina ajudaram um pouco, mas ela realmente só queria colocar a cabeça na mesa e tirar uma soneca por uns três dias.

— Será que eu perdi a parte em você mencionou que tinha feito um voto de silêncio? — Lonnie perguntou do outro lado da mesa.

Becky deu um sorriso fraco e tomou um gole de água da sua garrafa.

— Acho que esqueci de tomar minhas pílulas divertidas essa manhã.

— O que tá acontecendo? Parece que você tava num outro planeta hoje.

Becky deu uma risada.

— Sim, era algo desse tipo. — Ela ainda não havia conversado sobre suas viagens para Tamarisk com Lonnie. Ela não conseguia imaginar um jeito certo de fazer isso, e certamente não ia tocar nesse assunto no meio da cantina. — Desculpe por eu estar tão chata.

— Você não respondeu a minha pergunta.

— Sobre visitar outro planeta?

— Sobre o que tá acontecendo. Posso dizer com certeza que tem alguma coisa incomodando você. Antigamente, você sabe, tipo ontem, a gente conversava sobre tudo.

Becky esticou os braços e apertou a mão de Lonnie. Ela realmente apreciava o quanto sua melhor amiga a conhecia — muito embora ela não soubesse tudo.

— As coisas estão um pouco esquisitas com a minha mãe.

— Você tá brincando, né? Justamente agora que você e o seu pai estão se dando tão bem você começa a ter problemas com a sua mãe?

— Tudo se equilibra, né? Na verdade uma coisa tem a ver com outra, pelo menos um pouquinho. Não acho que a minha mãe tá adorando a ideia de eu ter me aproximado novamente do meu pai.

— É mesmo? Isso não é muito próprio dela.

— Sim, na verdade é, sim. Minha mãe é incrível, a não ser quando é algo relativo ao meu pai. É que você nunca viu esse lado dela.

Lonnie demorou um pouco pensando nisso, e seus olhos se voltaram para as luzes fluorescentes. Ela olhou de volta para Becky.

— Que droga, hein!

Alguma coisa no modo como Lonnie disse aquilo piorou o estado de Becky. Aquela coisa com Tamarisk na noite anterior a deixou preocupada, mas os últimos dias em casa, desde aquela discussão que a mãe provocou quando o pai a deixou em casa, foram estranhos e até mesmo um pouco humilhantes. Polly estava com aquele tom de voz contido, que ela usava todas as vezes que estava desapontada com Becky, e todas as vezes que elas se olhavam Becky sentia que a mãe a estava reprovando com o olhar. Ela tinha imaginado que a confusão com o pai ia desaparecer em meia hora. Mas isso não aconteceu. Até mesmo ontem a mãe ainda estava tornando as coisas difíceis. Se Al não a tivesse levado para jantar fora antes do pai chegar — *obrigada pelo apoio Al* —, Becky tinha certeza de que teria havido outro tumulto. Becky teria surtado.

— É — Becky disse bruscamente. — É muito chato. É uma droga. Será que seria pedir muito pros meus pais deixarem eu me sentir à vontade nas duas casas por alguns dias?

— Você falou com ela sobre isso?

— Não posso falar com ela sobre isso. É como se ela tivesse um fosso em volta dela ou algo parecido. Ela está sendo ridiculamente intolerante.

— Talvez seja um pouco difícil pra ela ver você e seu pai tão carinhosos um com o outro novamente.

— Por quê? Como isso pode fazer algum sentido? Não tem nada a ver. Como se o fato de eu ter um relacionamento melhor com o meu pai fosse tirar alguma coisa do meu relacionamento com ela.

— Com exceção do tempo extra que você tá passando com ele.

— Com exceção do *pequenino* tempo extra que eu estou passando com ele. Por que você tá defendendo ela desse jeito?

Lonnie levantou as mãos para o alto.

— Não estou defendendo ela. Só estou mostrando algumas coisas que você precisa ver do ponto de vista dela.

— Eu entendo o ponto de vista dela. E ainda acho que ela está sendo ridícula.

— Então converse com ela e faça com que ela perceba que tá errada.

Becky podia sentir a frustração crescendo dentro dela.

— *Eu não posso* conversar com ela — ela falou com firmeza.

— Becky, eu amo você, mas parece que você também tá sendo um pouquinho rígida.

Becky sentiu seu rosto esquentar. Algumas vezes Lonnie não sabia quando parar.

— Sabe o que mais? Você não sabe de tudo, então acho melhor você não falar mais nada sobre isso.

Lonnie se aproximou mais dela. Ela estava com aquela expressão "racional" estampada no rosto. Aquela expressão que sempre fazia Becky ter vontade de dar risada. Mas hoje ela simplesmente a irritou.

— Becky, se eu não sei de tudo, talvez seja a hora de você me contar.

Becky se inclinou para a frente de modo que seus rostos estavam bem próximos um do outro.

— Eu não quero contar nada pra você.

Foi aí que Becky notou a expressão de Lonnie mudar drasticamente. Ela parecia assustada com alguma coisa, e Becky sentiu que não tinha a ver com o que ela acabara de dizer. Lentamente Lonnie passou a mão por debaixo do seu nariz. Instintivamente Becky fez a mesma coisa. Ao fazer isso sentiu uma umidade ali, e ela não teve que olhar para sua mão para saber que aquela umidade era sangue.

Ela rapidamente pegou um guardanapo e o colocou no nariz.

— Vamos pro banheiro — Lonnie falou suavemente.

Sem nenhuma palavra, Becky se levantou e a seguiu. Se Lonnie disse alguma coisa enquanto caminhavam, ela não ouviu. Elas foram para o banheiro juntas — o mesmo da última vez —, e Becky se sentou com a cabeça para trás e prendeu um maço de papel higiênico no nariz. Depois de um minuto ela retirou o papel e Lonnie lhe entregou outro maço.

— Diga que eu não tenho que ficar preocupada com isso — Lonnie disse trêmula.

Becky apertou o papel com um pouco mais de força.

— Viu o que acontece quando você me deixa irritada?

— Certo, eu sabia que a culpa era minha — Lonnie se inclinou um pouco mais para perto e examinou o rosto dela. Para que, Becky não podia imaginar. — Você tá tendo muitos desses sangramentos ultimamente, Becky?

— Só tenho quando você tá por perto, talvez *seja* realmente sua culpa.

— Estou falando sério.

Becky retirou o papel novamente, havia menos sangue dessa vez. Lonnie entregou a ela um pouco mais de papel higiênico.

— Estou falando sério também, não sobre isso ser sua culpa, mas essa foi a segunda vez. E as duas aconteceram quando eu estava alterada ou animada demais, num estado de excitação — ela revirou os olhos e tentou dar um sorriso. — No futuro isso vai fazer de mim uma garota superinteressante, hã?

A tentativa de Becky de deixar as coisas mais leves não pareceu ter causado impacto em Lonnie

— Quando você vai ao médico?

— Não me lembro de dizer nada sobre ir ao médico.

— Becky, você tem de descobrir o que é.

— Não é o que você pensa que é.

— Como você sabe?

— Eu saberia.

— Você soube da última vez?

— Eu era praticamente um bebê da última vez. Eu não sabia nada. — Ela levantou o papel e viu que havia muito pouco sangue nele. Estava passando. Lonnie lhe entregou outro maço e Becky fez sinal de que não precisava mais. Lonnie jogou o maço de papel na privada.

— Qual o problema de ir ao médico e confirmar que não há problema com esse seu sangramento de nariz?

Qual o problema? Você tá brincando, né, Lonnie?

— Meu médico invade meu espaço pessoal.

— É uma boa desculpa, mas não é o suficiente.

Uma parte de Becky ainda acreditava que aquilo ia embora sem precisar de ajuda. Uma parte dela ainda acreditava que não havia nada para se preocupar. Ela se sentou e tocou o nariz com o papel higiênico algumas vezes, mas não havia mais sangue.

— Se isso acontecer novamente eu vou ao médico. Prometo.

— Se isso acontecer novamente eu mesma vou te levar ao médico.

— Você não vai ter de me arrastar, eu vou sozinha — Becky tocou no braço da sua melhor amiga e olhou para ela resolutamente. — Mas se isso não acontecer não fale pra ninguém, tudo bem? Especialmente pra minha mãe.

Os olhos de Lonnie se encheram de água imediatamente, e ela olhou para longe por um momento. Quando olhou de volta, ela sacudiu a cabeça lentamente.

— Tá bom.

Elas se levantaram juntas e saíram do banheiro.

— Becky, você tem de ficar perto de mim, você sabe — Lonnie disse suavemente passando um braço pelo ombro da amiga. — Eu ficaria destruída se você não estivesse por perto.

Becky encostou a cabeça no ombro de Lonnie.

— Não pretendo ir a lugar algum — ela disse com toda a convicção que conseguiu. Que não era muita.

* * *

Não que ele estivesse ansioso por causa disso, mas este encontro às escuras era a última coisa que Chris queria fazer essa noite. Ele estava nervoso desde a discussão que tivera com Polly, ainda por cima estava no meio das projeções do orçamento do escritório (que eram tão prazerosas quanto comer ar), e Becky tinha parecido muito abatida quando lhe contou essa manhã que a história que eles haviam inventado não havia curado Tamarisk. Quando eles conversaram há uma hora ela pareceu estar ainda pior. Essa praga estava realmente mexendo com ela. Hoje seria uma ótima noite para um jantar bem calórico, seguido por uma bela soneca no sofá. Mas não era isso que estava na programação. Muito pelo contrário, na sua agenda estava uma mulher chamada Kyra.

O fato de Kyra estar agora mais de quinze minutos atrasada não aumentou suas expectativas. Talvez ela fosse lhe dar um fora. E não seria a primeira vez. Ele não teria se importado em absoluto.

Alguns minutos mais tarde ele decidiu pedir uma taça de vinho. O vinho e Kyra chegaram ao mesmo tempo. Sua primeira impressão foi de que ela era deslumbrante, mas o garçom o distraiu. Ele se virou para agradecer ao garçom pela bebida, e então olhou novamente para a mulher. Ela ainda estava deslumbrante. Com certeza era a mulher mais linda que Lisa havia lhe arrumado para um encontro. Na verdade, ela era certamente uma das mulheres mais lindas que ele já havia visto. O que afinal de contas estava acontecendo?

Kyra pediu uma taça de Chianti e então se virou para ele.

— Sinto muito pelo atraso. Estou trabalhando numa fusão e parece que as partes estão se distanciando cada vez mais todos os dias. Acabei de passar meia hora consolando o CEO da empresa menor. Se o cara recebesse pelas suas neuroses ele seria um bilionário.

— Parece divertido — Chris comentou sarcasticamente.

— Eu amo isso — Kyra comentou abrindo o olhar. — Os casos fáceis me aborrecem. Os desafios realmente fazem meu sangue correr.

O único problema é que eu tenho essa tendência de perder a noção do tempo. Me desculpe novamente.

— Não tem problema.

O cabelo de Kyra na verdade reluzia. Um autor de romances de amor ia chamá-lo de cabelo louro dourado. Ele estava tentado a tocá-lo para ver se emitia alguma descarga elétrica, mas se conteve. A bebida dela chegou e ela tomou um gole, o que chamou a atenção dele para os seus olhos. Ele não conseguia pensar como um autor de romance chamaria a cor dos olhos dela, mas eles eram de um azul quase celestial. *Ah, meu Deus, Lisa marcou um encontro com uma maravilhosa alienígena. Ela provavelmente imaginou que eu nunca ia me relacionar direito com uma mulher humana e então ela desistiu da sua busca.*

— Você nunca deveria se desculpar por amar alguma coisa. Nem mesmo seu trabalho.

— Belas palavras. E você está certo, amar é algo muito, muito bom. — Ela inclinou a taça na direção dele e tomou outro gole.

Na hora seguinte o encontro com Kyra seguiu a estrutura de um típico encontro às escuras: amenidades, questões pessoais ligeiramente curiosas, mais amenidades, mais perguntas pessoais um pouco mais curiosas, comentários sobre a comida, confissões inofensivas e embaraçosas e mais amenidades. Mas não tinha a consistência de um encontro. Kyra o intrigava por várias razões e ela tinha a rara habilidade de fazer com que ele falasse de si mesmo sem se sentir constrangido. Ela até mesmo mencionou que adorava jardinagem, o que o fez falar sobre plantas, horticultura e alguns dos trabalhos que ele havia feito quando era um cientista na ativa.

Se o encontro tivesse acabado quando o garçom levou os pratos do jantar, esse poderia ter sido classificado como um dos melhores encontros da vida de Chris. Infelizmente, não foi o que aconteceu. A mudança na conversa começou inocentemente, com a menção dos filhos dela.

— Ah, você tem filhos? — Chris perguntou. — Qual a idade deles?

— Meu filho tem nove e minha filha tem seis. Eles estão com o pai hoje.

— Há quanto tempo vocês dois se separaram?

— Há quase cinco anos. Na verdade, o segundo filho precipitou tudo, embora nosso casamento já estivesse oscilando bastante antes mesmo de George nascer.

— É, isso é difícil. Como é lidar com o seu ex-marido agora?

— Estamos nos dando melhor desde o divórcio que durante os seis anos de casamento. A educação das crianças era a única coisa com a qual concordávamos, e conseguimos construir um relacionamento platônico a partir dali.

Chris deu uma risada cínica.

— Sinto muito, você pode repetir isso em inglês, eu não consigo entender o que você está dizendo.

Kyra fez uma pausa enquanto levava o seu copo de água até os lábios.

— O que você quer dizer com isso?

Chris fez um aceno com a mão.

— Esqueça isso, estou apenas sendo um idiota. Vamos simplesmente dizer que eu não tenho tido a mesma experiência com a minha ex como você tem com o seu.

— Você tem filhos?

— Uma filha. Uma garota de catorze anos. Ela é maravilhosa e minha ex-mulher detesta a ideia de que eu pense assim.

Kyra revirou os olhos.

— Acho isso um pouco difícil de acreditar.

— Na verdade, não. Acho que se eu tivesse sido distante dela, distraído ou até mesmo ligeiramente abusivo, meu casamento poderia ter sobrevivido. Mas amar minha filha incondicionalmente e lhe entregar cada pedacinho da minha alma foi demais pra minha ex aceitar.

A expressão de Kyra ficou sombria.

— Isso é muito triste.

Chris sentiu uma onda de adrenalina percorrer seu corpo. Depois do que tinha acontecido no final de semana só pensar em Polly o deixava pronto para o ataque.

— Sim, é realmente muito triste. Uma família se desfaz e eu perco anos com a minha filha. Não porque eu era um cara ruim, mas porque, veja a ironia disso, eu era um cara bom demais. E ainda melhora. Agora que eu reconquistei um pouco do que eu tinha perdido com a Becky, depois de todo esse tempo afastado dela me sentindo um lixo, a Polly está tentando encontrar um modo de nos separar novamente. Como se se divorciar de mim uma vez não tivesse sido suficiente.

— Uau! — Kyra disse com a voz fina. — Isso é duro.

Uma parte do cérebro de Chris registrou a mensagem *podemos mudar o assunto* que Kyra estava enviando. No entanto, não era a parte que controlava sua fala.

— Sabe o que mais? Pra mim tudo bem, se não fosse pela Becky alguma outra coisa teria acabado com o meu casamento. Eu não sei, problemas profissionais, questões financeiras, questões sobre o papel de parede, molhos de macarrão ou seriados de TV. Alguma coisa teria nos atingido. É algo que estava predeterminado. Sabe por quê? Porque o amor romântico sempre morre. Absolutamente. Cem por cento das vezes.

Kyra parecia verdadeiramente espantada por essa declaração.

— Certamente nem todos os casamentos terminam em divórcio, algumas pessoas conseguem ficar juntas.

— Juntas? Sim. Apaixonadas? Absolutamente não. Você me mostra duas pessoas que estão juntas por qualquer período de tempo e ainda se declaram apaixonadas uma pela outra e eu vou te mostrar duas que estão fingindo.

Kyra estava segurando o copo de água na mão enquanto ele saía com aquilo. Então ela o colocou de volta na mesa.

— Você não acredita nisso realmente, acredita?

Será que ele acreditava nisso? Chris se permitiu um momento para pensar sobre isso.

— Sim, eu realmente acredito nisso.

Kyra ergueu as sobrancelhas.

— Então o que estamos fazendo aqui? — ela disse suavemente, claramente magoada.

Chris percebeu tarde demais como tudo isso parecia absurdo para Kyra. Ela não o conhecia bem o bastante para perceber de onde estava vindo toda aquela raiva. Ela não conhecia nenhuma parte da sua história além do que ele havia contado nos últimos minutos. Ele também percebeu — também tarde demais — que essa não era o tipo de mensagem que se passava num primeiro encontro — ou em qualquer outro tipo de encontro. Esse era o tipo da coisa que ninguém estava interessado em ouvir.

— Sinto muito. Passei por um período bem difícil, e eu não pretendia explodir desse jeito.

Kyra tirou o guardanapo do colo e o colocou sobre a mesa.

— Parece que isso já está na sua cabeça há algum tempo, não por apenas alguns dias.

Chris quis discutir a questão, mas então percebeu que ele estava simplesmente adiando o inevitável. Não havia nada na sua coleção de habilidades em encontros que ia ajudá-lo a consertar aquilo. E mesmo que ele conseguisse, as coisas não iam funcionar num próximo encontro.

— Eu estava me divertindo bastante hoje — ele disse, resignado. — Desculpe por eu ter desabafado com você.

Kyra empurrou sua cadeira.

— Sinto muito pelo que você está sentindo, Chris. Só acho que o que você está sentindo não tem nada a ver com o que eu estou procurando nesse momento.

Ela se levantou e saiu do restaurante. Chris recusou o café e a sobremesa, mas pediu outra taça de vinho. Era inacreditável o que ele era capaz de fazer para destruir suas chances com as mulheres.

As coisas poderiam ter sido tão melhores — tanto para Kyra quanto para ele — se ele tivesse passado a noite dormindo no sofá.

15

— Então, pai, eu sei que você não trabalha mais com engenharia genética, mas você ainda está atualizado com as novidades, não está? Quer dizer, você ainda lê os artigos e revistas científicas e todas essas coisas, né?

Chris e Becky estavam lavando a louça depois do jantar. Querendo alegrar um pouco as coisas, Chris tinha decidido que eles iriam preparar juntos um jantar mexicano bem sofisticado. A comida ficou deliciosa, muito embora Becky não tivesse comido tanto. A desvantagem foi que eles ficaram com uma montanha de pratos e panelas para lavar.

— Claro que sim. Você sabe que eu adoro essas coisas.

Becky secou a forma de tortilha e a colocou de volta no armário.

— Isso significa que você ainda está bem atualizado e muito provavelmente poderia usar suas habilidades científicas se você precisasse, certo.

Chris lavou uma forma de alumínio e entregou para a filha secar.

— Sim, por quê? Você encontrou um novo emprego pra mim?

— Mais ou menos.

Chris fechou a torneira e ergueu a sobrancelha em direção a Becky. Ele nunca tinha falado com ela sobre como estava infeliz nesse trabalho.

— Mais ou menos?

— Não pense que estou louca, mas o que você acha de ir pra Tamarisk comigo hoje à noite?

Chris sentiu seu estômago flutuar.

— Ir pra Tamarisk?

— Não sei por que eu não pensei nisso antes. Eles estão tendo um problema com as plantas e você é um expert em plantas. Faz sentido a gente tentar isso, não faz?

Chris deu uma risada.

— Faz sentido?

Becky olhou para o alto.

— Tudo bem, talvez nada disso faça muito sentido. No fundo eu acho de verdade que toda essa história de Tamarisk é bem incrível. Mas as coisas estão muito confusas por lá. Quem sabe? Talvez você possa descobrir alguma coisa que nenhum dos cientistas deles conseguiu ver antes.

Becky estava séria quanto a isso.

— Você quer que eu vá pra Tamarisk com você?

— Eu acho que você *precisa* ir.

Chris se permitiu pensar por um momento nas implicações do que Becky estava dizendo. Ela o estava convidando a viajar junto para outro universo. Parecia ridículo se pensado desse modo, mas não havia uma parte dele que estava secretamente ansiando por esse convite desde o momento em que Becky mencionou suas viagens pra lá? *Magia é apenas a ciência que nós ainda não entendemos*. Chris não conseguia se lembrar de quem havia dito isso, mas ele nunca tinha sido o tipo de pessoa que acreditava que as leis da física eram imutáveis. Ele sempre tinha considerado a possibilidade que descobertas extraordinárias — até mesmo mágicas — estavam ali por perto. Será que ele estava a ponto para participar de uma?

— Será que isso é possível? — ele perguntou, indeciso.

A expressão de Becky ficou sombria.

— Você está dizendo que não acredita nisso?

— Estou dizendo que estou pensando se *eu* posso fazer isso. Não sei, eu estava achando que você era a única com o passaporte válido.

Becky pensou sobre aquilo.

— Talvez eu seja. Mas acho que vamos ter de descobrir. Eles precisam de você, pai.

Chris se empolgou com essas palavras.

— Então, como acha que devemos fazer?

Becky deu uma risada como se tivesse ficado surpresa com a pergunta.

— Eu não faço ideia. Mas vamos tentar, né?

Chris deu de ombros. Ele estava arrepiado.

— Claro, por que não? Nós não temos nada planejado pra hoje mesmo.

* * *

— Temos de ficar no escuro — Becky disse assim que se sentaram na cama.

— As luzes?

— As luzes já estão apagadas. Temos de escurecer tudo. Você precisa fechar os olhos e apagar tudo que aconteceu hoje, e tudo mais que esteja na sua mente.

— Você percebe que vai ser um pouco difícil deixar de pensar no que estamos fazendo, não é?

— Tente, pai. Eu não sei se isso vai levar a gente pra lá ou não, mas tenho certeza de que nunca chegaremos lá de outro modo.

Chris fechou os olhos.

— A sequência de escurecer iniciada.

— Viajar pra Tamarisk não exige essas frases bobas.

— Me desculpe.

Chris não queria decepcionar Becky. Ele não queria decepcionar a si mesmo. Apesar de tudo, fechar os olhos o fez pensar mais no que eles estavam fazendo e não menos. Ele tinha feito uma aula de meditação quando estava na faculdade. Talvez algumas das técnicas aprendidas naquela época pudessem ser úteis agora. Infelizmente ele não se lembrava de nenhuma das técnicas aprendidas.

— Você não está escurecendo — Becky o repreendeu.

— Você está lendo minha mente?

— Eu não preciso fazer isso. Você está se mexendo o tempo todo. Você não pode escurecer as coisas e ficar se mexendo ao mesmo tempo.

Chris respirou fundo várias vezes e tentou se concentrar na escuridão por trás dos seus olhos. Ele segurou as duas mãos de Becky de modo que eles não se separassem em trânsito. Chris não queria pensar muito no que essa separação poderia significar, será que ele ia parar em outra parte de Tamarisk? Ou talvez ele fosse parar num mundo completamente diferente, talvez um mundo criado por outra garota e outro pai. Até onde ele sabia, esse tipo de coisa acontecia sempre, mas ninguém falava sobre isso.

Pare de pensar. Você está atrapalhando o processo do escurecimento. Chris sentiu seus pensamentos começarem a ficar para trás à medida que a escuridão ficava mais profunda. E então mais negra. Ele sentiu um movimento naquele instante e pensou ter visto alguma coisa ainda mais escura do que a escuridão. O movimento quase o fez abrir os olhos.

Ao pensar nisso o movimento parou. *Não pense no movimento — não importa o que seja. Apenas se deixe levar.* Alguns momentos mais tarde a escuridão se aprofundou novamente. Novamente Chris sentiu um puxão, como se alguém o estivesse puxando por trás, mas dessa vez ele afastou o pensamento desse puxão. A sensação de movimento continuou por algum tempo. E então parou mais uma vez. Chris se sentiu suspenso no ar como se alguém o estivesse balançando. Ele não sentiu nada mais a não ser a escuridão a sua volta. Por um instante ele viu um rosto — não, não um rosto, era uma forma, ou uma expressão, ou alguma coisa que parecia com uma expressão, mas não tinha características humanas. Ela ficou ali parada por um momento, mas quando Chris tentou descobrir o que era ele não conseguiu.

— A travessia é bem difícil.

A voz estava na sua cabeça. Na sua pele. Ele não disse as palavras ele mesmo, mas sabia que elas não tinham vindo de fora. A menos que esse fosse o modo como as coisas aconteciam.

— É você que está me dizendo — Chris disse.

Será que ele realmente estava falando ou estava aprendendo alguma outra forma de comunicação?

— Não existe nenhum dom que eu possa lhe dar que torne isso mais fácil que aqueles que já lhe dei.

— Eu preciso fazer isso. Ajude-me a conseguir.

— Você não precisa de ajuda. O caminho está aberto. Uma jornada dolorosa o espera. Mantenha sua visão. Expanda sua visão.

Será que Becky tinha uma conversa desse tipo todas as vezes em que ela ia para Tamarisk? Será que essa voz era de algum tipo de guardião? Será que Chris deveria pronunciar algumas palavras mágicas para poder entrar nesse mundo?

— Não sei o que isso quer dizer.

— Absorva isso e todos os recursos. Enriqueça-se.

Por mais que tivesse a mente aberta, esse intercâmbio estava ficando um pouco assustador. Por que ele não estava se movendo mais? Por que ele não conseguia sentir as mãos de Becky? Repentinamente essa figura se aglutinou. Não era mais um rosto. Não era nada que Chris já tivesse visto antes e ele não tinha palavras para descrevê-lo. Era determinação. Era vontade. Era energia. E isso tomou conta dele. Ele não sabia ao certo o que era, mas de repente Chris se sentiu mais leve e mais substancial ao mesmo tempo.

— Absorva isso e todos os outros recursos.

E então a figura desapareceu, deixando para trás apenas uma sensação. Chris não estava certo sobre o que pensar, sabia apenas que precisava continuar a travessia para chegar a Tamarisk por causa da Becky. Ele podia sentir as mãos dela novamente. Novamente ele viu o caminho mais escuro do que a escuridão. Ele sentiu o puxão.

No entanto, o movimento cessou.

O que estou fazendo de errado? Droga, aposto que realmente Becky é a única que consegue fazer isso.

— Pai, abra os olhos.

Chris abriu os olhos e apertou com força a mão da filha.

— Desculpe, meu bem.

Então ele se virou. Olhou para a sala de reuniões repleta de gente brilhantemente vestida, em volta de uma mesa muito escura feita de algum tipo de pedra. *Malheur. Tenho certeza de que essa pedra é chamada de malheur.* Viu o material furta-cor e cheio de incrustações que cobria as paredes. *Não me lembro desse material de jeito nenhum.* Olhou a jovem com uma postura perfeita, sentada na cabeceira da mesa olhando intensamente para ele.

Ele estava em Tamarisk.

Chris olhou atentamente para Becky e apertou as mãos dela novamente. *Isso é incrível. Quer dizer, eu acreditava nela, mas nós estamos* mesmo *aqui.* Becky soltou as mãos e se virou na direção da mulher que ele acreditava ser Miea. Ele tinha visto o rosto dela antes, embora não a tivesse reconhecido a princípio. Ela se parecia um pouquinho com a Kyley, mas não era exatamente isso. O vídeo. O restaurante. O que estava acontecendo?

— Vossa Majestade — Becky começou —, eu sei que não pedi sua permissão antes, mas eu pedi ao meu pai pra vir comigo.

Miea assentiu lentamente com a cabeça. Ela não parecia irritada, mas ao mesmo tempo ela aparentava estar perplexa e desconfortável.

— Claro que o seu pai é bem-vindo aqui, Becky. Tenho certeza de que Sorbus pode providenciar um tipo de passeio para ele.

— Ele está aqui pra trabalhar, Vossa Majestade.

Chris mal estava ouvindo essa conversa. A sua atenção estava voltada para aquele ambiente. Os objetos de escrita transparentes. A sombra azulada da luz indireta. A trama sinuosa dos tapetes. A música atonal vinda de fora que ele mal podia ouvir.

— Trabalhar, Becky?

— Meu pai é um cientista. Um cientista de plantas.

Ao ouvir aquelas palavras, Chris olhou de relance para Miea. A rainha estava olhando diretamente para ele. Seu olhar era sério, mas ele viu uma centelha nos olhos dela.

— Você acha que consegue nos ajudar com essa praga?

Chris se endireitou. *O passeio fica pra mais tarde. Tenho um trabalho a fazer agora.*

— Eu realmente não sei, Vossa Majestade. Mas fico feliz de que tenha acesso a meu cérebro.

— O cérebro que ajudou a criar Tamarisk.

Chris olhou de relance para as paredes brilhantes.

— Acho que eu não sou o responsável por tudo isso.

Miea fez um sinal para que Chris e Becky se aproximassem da mesa.

— Por favor, venham se sentar. O conselho de emergência e eu estávamos discutindo os últimos relatórios dos prejuízos. Para ser honesta, não conversamos sobre nada mais nos últimos dias.

Chris se sentou ao lado de um homem idoso e de um homem e uma mulher mais ou menos da idade de Miea.

— Vocês podem me colocar a par da situação?

A rainha assentiu e a mulher ao lado de Chris se dirigiu a ele.

— Você está familiarizado com as condições da praga?

— Eu já trabalhei com várias e estudei muitas outras.

— Essa avança em três estágios. As plantas afetadas mostram sinais como estrias por até duas semanas. A seguir vem um período mais curto no qual as estrias desaparecem e as plantas perdem a capacidade de se nutrir. Finalmente vem a necrose e a morte.

— *Conida?*

— Os esporos se desenvolvem dentro do sistema da raiz. Eles permanecem internos até os últimos estágios da necrose.

— Isso é comum pra uma praga daqui?

— As pragas não são muito comuns por aqui. Nas vezes em que nós já tivemos algumas doenças pontuais, a conida sempre foi externa, nós não temos um caso da praga da *conida* interna em quase uma década.

Claramente as condições botânicas eram diferentes em Tamarisk do que em casa. Isso era tanto uma boa notícia quanto má. O lado bom é que Chris acreditava poder fornecer ideias para os cientistas locais, que eles não teriam pensado. O lado ruim era que havia uma enorme chance de suas ideias não provocarem muito impacto.

Na meia hora seguinte, Chris interrogou a mulher para saber todos os detalhes da doença, examinando exemplos das plantas em vários níveis da infestação, tentando interpretar os dados com um conjunto de explicações diferente do que ele estava acostumado e tentando descartar as causas possíveis. Vez ou outra o jovem sentado ao lado da mulher contribuía com alguma informação.

Era óbvio que ambos se reportavam diretamente ao homem mais velho, mas além de uma aceno ou outro aos seus colegas, o homem não participou da conversa. Ninguém mais a não ser Miea participou. De vez em quando Chris olhava para outra pessoa sentada à mesa, e percebia uma expressão ao mesmo tempo extasiada e apavorada.

Eles provavelmente estão tão perplexos com essa experiência quanto eu. Imagino quantas dessas pessoas sabiam da existência de Becky e agora ela e o pai se materializaram vindos do nada.

A certa altura ele trocou olhares com Becky. Os olhos dela estavam reluzentes e sua pele brilhava. Ele percebeu que ela ouvia atentamente suas falas e que estava impressionada. Orgulhosa dele. Ele tinha que se lembrar de viajar para esses mundos de fantasia com ela mais vezes.

Chris anotou tudo que pôde. Como todo o resto, aquilo foi um pouco confuso a princípio porque o papel era muito fininho (muito embora ele fosse mais resistente e forte que uma folha de papel sulfite), a caneta deslizava demais nele, e a tinta aparecia em um segundo ou dois no papel. Chris se acostumou a isso rapidamente, porque ele queria ter o máximo de informação possível para levar, estudar e usar como referência quando procurasse nos seus livros e nas suas pesquisas *on-line*.

Enquanto ele estava escrevendo sobre alguma coisa, a mulher falou sobre a semelhança entre a composição biológica dos esporos e de um cisto encontrado em um pássaro havia alguns anos em Pinzon, a caneta parou de funcionar. Ele a sacudiu algumas vezes e então estendeu o braço para pegar mais uma. De repente ele estava se sentindo mais pesado, como se a gravidade no planeta tivesse se elevado dramática e rapidamente.

— Pai, temos de ir embora — Becky disse.

— Eu gostaria de ficar um pouco mais.

— Não temos escolha quando os puxões começam...

Chris agarrou os papéis. Seus olhos pareciam querer se fechar mesmo contra a sua vontade. Ele se sentiu flutuar novamente e queria olhar em volta para ver onde estava. Ele não pôde ver nada, no entanto. Menos de um minuto mais tarde a gravidade se normalizou e ele olhou ao redor para perceber que estavam novamente no quarto de Becky.

Ele se recostou na cama e olhou para a filha, que tinha um enorme sorriso no rosto.

— Isso foi incrível.

— Você pareceu bem inteligente lá.

— Só estava fazendo pose.

Ela lhe deu um empurrão de um jeito brincalhão.

— Você acha que consegue descobrir o que está acontecendo?

— Eu anotei um milhão de coisas. Vou começar a procurar amanhã de manhã, desde que eu consiga dormir essa noite. Talvez eu devesse começar agora.

Chris se sentou para olhar os papéis. Foi aí que ele notou que eles não haviam feito a travessia junto com ele.

* * *

realityjunkie: alissa e rob ñ têm nenhuma chance de ficarem juntos. vc viu como ela tava conversando c o dillon hj?

punkrockprincess: o dillon eh d+!!!! alissa ficaria bem melhor sem ele mesmo assim. talvez se rob ñ tivesse beijado a betty na festa da kendra, alissa ñ estivesse procurando outro cara.

iliaepe: aquele bj foi totalmente inocente e a alissa às X é bem difícil. filme na minha casa na sexta à noite?

Becky geralmente gostava muito dessa troca de mensagens na internet, mas sua cabeça não estava nisso hoje. Ela e o pai tinham passado uma hora da noite de sábado e uma grande parte do domingo tentando reconstruir a reunião da qual ele participara em Tamarisk. Muito daquilo estava além do seu conhecimento, mas ela era muito boa em puxar as coisas dele. Ela lembrou que ele havia dito alguma coisa que se parecia com "Condoleezza" e que isso ia lembrá-lo de escrever alguma coisa importante sobre a *conida*. Quando Chris a deixou de volta na casa da mãe, ele havia feito um bom trabalho em se lembrar de praticamente tudo. Pelo menos era o que ele pensava.

Ele disse que ia tentar conseguir trabalhar um pouco no computador principal do escritório, e fazer um pouco de pesquisa. Becky sabia que era difícil para ele fazer esse tipo de coisa no escritório — especialmente desde que ele tinha sido "mandado para o andar de cima" —, mas parecia que ele ia realmente tentar. O dia todo na escola Becky ficou imaginando se ele tinha conseguido fazer algum progresso. Mesmo agora, enquanto a discussão sobre se Alissa e Rob continuariam juntos depois dessa semana estava com força total na tela do computador, o que ela realmente queria era falar com o pai.

De repente ela se deu conta de que poderia lhe mandar uma mensagem de texto. Ela nunca tinha feito isso no horário de trabalho, muito embora ele estivesse na lista de contatos dela, porque não achava que era uma coisa apropriada. No entanto, as coisas agora eram diferentes. Ela imaginou que valia a pena tentar.

Questgirl14: oi, pai!

Ela apertou a tecla do enviar e esperou. Seus amigos continuaram a bater papo (parecia que ela ia a um festival de filmes da Drew Barrymore na casa da Natalie na sexta-feira e que Alissa não tinha sido convidada), mas a nova tela que ela tinha aberto continuava em branco já há alguns minutos.

Helichrysun: Becky? Oi! Que surpresa ver você no meu computador.

Questgirl14: como está o trabalho?

Helichrysun: Mais ou menos a mesma coisa. Como foi a escola?

Questgirl14: td bem. vc teve tempo d fazer alguma pesquisa?

Helichrysun: Não tanto quanto eu gostaria de ter feito. Só consegui ficar uns vinte minutos no computador grande na hora do almoço.

Questgirl14: descobriu alguma coisa?

Helichrysun: Alguns dos sintomas que eles falaram são muito semelhantes a uma praga chamada Dothistroma Needle Blight. Essa doença afeta os pinheiros.

Questgirl14: talvez seja isso!!

Helichrysun: A praga de Tamarisk só tem ALGUNS sintomas, na verdade ela tem muitos deles, mas o ciclo da doença é diferente, e isso pode significar que seja algo completamente diverso.

Questgirl14: existe uma cura pra esse tipo de praga?

Helichrysun: Existe um modo de controlá-la.

Questgirl14: é melhor do q nada!!!!! vc acha q eles poderiam verificar isso?

Helichrysun: Dois problemas. O primeiro é que não há como ter certeza de que isso tenha a ver com a Dothistroma a essa altura, e se tratarmos essa coisa do modo errado, podemos causar muitos prejuízos. O segundo é que o controle exige o uso de fungicidas de cobre. Talvez seja um pouco difícil levar os barris com esse material conosco (já foi difícil transportar o papel e não deu certo) e quem sabe se eles vão ter matéria-prima em Tamarisk pra produzi-lo lá. Já que estamos falando disso, isso me leva ao terceiro ponto. Muito provavelmente

Tamarisk deve ter um ecossistema bem diferente. Se introduzirmos um fungicida do nosso mundo lá, pode ser que ele acabe prejudicando mais do que a própria peste.

Questgirl14: ñ acredito que isso seja possível.

Helichrysun: Vamos falar sobre isso com eles na terça-feira. Enquanto isso, vou tentar fazer um pouco mais de pesquisa.

Questgirl14: obrigada, pai. é maravilhoso o q vc tá fazendo. vou deixar vc trabalhar agora.

Helichrysun: Becky, fique à vontade pra me interromper quando quiser.

Questgirl14: pode apostar!!!!

Seu pai havia levantado algumas questões válidas sobre o ecossistema de Tamarisk. Afinal de contas, lá todas as plantas eram azuis e o solo era preto. Mas quem sabia o que isso provocava na composição das coisas? Talvez Chris tivesse começado a colocar um pouco de ciência nas histórias de Tamarisk se eles tivessem continuado com elas depois que ele se separou de Polly. Ela e o pai haviam passado muito tempo conversando sobre a lógica do mundo nos meses anteriores a ela interromper a sessão de histórias. Já que eles não tinham chegado a discutir sobre a ciência no lugar, havia uma bela chance de que Tamarisk tivesse leis de física significativamente diferentes. *As chances são boas, Becky, já que é um universo diferente e é um produto da sua imaginação.*

No entanto, não havia respostas fáceis. Ela simplesmente sabia disso.

Punkrockprincess: oi, becky, vc ainda tá aí????????

Quesgirl14: sim, ainda tô aqui, tô pensando. pra mim td bem c a drew barrymore e td mal com a alissarob, pior ainda com o dillon, ah e eu vou levar a pipoca cmg na sexta. o q vcs levaram pra comer da ultima vez tava terrível!!!!!!!!!!

* * *

Chris precisava se afastar do computador e se arrumar para ir ao jantar com Lisa. Uma vez que as pessoas começaram a sair do escritório depois do dia de trabalho, foi muito mais fácil para ele acessar o computador principal sem interrupções. Sem ninguém perguntando o que ele estava fazendo. Afinal de contas, esse equipamento era para os cientistas *na ativa*. Ele sentiu que estava fazendo algum progresso, mas ele havia dito para Lisa que a encontraria naquele novo restaurante sofisticado de comida crua às 19h30. Às 19h15 ele finalmente desligou o computador, o que significava que ele ia se atrasar dez minutos.

Lisa lhe deu um tapinha no pulso, de um jeito brincalhão por ele tê-la feito esperar, e então começou a contar desenfreadamente uma história sobre seu final de semana. Seu superpatético namorado tinha chegado em casa inesperadamente, e pelo que Chris pôde perceber eles tinham passado o tempo todo juntos tentando fazer todas as posições do Kama Sutra.

Chris ouviu a narrativa proibida para menores de Lisa com o máximo de atenção. Presumivelmente não precisava de muito para disfarçar que não estava prestando atenção às palavras dela — Lisa parecia envolvida demais na própria história. Enquanto isso, seus pensamentos podiam voar de volta para a sua pesquisa.

Talvez seja algum tipo de Dothistroma — um tipo tamariskiano. O motivo pelo qual a praga não age do mesmo jeito como a Dothistroma age aqui são as diferenças no ecossistema. Se eu puder identificar essas diferenças, talvez a Dothistroma seja a resposta. Aí eu poderia aplicar o que sei das diferenças pra então identificar um modo de criar uma variação no controle...

— Meu bem, os homens recebem drinks jogados nas suas caras por muito menos — Lisa disse em tom cortante.

Chris olhou nos olhos furiosos de Lisa.

— Hã?

— Olha, Chris, seu problema talvez realmente seja o fato de você ser um eunuco. Eu tirei essa ideia da cabeça há muito tempo, mas se você consegue ouvir a minha história sobre meu jardim sem nenhuma mudança na expressão, então realmente você não tem nada por dentro. Ou isso ou você está pensando numa história muito mais quente e picante que a minha.

Chris sentiu o rosto corar.

— Desculpe. Minha cabeça estava viajando.

— Você tem de me explicar como uma pessoa consegue viajar e se afastar do que eu estava falando agora.

Chris ergueu as sobrancelhas.

— Você deve estar muito desapontada comigo.

— Meu bem, se isso não aconteceu até agora, provavelmente nunca vai acontecer.

— Estava pensando numa coisa que eu estava fazendo no trabalho.

Lisa levantou as mãos para o alto.

— E eles disseram que isso não podia ser feito.

Chris estendeu as mãos sobre a mesa para tocá-la no braço.

— Não era uma coisa de trabalho que eu estava fazendo no trabalho.

Lisa se inclinou para a frente.

— Muito melhor. — Ela sorriu de um modo diabólico. — Por acaso era alguma funcionária nova com quem você estava transando no trabalho?

Chris deu uma gargalhada.

— Não exatamente. — O relacionamento de Chris com Lisa era bem aberto, e prova disso eram os detalhes que ela havia lhe dado nos últimos quinze minutos. Mas será que ele estava pronto a revelar tanta coisa? — Eu estava trabalhando num problema em Tamarisk.

O rosto de Lisa ficou preocupado. Inicialmente, Chris pensou que ela estava reagindo mal. Então, ele percebeu que ela estava tentando lembrar o que era Tamarisk.

— O mundo de fantasia que eu criei com a Beck — ele disse para ajudá-la a se localizar.

Os olhos de Lisa se arregalaram quando ela se lembrou. Então, eles se comprimiram novamente.

— Tirando o fato de que não é somente um mundo de fantasia — ele completou rapidamente.

— O quê?

— Você não vai acreditar se eu contar como passei o meu final de semana.

Depois, Chris levou alguns minutos para contar a Lisa tudo sobre a viagem para Tamarisk, sobre os problemas que os cidadãos estavam tendo lá e qual o trabalho que ele tinha feito desde que tinha voltado. Ele não percebeu até terminar de falar que Lisa havia ficado estranhamente silenciosa o tempo todo. Ele tomou um gole de água e esperou que ela dissesse alguma coisa.

— Você estava inventando esta história enquanto eu estava conversando porque você queria me superar, não é? — ela disse lentamente.

Chris sorriu.

— Isso tudo realmente aconteceu.

— Chris, eu...

Chris levantou a mão.

— Lisa, realmente aconteceu.

Lisa olhou para ele de queixo caído. *Depois de todos esses anos eu finalmente a deixei sem palavras.*

— Obviamente eu não tenho prestado muita atenção em você nos últimos tempos — ela comentou com um tom de tristeza na voz.

— Eu sei que isso não é fácil de entender.

— Física nuclear não é fácil de entender. Isso... isso infelizmente é fácil demais pra entender. Chris, você está tão preocupado com o seu relacionamento com a Becky que você está começando a ter alucinações.

Chris sacudiu a cabeça com veemência.

— Não vem dar uma de Polly pra cima de mim, Lisa.

— O que quer dizer "dar uma de Polly"?

— É que ela já me deu uma dura por eu encorajar as fantasias da Becky.

— Fantasias da Becky? Ela pensa que pode ir pra Tamarisk também?

— Eu acabei de te falar isso. Becky foi primeiro e eu achei isso inconcebível, do mesmo jeito que você está achando agora. Mas ela continuou falando tanto sobre isso que eu comecei a acreditar nela. Então, nesse fim de semana eu fui pra lá com ela.

Lisa ficou olhando para ele por um bom tempo.

— Sabe, isso parece coisa de jornal sensacionalista.

— Eu entendo que isso pareça estranho.

Lisa deu uma risada e então o encarou.

— Você sabe que eu sempre acreditei que pelo menos algumas dessas besteiras eram verdadeiras, quer dizer, você não pode inventar todas essas coisas, não é?

Ela estendeu o braço pela mesa e pegou a mão dele. Novamente ela não disse nada por um tempo. Chris não conseguia encontrar uma forma de quebrar o silêncio.

— E você está me dizendo que existe uma praga horrível lá?

— Ninguém sabe como curá-la.

Lisa torceu o nariz.

— Isso realmente é uma droga. — Esse era o jeito dela de demonstrar empatia e carinho. — Me conte tudo. — Ela acariciou a mão dele. — Minha história no jardim realmente aconteceu, tá? E eu nem contei pra você ainda tudo o que a gente fez na banheira de massagem.

Chris deu uma gargalhada.

— Mal posso esperar.

* * *

A segunda viagem para Tamarisk foi menos confusa, mas só um pouquinho menos. A tentação de abrir os olhos enquanto ele estava flutuando era muito forte — ele queria saber para onde estava viajando e como chegaria lá —, mas instintivamente ele sabia que isso seria um erro. Aquela fisionomia com a voz miraculosa não foi com ele dessa vez. Chris se esqueceu de perguntar para Becky se o rosto havia aparecido para ela também. Talvez aquela coisa fosse algum tipo de guardião e tivesse decidido que ele poderia passar.

Quando chegaram, ele não pôde evitar admirar de relance a sala enquanto as outras pessoas falavam. Tantas coisas ali pareciam tão familiares e tão completamente diferentes ao mesmo tempo. Até mesmo o ar parecia outro. Era mais fresco e mais límpido, e até a respiração normal parecia purificar tudo, como se ele tivesse segurado e expelido o ar de dois pulmões inteiros.

Fizemos um bom trabalho com este lugar, Becky. Com exceção de uma pequena coisa chamada praga devastadora.

Como na primeira vez, havia um grupo de funcionários tamariskianos reunidos na sala de reunião. Será que eles ficavam aqui o tempo todo agora? Quando Chris e Becky chegaram eles estavam no meio de uma discussão sobre o filho do vice-chanceler thorn. Alguém que Becky tinha encontrado, ao que parece. Miea suspeitava de que os thorns tinham participação na criação da praga, mas agora esse garoto tinha ido até o escritório do governo na cidade de Tamarisk e pedido asilo. Miea ordenou que ele fosse detido para interrogatório. Eles decidiriam o que fazer com ele depois.

Quando terminaram essa conversa, eles se viraram para Chris para perguntar o que ele havia descoberto. Ao contrário da primeira vez, Thuja, o ministro da agricultura, estava consideravelmente mais falante, inquirindo Chris sobre suas recentes descobertas.

— Sim, existe uma possibilidade — Chris respondeu a uma pergunta sobre a praga Dothistroma. — Será impossível confirmar sem uma análise mais profunda do lado de cá.

— Se o seu ecossistema é diferente, isso certamente seria necessário.

— A questão é que eu não conheço realmente as diferenças entre nossos ecossistemas. Eles podem ser completamente compatíveis ou completamente diferentes um do outro. Não vai ser fácil determinar isso porque eu não posso trazer nenhum aparelho comigo. Seus aparelhos estão calibrados pro seu mundo, e não há muita coisa que eu possa fazer só de olhar.

Enquanto esse último ponto era discutido, Chris ansiava por sair para o ar livre. Para começo de conversa, ele estava visitando um mundo e até agora só tinha visto essa sala. Mais importante ainda, ficar falando simplesmente sobre a composição biológica de um planeta não era nada mais que um exercício intelectual. Ele precisava tocar as plantas, sentir o solo e compreender como o vento soprava e como as nuvens se moviam. Qualquer uma dessas coisas poderia lhe oferecer pistas e lhe dar um ponto de referência sobre como trabalhar. Talvez isso nunca fosse suficiente sem o equipamento próprio, mas era alguma coisa a mais que ele tinha agora.

Mas uma viagem para os campos teria de esperar. Thuja parecia inclinado a lhe perguntar dezenas de diferentes coisas e todas elas ressaltavam o fato de que, no que dizia respeito à ciência, eles estavam falando línguas bem diferentes. Além disso, havia a questão do tempo. Chris não tinha ideia do quanto a visita a Tamarisk poderia durar. Becky sabia que algum tipo de "puxão" anunciava o final da estada deles, mas ela não sabia dizer quanto tempo durava até de ser puxada para trás. Ela disse que às vezes era como se ela ficasse lá por horas, enquanto em outras ocasiões o tempo parecia ter corrido. Será que isso era uma coisa relativa baseada em como ela se sentia sobre o que estava fazendo? Ou o tempo permitido para ficar em Tamarisk variava baseado em alguma combinação de fatores que nenhum deles sabia? Esses fatores mudaram agora que havia dois viajantes? Seria bom ter alguma resposta simples para juntar a todas essas coisas impressionantes que estavam acontecendo.

Um jovem sentado ao lado de Thuja se inclinou na direção do ministro.

— Podemos designar uma equipe completa de analistas para desvendar a composição do meio ambiente de jeitos diferentes. — Ele olhou para Chris. — Talvez se você descobrir um jeito de fazer a mesma coisa do seu lado, nós possamos chegar a um ponto em comum.

Chris concordou.

— Isso vai demorar, mas pode valer a pena.

— O tempo está se tornando uma moeda preciosa — Miea declarou. Assim como na primeira reunião, ela havia dito muito pouco até então.

— Vossa Majestade — Thuja disse —, temos algumas opções.

— E o tempo não está entre elas — ela retrucou bruscamente. — Com certeza eu não preciso ler novamente os seus relatórios sobre a destruição, preciso?

Thuja olhou para baixo, para os seus papéis, mas Chris pôde perceber que ele estava furioso. Infelizmente, os dois estavam certos. Se os relatórios eram precisos, a praga estava avançando cada vez mais rápido. Os suprimentos de comida estavam diminuindo. Como consequência, mais insetos e pequenos animais estavam morrendo. Talvez fosse uma questão de meses antes de Tamarisk ter problemas para alimentar seus cidadãos. Ao mesmo tempo, ninguém estava oferecendo uma alternativa melhor do que uma extensa análise comparativa dos ecossistemas.

— Estarei de volta daqui a quatro noites — Chris declarou. — Vou fazer o máximo que puder do meu lado e talvez seus analistas possam fazer o mesmo.

— Tem alguma chance de você voltar aqui antes? — Miea perguntou.

Chris sacudiu a cabeça.

— Receio que não. Becky não vai ficar comigo novamente até o sábado e eu não posso vir aqui sem ela. Eu já tentei.

— Você tentou? — Becky exclamou chocada. Essa foi a primeira vez que ela disse alguma coisa durante a reunião.

Chris se virou para ela e sorriu.

— Isso te surpreende?

Becky sorriu de volta.

— Não, acho que não. Mas talvez exista um modo de você chegar aqui. — Ela se virou para Miea. — Você pode, não sei, abrir outra porta pro meu pai?

Miea sacudiu a cabeça tristemente.

— Becky, eu não abri a primeira porta, não tenho certeza de como aquilo aconteceu. Acho que foi a providência ou um acidente incrível ou alguma outra coisa inteiramente diferente. Entretanto, eu sei que não fui eu quem abriu a porta. E não sei como recriar essa situação.

Chris alternou o olhar entre a expressão desapontada no rosto da filha e o rosto desolado da rainha. Ele tinha certeza de que a expressão dele refletia o mesmo sentimento que as delas. Teria sido muito bom usar suas noites sem a Becky para vir a Tamarisk ajudá-los a resolver seus problemas. Infelizmente, e isso não ia acontecer.

— Chris, seria possível conversar com você lá fora por um momento? — Miea indagou.

Chris se levantou e a seguiu para fora da sala.

— Não vou fingir que eu entendo o modo como as coisas funcionam no seu mundo. Becky me contou um pouco sobre o seu divórcio e os arranjos que você tem com a sua ex-esposa. E ela mencionou que as coisas às vezes ficam difíceis entre vocês dois, portanto, eu percebo que o que tenho pra perguntar é problemático, mas tem algum jeito de você ficar mais dias com a Becky?

— Acho que seria mais fácil se você encontrasse outra porta. "Litigioso" nem começa a descrever como é o meu relacionamento com a minha ex-mulher nos últimos tempos.

A rainha baixou os olhos.

— Estou preocupada com a possibilidade de não conseguirmos uma resposta a tempo se você vier aqui apenas duas vezes por semana.

— Suas preocupações são justificadas e eu gostaria de fazer alguma coisa quanto a isso. Confie em mim, eu faria qualquer coisa pra ajudar, especialmente se isso significa passar um pouco mais de tempo com a minha filha também. Mas receio que isso não seja possível.

Miea concordou, tristemente.

— Eu compreendo.

Ela parecia incrivelmente vulnerável naquele momento, mais próxima de uma jovem confusa que de uma rainha. Chris queria tanto poder ajudá-la. O que ele poderia dizer a Polly para convencê-la a deixar Becky mais noites com ele? Será que havia alguma coisa no mundo — especialmente depois das últimas discussões? Era difícil acreditar nisso.

— Vou tentar — ele declarou. Ele realmente pretendia fazer isso embora não tivesse ideia de como fazê-lo.

Miea olhou nos seus olhos e tocou no braço dele.

— Isso faria toda diferença no mundo.

— Prometo — ele disse segurando o ombro dela. — Vou fazer o melhor que puder.

16

As opiniões de Philip Keller estavam literalmente deixando Becky enjoada. A conversa sobre o direito de voto das mulheres na aula de história tinha se transformado numa grande discussão depois que Phil anunciou que foi um grande erro permitir que as mulheres votassem. Becky levou um minuto para reagir, enquanto algumas das outras garotas o atacavam. Previsivelmente, os garotos na turma — a maioria dos quais eram bons garotos se considerados um a um — se juntaram e apoiaram Phil. Com exceção de Cam Parker, cuja alma era obviamente tão linda quanto todo o restante dele, que fez questão de expressar a necessidade do direito do voto e chamou Phil de homem das cavernas, tudo numa frase só. Isso foi impressionante.

Ainda assim, Phil continuou. Ele disse algumas coisas pré-Idade da Pedra sobre os "colonizadores" e sobre as mulheres não serem "bem-preparadas" para tomar decisões em relação ao governo. Becky ficou tão revoltada que achou que ia vomitar. Um mal-estar — ela nunca tinha tido essa reação num debate antes — a manteve fora da discussão. Até que o Phil se superou.

— A realidade é que desde que as mulheres tiveram permissão pra votar, o país ficou numa situação muito pior que antes. É só fazer as contas.

Becky deu um salto da cadeira. A sala girou e seu estômago afundou, mas ela não podia deixar esse último comentário passar sem dizer nada.

— Você está brincando? Desde que as mulheres tiveram direito ao voto nós tivemos o movimento dos direitos civis, o fim do comunismo, a revolução da informação...

— Tudo feito pelos homens! Quer dizer, o que as mulheres fizeram com seus votos no fim das contas?

Becky sentiu como se estivesse pronta para saltar do seu corpo. Ela estava com tanta raiva que se sentia tonta e teve de se segurar na ponta da sua carteira para ter um apoio.

— Nós evitamos que homens da caverna feito você destruíssem o mundo todo. Foi isso que nós fizemos!

Phil então gargalhou para ela.

— Obviamente você não verificou os fatos.

De repente Becky caiu por cima da cadeira, não porque Phil Keller a tivesse impressionado com sua lógica. Não porque ela tivesse preocupada demais para continuar. Mas porque ela simplesmente não conseguia ficar em pé. Sua cabeça estava latejando e ela sentia calor e frio ao mesmo tempo. Ela percebeu que o que estava sentindo não tinha nada a ver com a batalha na sala de aula.

A cabeça de Becky rolou para um lado sem ela querer. Ela viu Lonnie se ajoelhar ao lado dela.

— Becky, você está bem? Você está branca como um fantasma.

Becky tentou se sentar. Havia outras pessoas em pé ao lado da sua carteira agora, mas ela só conseguia ver algumas formas. Ela estendeu uma mão flácida para sua melhor amiga.

— Não estou bem — ela disse com toda a energia que conseguiu.

Então seu corpo desabou.

* * *

Era difícil acreditar que eles estavam falando de cortes de pessoal novamente. Como aqueles idiotas da gerência executiva puderam estragar tudo desse jeito? O departamento de Chris havia escapado dos cortes havia quatro meses, mas a moral do escritório ficou horrível e provavelmente ia ficar pior. Chris nunca tinha estudado administração, mas até ele sabia que, se você ia fazer algum corte, era melhor para a saúde emocional da empresa cortar mais fundo que não fazer um corte suficiente e ter que cortar novamente. O quadro de funcionários que sobreviveria ia pisar em ovos durante anos depois disso.

Reuniões desse tipo faziam com que ele odiasse ainda mais o seu trabalho. Quantas pessoas será que ele poderia salvar se ele se levantasse agora e chamasse o diretor de operações de bufão e fosse demitido? Se eles fizessem o trabalho direito perceberiam que não era necessário substituí-lo e poderiam manter algumas pessoas que estavam realmente fazendo alguma coisa. Na verdade, se eles realmente quisessem fazer mudanças que tivessem um efeito permanente na empresa eles poderiam eliminar três quartos do gerenciamento dos andares de cima e deixar o restante da empresa fazer o seu trabalho.

Era em momentos assim que ele se arrependia de não ter aceito outros empregos. Sim, eles eram mais distantes. Sim, eles estariam sujeitos a cortes da mesma forma que esse, só que não seria ele que ia executá-los. Pelo menos nesses empregos ele não estaria se sentindo como se precisasse se limpar com desinfetante toda vez que saisse da sala de reuniões. O que ele tinha na cabeça quando pensou que ele servia para esse tipo de carreira? Pela centésima vez ele jurou tocar nesse assunto em breve. Mesmo se isso envolvesse um enorme corte no pagamento, ele precisava sair desse lugar na gerência.

Enquanto o controlador apregoava "precisão cirúrgica" e opções de terceirização, os pensamentos de Chris estavam de volta a Tamarisk. Miea tinha parecido muito desesperada. Então, era claro, eles precisavam de uma solução para essa praga logo ou seria tarde demais.

Ela estava certa sobre progredir muito lentamente recebendo a ajuda dele apenas duas vezes por semana. Mas ele não tinha descoberto um modo de convencer Polly a deixar Becky passar mais noites com ele. Se ele pudesse convencer seus pais a vir para uma visita ele conseguiria algum tempo extra. Polly ainda os amava e sempre deixava Becky ficar com eles quando estavam na cidade. Mas essa era uma solução de curto prazo. Seus pais nunca ficavam mais do que quatro ou cinco dias e ele não conseguia imaginar nada que os fizesse ficar mais.

Ele precisava aproveitar mais o seu tempo em Tamarisk. Tinha que haver um meio rápido para o processo de análise. Ele estava mais convencido que nunca de que a praga que estava consumindo Tamarisk tinha um equivalente na Terra — mesmo que não fosse a Dothistroma, ou algo diferente —, e compreender a diferença entre os ecossistemas ia revelar isso.

— Chris, precisamos tirar duas pessoas do seu departamento. Você tem alguma ideia de como podemos fazer essa abordagem?

Ele sabia que não teria tanta chance assim de escapar do machado dessa vez. Ele fingiu estar escrevendo alguma coisa na prancheta a sua frente.

— Vou precisar de algum tempo pra pensar nisso. Nós estamos com uma equipe bem enxuta.

Cortar duas pessoas ia devastar seu departamento, talvez fazer com que ele ficasse impossível de operar. A gerência executiva, no entanto, não queria saber disso. O diretor de operações tinha se voltado para outro chefe de departamento para entregar mais más notícias, quando a assistente de Chris abriu a porta da sala de reuniões. Ela se desculpou pela interrupção e entregou para Chris um bilhete que dizia: *Você tem uma ligação urgente.*

Por alguma razão, Chris pegou o papel e o colocou no bolso. Ele olhou nos olhos do diretor e fez uma mímica imitando uma conversa ao telefone.

O diretor acenou que sim e voltou para a conversa.

Desde que eu entregue algumas cabeças numa bandeja, ele não vai se importar se eu estou nessa reunião ou não.

Chris imaginou se ele podia usar a desculpa da ligação para se livrar do resto da reunião.

— Quem está no telefone? — Chris perguntou à sua assistente assim que chegou ao corredor.

— Sua ex-esposa.

— Polly? — Quando ele registrou a informação de quem estava chamando, os pelos do seu pescoço se eriçaram. Polly já havia ligado para perturbá-lo uma vez ou outra ao longo dos anos, mas nunca o tinha tirado de uma reunião para fazer isso. Então, isso era alguma coisa importante.

Só havia uma razão para ela estar ligando.

— O que há de errado? — ele perguntou quando pegou o aparelho.

— Becky desmaiou na escola. Acabei de receber a ligação.

— Ah, meu Deus. O que aconteceu?

A voz de Polly estava trêmula.

— Não sei nada a não ser que ela desmaiou na sala de aula. Estou indo pro hospital agora.

— Encontro você lá.

Chris desligou o telefone, fechou os olhos e tentou respirar fundo. *Ela é forte. Você sabe que ela é forte. Isso não vai derrubá-la.* E então ele pegou sua jaqueta e saiu pela porta, parando só o tempo suficiente para dizer a sua assistente que se tratava de uma emergência familiar.

Quando Becky adoeceu, ele começou a esperar por essa ligação quase todos os dias. Mesmo depois que ela entrou em remissão, ele ainda travava quando o telefone tocava no escritório até saber quem estava ligando. Tantos anos já haviam se passado que ele nem percebia que ainda tinha a mesma reação. Mas bastou a menção do nome de Polly para trazer à tona toda a ansiedade que ele havia deixado escondida. Ele tinha se convencido havia muito tempo de que Becky tinha superado a doença. Mas, naquele momento, ele não conseguia se convencer de que havia alguma outra explicação para o desmaio. Ele nunca tinha sido tão otimista assim.

Dirigindo para o hospital e tentando controlar os medos pelo menos a ponto de evitar um acidente, Chris se lembrou da volta para casa depois da ida ao consultório do médico quando ele e Polly receberam a notícia da doença. Ele se sentiu tão fraco que mal conseguia girar o volante. No banco do carona, Polly estava em choque, encarando o horizonte. Apenas o olhar comprimido a traía, indicando o quão devastada ela estava se sentindo. No fundo do seu coração, Chris tinha acreditado piamente que Becky ia ficar bem. Por alguma razão sem qualquer fundamento, ele tinha certeza de que ela prevaleceria sobre a leucemia. Ainda assim, ela teria de enfrentar dificuldades e provações que nenhuma garotinha de cinco anos jamais devia enfrentar. Quando ele pensou no sofrimento e no medo pelos quais ela teria de passar, o coração dele se partiu em mil pedaços. De repente, ele não conseguiu dirigir mais. Ele deu um jeito de parar no acostamento e o choro tomou conta do seu corpo. Ele procurou Polly e os dois choraram juntos. Ele estava tão sentido pela Becky, pelo que o ano seguinte da vida dela estava apontando que seria. Mas, apesar de tudo isso, ele continuou absolutamente convicto. *Ela vai ficar bem. Em algum momento ela vai ficar bem.*

Por que ele estava pensando em tudo aquilo agora? Por que aqueles pensamentos estavam parecendo tão artificiais na sua cabeça?

Ele encontrou Polly na sala de emergências. O Al já estava com ela. Ele devia ter saído do trabalho no segundo em que ela ligou.

— O que está acontecendo? — Chris quis saber.

— Ela está consciente. Estão fazendo exames. Eles disseram que vão nos deixar vê-la assim que acabarem.

— Os médicos têm alguma ideia do que pode ter acontecido?

Por um brevíssimo momento, Polly olhou para ele com ar de incredulidade, como se estivesse tentando entender como ele ainda não tinha conseguido chegar na única conclusão possível.

— Eles não disseram nada ainda, mas, Chris...

A voz dela falhou e ela se virou para se encolher nos braços de Al. Al olhou para ele, solidário, enquanto abraçava a esposa. Era óbvio que até o Al, que não conheceu Becky quando ela estava doente, entendia as implicações. Essa coisa era muito mais difícil de derrotar numa segunda vez.

Alguns minutos depois, uma enfermeira veio informar que eles poderiam ver Becky. Chris tinha estado de pé por tanto tempo que ficou surpreso ao perceber como suas pernas estavam bambas quando ele começou a andar. Ele respirou fundo mais algumas vezes enquanto se dirigia para o quarto da filha. *Não deixe ela ver você surtar.*

Becky parecia surpreendentemente normal. Ela estava pálida e parecia estar afundada na cama, mas, fora isso, parecia a Becky de sempre. Chris não sabia exatamente o que tinha esperado encontrar quando ele chegasse, mas não esperava que ela aparentasse ter tido apenas uma gripe. Ele não tinha certeza de por que tinha achado aquilo. Claro que ele sabia que esse tipo de doença não transforma a pessoa instantaneamente.

— Eu vomitei em um dos médicos — Becky disse quando os viu.

Al deu um passo exagerado para trás e ela sorriu, agradecida. Polly a beijou e a agarrou e então Chris a beijou na testa, deixando seu rostou encostado no dela por mais tempo do que ele tinha feito em anos.

— Eles disseram alguma coisa pra vocês? — ela perguntou.

Chris balançou a cabeça.

— Leva um tempo até eles terem os resultados.

Becky assentiu.

— Provavelmente a coisa vai ficar feia de novo, né?

— Não vamos tirar conclusões precipitadas antes de ter alguma informação, querida.

Becky o observou cuidadosamente por um instante. Não havia como errar os pensamentos por trás da expressão dela. Então ela baixou os olhos antes de se virar para a mãe. Polly apertou a mão dela e Chris não teve certeza se conseguiria se controlar por mais tempo.

Logo em seguida eles mudaram Becky para um quarto do hospital. Algumas horas mais tarde, o médico pediu a Chris, Polly e Al que fossem para o corredor.

— Não há como fazer isso soar melhor, então não vou nem tentar — o médico disse. — O câncer de Becky está de volta, está em várias partes do corpo e parece que ele está se espalhando rapidamente.

Polly agarrou com força o braço de Al.

— Você vai começar o tratamento imediatamente?

— Podemos começar o tratamento amanhã de manhã, mas eu não quero lhe passar a ideia errada. A doença de Becky está muito avançada. É incrível como os sintomas não apareceram até agora. Não faz nem um ano desde os últimos exames, mas esse é o tipo de coisa que pode avançar rapidamente em alguém tão jovem.

Pareceu a Chris que o restante da conversa tinha acontecido debaixo d'água, ele nem mesmo participou dela com perguntas. Não prestou atenção a nenhuma das respostas. Em vez disso, a voz do médico ficou dando voltas na sua cabeça, dizendo "o câncer de Becky está de volta".

E isso não era um alarme falso. E dessa vez nem mesmo o médico estava tentando manter suas esperanças vivas.

* * *

Becky sabia o que seus pais iam dizer assim que entraram no quarto. Honestamente, ela sabia o que estava acontecendo bem antes deles.

Será que ela realmente achava que podia fazer com que isso desaparecesse? Para falar a verdade, pelo menos uma parte dela acreditava que sim. Ainda assim, se tinha tido algum tipo de esperança, ela evaporou quando Becky viu o rosto deles. A mãe estava fazendo tudo o que podia para se manter em pé e parecia que a cor tinha se esvaído do rosto do pai. Até mesmo Al parecia completamente confuso.

A mãe ficou de um lado da cama e o pai, do outro. Os dois pegaram as mãos dela. Naquele exato momento, Becky sentiu seu estômago flutuar. Ela queria apertar o botão de pausa. Quando eles começaram a falar, tudo se tornou real.

— É ruim, não é? — ela quis saber.

A mãe apoiou seu rosto com a mão.

— O médico vai começar o tratamento amanhã, tem algumas coisas que nós podemos tentar.

— Está no meu sangue novamente? — Ela alternou o olhar entre o pai e a mãe e viu os dois olharem um para o outro.

O pai se ajoelhou ao seu lado.

— Becky, ele está em vários lugares.

Muito embora ela tivesse adivinhado que dessa vez a coisa seria pior, a notícia atingiu Becky com mais força. Como você reage a algo assim? Nenhum deles veio diretamente a ela e disse "Becky, você está morrendo", mas também eles nem precisavam. Ela sabia o significado do que eles haviam dito, que o câncer estava "em vários lugares". Ela tinha lido bastante sobre isso *on-line* nos últimos anos.

Ela fechou os olhos, mas isso não impediu as lágrimas de escorrerem por seu rosto. Então escutou os pais chorando. Ela sentiu a cabeça do pai batendo no colchão. Será que tinha sido assim da última vez? Se foi isso que aconteceu, ela não se lembrava de nada. Não importava agora, ela não se lembrava de ter chorado da última vez. Ela se lembrava de como foi horrível sentir todo aquele enjoo e do quanto ela odiou perder o cabelo, de como era difícil dormir, mas ela não se lembrava de chorar. Talvez fosse porque ela não entendia o que realmente estava acontecendo. Talvez fosse porque ela não percebia quais eram as suas chances reais.

Ao abrir os olhos, ela pôs a mão na cabeça do pai para tentar consolá-lo. O seu pai a tinha ajudado a superar aquelas noites horríveis, preenchendo sua mente com pensamentos sobre Tamarisk. Quem podia imaginar que eles estavam criando uma coisa real, que um dia eles iam viajar para lá juntos? Será que Tamarisk ia ajudá-los novamente agora? Será que Tamarisk ia oferecer a eles algum lugar para escapar, fugir dessa realidade tão horrível?

Pensar em Tamarisk fez Becky se lembrar da praga pela primeira vez desde que desmaiara. Quando eles haviam se encontrado com o conselho na noite anterior. Miea havia levado o pai para o lado de fora e perguntado se ele podia voltar com mais frequência. O pai e ela haviam conversado sobre isso pela manhã, embora nenhum deles soubesse como fazer isso funcionar.

Agora, no entanto, ela tinha tido uma ideia. Tamarisk também estava doente, mas era possível que seu pai encontrasse uma cura. Talvez uma boa coisa pudesse vir da sua recaída.

— Quero ir pra casa — Becky disse.

O pai levantou a cabeça.

— Não podemos te levar ainda, meu bem.

— Quero sair daqui o mais breve possível, não quero ficar no hospital mais tempo do que eu for obrigada.

A mãe acariciou sua mão.

— Vou conversar com os médicos sobre isso — ela disse com a voz oscilante. — Tenho certeza de que eles podem fazer o tratamento em nível ambulatorial.

— Tem mais uma coisa — Becky continou, observando todos os olhos no quarto focados nela —, quando eu voltar pra casa, quero dividir meu tempo igualmente entre as suas duas casas.

A mãe começou a falar.

— Querida, não tenho certeza se essa é realmente a melhor...

— Não, mãe. Não tem discussão. Você nunca me perguntou o que eu queria. Ninguém nunca me perguntou como eu me senti quando você e o papai se separaram. De agora em diante, não importa quanto tempo seja, é isso o que eu quero.

A mãe e o pai abaixaram a cabeça. Era como se estivessem rezando. Al olhou para ela com os lábios apertados e então acariciou sua perna e olhou para a janela.

Tudo estava diferente agora. Quando ela acordou naquela manhã, sua maior preocupação tinha sido encontrar um modo de fazer o pai passar mais dias em Tamarisk. Ela nunca teria desejado que essa fosse a solução, mas pelo menos ela conseguiu. Isso lhes daria uma chance para cumprir sua missão.

E ela realmente precisava de uma missão agora.

* * *

Talvez estivesse escrito que seria difícil pra mim, Miea pensou enquanto estava em sua mesa tarde da noite, depois de outra desgastante série de reuniões. *Talvez o caminho da minha vida adulta seja evoluir de algo horrível e difícil para algo extremamente horrível e um fim devastador.* Miea sempre acreditou que as provações que ela tinha enfrentado depois da morte dos pais tinham forjado uma nova força nela, que tinham estabelecido um senso de determinação que a impulsionou de incontáveis maneiras conforme ela crescia em seu reinado. No entanto, depois de ainda mais uma reunião com o conselho sobre a praga, a pergunta que ela não podia mais evitar se colocou diante dela.

Eu sou a última rainha de Tamarisk?

Eles não estavam mais perto de encontrar uma cura para a praga do que estiveram no dia em que os fazendeiros descobriram as primeiras plantas infectadas. Botânicos faziam os mesmos testes repetidas vezes. Botânicos procuravam as respostas no equilíbrio entre as espécies. Espiritualistas consultavam o éter para encontrar pistas. Oficiais do governo interrogavam o filho do vice-chanceler thorn enquanto a equipe de inteligência buscava provas do seu envolvimento no caso. Nada disso estava levando a lugar nenhum. A breve centelha de esperança criada pela chegada do pai de Becky havia se perdido quando ficou claro que ele precisava de mais tempo para trabalhar que o que ele passava naquele mundo. Ele havia prometido tentar encontrar uma maneira de vir com mais frequência, mas nem ele nem Becky tinham aparecido desde então. Esse estava sendo o maior intervalo de tempo sem Becky desde a sua chegada. Teriam eles abandonado Tamarisk, tão desolados que estavam com as atuais condições para testemunhar o fim?

Miea se levantou e andou até a fotografia do seu pai que ficava numa prateleira próxima à porta. A fotografia da sua mãe ficava do outro lado, como se os dois fossem as sentinelas que guardavam a entrada do escritório dela. Todo mundo havia lhe dito que o seu pai aparentava estar especialmente calmo naquela foto, à vontade com o seu reino, abençoadamente ignorante do que o destino havia reservado para ele. Miea concordava que ele exalava paz, mas só ela notou as leves rugas nos cantos dos seus olhos. Seu pai tinha alguma coisa que o preocupava. Talvez fosse alguma questão diplomática, talvez fossem seus pensamentos sobre uma nova peça musical que ele tinha ouvido na noite anterior ou talvez algum tipo de preocupação com os estudos da filha. Miea tinha certeza de uma coisa apenas: o que quer que fosse que seu pai estivesse pensando naquele momento, era importante para ele. Essa foi a única vez que seu rosto mostrou aquela ruga.

Miea vinha conversando bastante com essa foto desde que havia se tornado rainha. Ela imaginava que esse era um dos modos que ela tinha para entrar em contato com ele e lhe confessar suas preocupações, entendendo pela expressão dele que ele levava tudo o que ela dizia a sério. Ela nunca soube se a conexão que ela tinha com ele nesse espaço era verdadeira (ela acreditava agora que o encontro que eles haviam tido na escuridão na noite que ela encontrou Becky era algo completamente diferente), mas as conversas que ela tinha tido com ele aqui a tinham ajudado muitas vezes. Quase tanto quanto as conversas que eles tiveram enquanto ele estava vivo.

— Você também não tem nenhuma resposta pra isso, tem? — ela perguntou para a foto. Uma das poucas memórias verdadeiras que Miea guardava da última praga era uma discussão que seu pai tivera com um de seus assistentes quando ele não sabia que ela o estava escutando. Havia um tom estranho na sua voz quando ele demonstrou frustração com a sua incapacidade de fazer alguma coisa para encontrar a cura. "Talvez Tamarisk ficasse melhor sem um rei já que não estou conseguindo fazer nada de bom!", ele tinha exclamado. Naquele momento Miea entendeu pela primeira vez que seu pai era falível, que sua força e sabedoria tinham limites. Talvez ele ficasse horrorizado se soubesse que ela o tinha escutado dizer isso, no entanto, isso a fez amá-lo ainda mais. Naquela noite, na hora de dormir, ela o abraçou por mais tempo que o normal enquanto ele lhe desejava boa-noite. Quando se afastou, ele olhou para ela como se compreendesse por que ela havia feito aquilo. Eles nunca conversaram sobre esse momento, mas não havia necessidade.

— Como eu devo preparar o reino pra isso? — ela perguntou então. — Como vou dizer para eles que não temos um futuro?

Miea fechou os olhos e inclinou sua cabeça em direção ao quadro. Ela sabia que seu pai não poderia ajudá-la com isso, mas precisava sentir sua força. À medida que ela se permitia absorver a escuridão tinha uma sensação diferente da que estava acostumada a sentir quando fazia isso. Ela se sentiu confortada, sim, mas isso ela tinha sentido muitas vezes antes. Não, isso era algo diferente.

Ela se sentiu realmente consolada.

Essa sensação fez com que seus joelhos tremessem.

Quando ela levantou a cabeça, os olhos ainda fechados, Miea sentiu uma presença na sala. Assustada, ela se virou abruptamente esperando ver Sorbus ou um dos seus assistentes, e se sentiu um pouco envergonhada que eles a tivessem visto fazer isso. Em vez disso, ela viu Becky.

Instantaneamente ela relaxou.

— Estou feliz por você estar de volta, estava ficando um pouco preocupada.

Becky não sorriu. Becky sempre sorria quando elas se encontravam. Ela até mesmo fez isso no dia em que veio e saiu rapidamente.

— Tenho de contar uma coisa — ela declarou. — Você acha que podemos nos sentar um pouco?

Miea não gostou do tom na voz de Becky. *Ela está falando como eu,* Miea pensou enquanto caminhava para o sofá.

Becky se sentou.

— Desculpe eu ter demorado tanto para voltar aqui. Eu tive de passar alguns dias no hospital.

Miea sentiu uma ponta de alarme.

— Hospital? Você está bem?

Becky baixou os olhos.

— Não, não estou. — Ela olhou para cima e, quando os olhos delas se encontraram, Miea sentiu uma onda de tristeza que ela só havia experimentado uma vez inundá-la novamente.

— Estou morrendo — Becky disse num sussurro.

As lágrimas brotaram dos olhos de Miea. Ela puxou Becky para junto de si e colocou a cabeça dela no seu pescoço. Por alguns minutos ela sentiu como se tivesse perdido o controle do seu próprio corpo. Não conseguia falar nem levantar a cabeça. Não conseguia fazer nada a não ser segurar Becky bem apertada perto de si, e sentir o tremor do corpo da garota soluçando.

Finalmente ela conseguiu se endireitar o bastante para se sentar.

— O que aconteceu com você?

Becky respirou fundo e esfregou os olhos.

— Meu câncer voltou. E se espalhou pra todos os lugares.

— Não há nada que seus médicos possam fazer quanto a isso? Eles te ajudaram da última vez.

— Foi diferente da outra vez. Não estava tão avançado assim. — Becky ficou olhando ao longe, sacudindo a cabeça. — Fui tão burra. Comecei a sentir coisas e tentei me convencer de que eu poderia simplesmente ignorá-las. Eu devia ter ido ao médico mais cedo.

— Não tem mesmo nenhum tratamento?

— Eles estão tentando algumas coisas. Coisas que fazem eu me sentir muito mal. Mas eu sei que nenhuma delas vai funcionar. Estou tentando me manter tranquila, mas eu sei que nada vai ajudar.

Era tão difícil para Miea acreditar. Becky não parecia doente. Ela parecia confusa e abatida, mas ela não parecia doente. Mas, então, se alguém olhasse os jardins do palácio, não acreditaria que seu reino estava correndo tão grave perigo também.

— Você precisa se consultar com os nossos médicos.

Becky olhou para ela, curiosa, mas não disse nada.

— A medicina tamariskiana não é a mesma que a sua medicina. Nenhuma das outras ciências é. Talvez os nossos médicos possam encontrar alguma coisa que os seus não tenham visto. Alguma solução que possa ser interpretada para eles.

Becky concordou com a cabeça.

— Vou tentar qualquer coisa, realmente estou apavorada com isso.

Miea pegou na mão de Becky e a segurou de encontro ao seu coração. Se fosse possível transferir um pouco da sua força de vida para Becky ela o faria sem reservas.

Então, nenhuma delas falou por vários minutos.

— Alguma coisa boa resultou nisso — Becky comentou.

Miea apertou a mão de Becky e então se sentou.

— Eu disse aos meus pais que queria ficar um tempo igual nas duas casas a partir de agora. Isso significa que o meu pai pode vir aqui com mais frequência, até encontrar uma cura para a peste.

Miea sentiu os olhos se encherem de lágrimas novamente, mas ela segurou o choro.

— Becky, você precisa entender uma coisa. O que está acontecendo com você provavelmente deixou o seu pai arrasado. Você é provavelmente a única coisa em que ele quer pensar no momento. Ele não vai conseguir pensar em Tamarisk. Como ele conseguiria?

— Porque eu consigo — Becky disse enfaticamente. Foi a primeira vez que sua voz pareceu forte desde a chegada. — Eu consigo e ele sabe o que isso significa pra mim. Talvez os seus médicos consigam descobrir alguma coisa, mas se eles não puderem, eu sei que eu não posso fazer nada pra melhorar. Se eu puder fazer alguma coisa pra Tamarisk melhorar, vou me sentir melhor. O meu pai vai estar comigo da próxima vez que eu vier aqui, isso eu garanto.

— Becky, se isso não acontecer, eu vou compreender. Se você não quiser vir mais aqui, vou compreender também.

Becky se inclinou para a frente e tocou o ombro de Miea.

— Isso é a única coisa que eu aguardo com ansiedade.

Então, elas caíram nos braços uma da outra novamente.

17

Aquele foi o primeiro dia bom que Becky teve em muito tempo. Pela primeira vez desde que os tratamentos experimentais começaram, ela não se sentia como se seus ossos fossem feitos de borracha. Ela conseguia ler sem se sentir enjoada e até mesmo comeu um pouco na hora do almoço. Os médicos disseram a ela que haveria muitos dias assim, e muito mais se os tratamentos dessem resultado. Mesmo se eles não funcionassem, ela ainda tinha um pouco de tempo antes que seu corpo começasse a desmoronar. Em dias assim, era difícil para ela acreditar que estava tão doente quanto eles diziam que ela estava. Era como se estivesse com aqueles ataques de tontura e sangramento de nariz: ela se sentia mal por algum tempo e então ia melhorando, quase chegando ao normal. Naquele exato momento, ela praticamente se convencia de que ia ficar bem.

Ela voltaria para a escola no dia seguinte. A mãe estava tendo problemas com isso, mas Becky realmente precisava voltar. O que ela ia fazer, ficar deitada na cama até definhar por completo? Ela sentia falta dos amigos e de alguns professores. Ela sentia falta do Ray, o zelador que a chamava de "pétala", e da Janet, a funcionária da segurança que lhe contava histórias sobre os seus indisciplinados gêmeos enquanto Becky esperava o ônibus para voltar para casa.

Ela esperava que a sua volta não fosse muito estranha para o resto do pessoal. As pessoas às vezes ficavam cheias de melindres em volta de gente que estava realmente doente, e ela sabia de pelo menos uma pessoa que ia achar que o que ela tinha era contagioso. Ela não queria ser uma distração e também não queria ser uma atração de circo. Ela simplesmente queria um pouco da sua velha vida de volta.

Becky estava olhando para um álbum de fotos no seu quarto quando Lonnie chegou. Lonnie tinha ido ao hospital para vê-la algumas vezes, mas essa foi a primeira vez que ela veio visitá-la em casa desde que Becky tinha voltado. Elas se abraçaram levemente e então Lonnie se deitou na cama ao lado dela.

— O que você tá olhando? — Lonnie perguntou apontando para o álbum de fotos.

— Nosso último verão no Maine.

Lonnie se curvou sobre o álbum e virou as páginas.

— Alguma foto do Sr. Maravilha aqui?

Becky deu uma risada.

— O nome dele é Kyle, e não, não tem nenhuma foto dele aqui. Minha mãe é que estava com a câmera. Você acha que a levei até o píer e pedi pra ela tirar fotos do primeiro carinha que me beijou?

— Você a teria levado se estivesse com a cabeça no lugar. — Lonnie se afastou do álbum. — E então, como está se sentindo?

— Estou bem hoje. Amanhã? Quem sabe? No momento estou bem. Eu não tenho outra sessão de tratamento até semana que vem.

— Isso é ótimo. Fico feliz. Todo mundo tá perguntando de você.

— Vou pra escola amanhã.

Lonnie deu um pulo e revirou o rosto.

— Vai mesmo?

— Você não vai ficar no meu pé como a minha mãe, vai?

— Eu não vou ficar atrás de você, mas por que você vai? Quer dizer, se eu não tivesse que ir eu certamente não iria.

— Eu quero ir. Não quero ser apenas uma pessoa doente pro resto da minha vida. Eu posso andar, falar, e o meu cérebro ainda funciona. Eu vou pra escola.

Lonnie deu de ombros como se quisesse dizer que nunca teria tido essa ideia. Na verdade, isso nunca lhe passaria pela cabeça. — Se você quer assim — ela disse, confusa. E então se virou para Becky demonstrando preocupação. — E se você tiver, você sabe, outro ataque?

— Vou ficar bem. Não tenho nenhuma intenção de entrar num outro debate com o Phil Keller.

— Ele se sentiu supermal por causa disso, sabe. Ele achou que foi ele que te mandou pro hospital.

Becky revirou os olhos.

— Ótimo. Então agora eu tenho de falar com um dos maiores idiotas da escola e fazer com que ele se sinta melhor.

Lonnie fez um aceno com a mão.

— Não, não se importe com isso. Quer dizer, quando você chegar na sala, talvez você pudesse mancar um pouquinho quando passasse em frente da mesa dele.

Becky deu uma risada em voz alta.

— Isso é horrível.

— Mas uma boa ideia, certo?

— Uma ótima ideia, mesmo que eu não vá fazer isso.

— Você devia. Ele bem que merece!

As duas deram risadas e se sentaram recostadas na parede ao lado da cama.

— Como estão seus pais? — Lonnie perguntou, com o sorriso desaparecendo do rosto.

— Como você pode imaginar, você conhece os meus pais. Minha mãe está tentando fazer as coisas andarem e meu pai está tentando me animar.

— E você vai ficar realmente indo e voltando pra casa de um e de outro a cada dia?

— Vou ficar muito bem, pelo menos por enquanto. A minha mãe tentou me convencer de que essas "viagens extras" iam me cansar demais. Eu lembrei a ela que o meu pai mora em Standridge, não em Miami. Ela tem de entender que isso não é negociável.

— Eu imagino que deve ser um pouco difícil pra ela entender.

Becky imaginou que provavelmente era difícil sim. Ela não tinha feito essa exigência porque queria magoar a mãe, muito embora ela soubesse que era difícil pra ela. Ela tinha escolhido assim porque era a única coisa que ela ia fazer para encontrar o equilíbrio que ela tão desesperadamente buscava desde a separação dos seus pais. O ideal seria que o pai se mudasse de volta para sua casa junto com sua mãe, o Al e ela — mas isso teria sido uma exigência e tanto —, ela não conseguia pensar em outra solução. Becky precisava estar com o pai o máximo que pudesse agora. Tinha sentido muita saudade dele e eles finalmente tinham feito as pazes. E ela não queria que ele ficasse com o lado ruim da coisa.

Claro, havia também sua missão em Tamarisk. Becky se recusava a acreditar que era uma coincidência que sua doença tivesse chegado a esse nível na mesma época em que Miea pediu a ajuda do seu pai. Tamarisk precisava deles e somente uma coisa tão extrema assim poderia levá-los para lá com tanta frequência. Se Becky realmente estava chegando ao fim da sua vida, ela queria que esse final tivesse algum significado. Ela queria fazer algo mais que simplesmente morrer. Se ela pudesse ajudar a salvar Tamarisk — mesmo que a única coisa que ela fizesse fosse servir de transporte para o pai —, então algo de bom resultaria disso.

Sua mãe nunca ia entender essa parte da história. Becky não poderia nem tentar explicar, sabendo como sua mãe reagia ao ouvir a palavra Tamarisk. Ela teria de dizer alguma coisa em algum momento, mas não agora.

— Ouça, Lon, tem uma coisa que eu não contei pra você.

Lonnie ergueu a sobrancelha curiosa.

— Em circunstâncias normais eu estaria me preparando pra uma má notícia se alguém dissesse alguma coisa assim pra mim, mas acho que eu já passei dessa fase.

Becky sorriu carinhosamente pra sua melhor amiga.

— Não, não são más notícias, mas você vai achar que elas são bem estranhas.

— Estou pronta. Pelo menos eu acho.

— Parte dos motivos pelo qual eu preciso passar mais tempo na casa do meu pai é o fato de eu precisar fazer uma coisa que eu só consigo fazer lá e em nenhum outro lugar. Lá eu posso viajar pra Tamarisk.

Lonnie ficou de queixo caído, mas ela fez isso em câmera lenta.

Becky teve de dar uma risada.

— Você tá hilária agora.

— Estou feliz de estar aqui pra divertir você.

Becky bateu no ombro da amiga.

— Tudo bem se você não acreditar em mim.

— Becky, você tem certeza que pode fazer isso?

— Se eu tenho certeza de que eu posso fazer alguma coisa que eu já fiz mais de uma dúzia de vezes? Sim, tenho certeza.

— Quer dizer, tem certeza de que não é... você sabe?

Becky demorou um momento para descobrir o que aquela pergunta significava.

— Você quer saber se eu tenho certeza de que a minha doença não está fazendo eu ter alucinações? Estou cem por cento certa. Pode perguntar ao meu pai se é isso que você quer.

— Seu pai sabe sobre isso?

— Ele sabe tudo sobre isso. Agora ele vai comigo pra lá.

Lonnie sacudiu a cabeça lentamente e então se sentou sobre os joelhos.

— O seu pai viaja com você pra um mundo de fantasia que vocês dois inventaram?

— Bom, do jeito que você está colocando parece irreal mesmo.

— E tem algum outro modo de dizer isso que não pareça irreal?

Becky pegou as duas mãos de Lonnie.

— Lon, aconteceu.

Lonnie a encarou por um longo tempo como se tentasse ler a sua mente.

— Você realmente faz isso?

— Faço.

Lonnie se jogou na cama.

— Isso é incrivelmente bizarro.

Becky ficou tão feliz de finalmente ter contado tudo para Lonnie. Depois de feito, ela não conseguia se lembrar por que ela não tinha contado tudo logo do início. Finalmente elas poderiam falar sobre isso do jeito como falavam de todo o resto. Becky contou a ela sobre Miea, sua viagem no waccasassa, o congresso do reino, e como tudo parecia, cheirava e soava. Lonnie fez muitas perguntas e Becky a encheu de detalhes. Foi quase tão empolgante como quando ela descobriu esse mundo novo.

Então ela lhe contou sobre a praga. Por alguma razão, ficou com a voz embargada quando fez isso. Ela realmente não esperava por essa reação e precisou ir ao banheiro pegar alguns lenços de papel.

— Então Tamarisk também está doente — Lonnie concluiu quando Becky voltou.

— Muito doente. Mas nós vamos tentar consertar isso. Eu realmente acredito que o meu pai possa fazê-lo.

Lonnie acenou com a cabeça e então pareceu perdida nos seus pensamentos por um momento.

— Isso é uma coisa fantástica — ela exclamou. — Quer dizer, isso tipo muda tudo, né?

— Sim, muda.

Elas trocaram olhares novamente e Becky viu que os olhos de Lonnie estavam brilhantes.

— Obrigada por me deixar participar disso — ela disse com a voz presa na garganta.

Becky passou um braço em volta do ombro da sua melhor amiga.

— Estou tão feliz de dividir isso com você — Becky a puxou para mais perto e Lonnie apoiou sua cabeça no corpo dela e Becky, nos seus ombros. — Você entende, é claro, que nós não podemos sair falando esse segredo pros Phil Keller desse mundo, certo?

Lonnie deu uma risadinha.

— Meus lábios estão completamente selados. Pelo menos até a hora do almoço de amanhã.

* * *

Uma das primeiras coisas que Chris aprendeu como pai é que ser um lhe dava acesso a recursos previamente indisponíveis. Por exemplo, a habilidade de funcionar coerentemente às duas da manhã quando o bebê precisava se acalmar, quando uma mamadeira precisava ser aquecida ou uma fralda precisava ser trocada, tudo ao mesmo tempo. A habilidade de lidar com o choro de um bebê sem sair correndo nem gritar. A habilidade de fazer a mesma brincadeira várias vezes porque isso faz a sua filha sorrir. O modo como você aguentava quando a sua filha preferia dormir na casa de uma amiga, quando vocês haviam feito outros planos há duas semanas.

Quando Becky lhe contou que queria que ele continuasse a trabalhar com Tamarisk, Chris ficou mais emocionado do que nunca. Ele não conseguia pensar em Tamarisk agora, ele só conseguia pensar em Becky. Tentar resolver o problema de Tamarisk exigiria muita energia, iniciativa e otimismo que ele não tinha. Uma parte dele não queria salvar Tamarisk. Se a sua filha estava morrendo, ele não se importava que qualquer coisa vivesse, não é?

A não ser que isso importasse para Becky. Ela tinha deixado isso bem claro. Portanto ele mergulhou fundo e se convenceu do compromisso de encontrar uma cura para a praga. Até mesmo havia certa vantagem nisso. Estar em Tamarisk lhe permitia um tempo extra com Becky, um tempo em que ela provavelmente estaria dormindo. O tempo começou a passar mais rápido desde que Becky havia começado o Ensino Médio, e agora os minutos pareciam voar.

Nesta visita finalmente eles saíram da sala de reuniões e foram visitar os campos de plantação de Ribault. Essa cidadezinha agrícola tinha recentemente conquistado uma vitória improvável no campeonato de speedcatch adolescente do reino. Faixas que parabenizavam os jogadores ainda estavam penduradas em vários lugares. A paisagem, porém, estava longe de ser uma celebração. Um estudo de cinza no preto. A distância, Chris enxergou manchas de verde, e ele teve que se lembrar de que não eram sinais de saúde. A folhagem saudável era de um tom azul profundo naquele lugar. O verde indicava que as estrias tinham começado a necrose.

O plano era examinar a parte verde dos campos. A vegetação cinza já estava em estado avançado de degradação para fornecer algum dado importante. Os botânicos tamariskianos tinham criado uma estação de trabalho móvel para poder analisar amostras e lhe fornecer dados. Becky ficou ao lado dele, olhando de soslaio para a equipe reunida ali.

— Vamos ter de andar bastante e nos abaixar — Chris disse. — Tem certeza de que está preparada?

— Estou ótima. Muito bem, mesmo. — Ela respirou fundo. — Por mais destruído que esse campo esteja, o cheiro ainda é tão bom.

Invonlutariamente, Chris inalou profundamente. O cheiro de Tamarisk era doce. Lembrava o cheiro do chocolate e da framboesa de que Becky tanto gostava. Os sons da natureza ali também tinham certa qualidade musical, embora tivesse um tom dissonante, como uma composição do Philip Glass. Enquanto parava para ouvir, ele escutou alguns sons se harmonizarem, acordes principais com sons de fundo.

— Se você ficar cansada, quero que você venha pra perto de mim e fique sentada.

— Pai, eu estou muito bem.

Ela não ia me dizer se não estivesse, Chris pensou. Não havia como ela ficar sentada ali enquanto todo o movimento estava acontecendo lá fora, nos campos. Ele teria de prestar atenção se ela desse algum sinal de cansaço.

Quando eles chegaram à estação de trabalho, um dos botânicos lhe entregou um pedaço de papel.

— Este são os dados que nós compilamos sobre os cortes que fizemos há trinta minutos.

Chris examinou o papel, mas não pôde tirar muito dali. Aquilo era claramente a cópia de algum conjunto de cálculos, mas a terminologia associada a esses cálculos era estranha para ele. Quando Becky e ele inventaram uma lista de plantas e animais quando criaram Tamarisk eles gastaram muito pouco tempo conversando sobre ciência. As leis da física eram todas as mesmas — Becky tinha insistido que elas fossem bem próximas das que ela já conhecia —, mas os detalhes dessas leis não. Ele acreditava, portanto, que os tamariskianos haviam inventado sua própria abordagem para a ciência (não importando como esse tipo de coisa funcionasse), que obviamente tinha um conjunto de critérios diferentes daqueles que Chris conhecia. Terá sido assim que Tamarisk preencheu os espaços em branco que Becky e ele haviam deixado na sua criação? Este lugar daria um estudo importante na evolução paralela. Infelizmente, esse estudo jamais seria feito. Chris só poderia chegar ali com Becky e, nas circunstâncias mais otimistas, as visitas dela estavam com os dias contados.

Ele se forçou a afastar esses pensamentos. Ele estava ali com um objetivo específico, e o objetivo estava ficando cada vez mais distante à medida que Tamarisk provava ser mais exótica. Ele mal conseguia pensar em por onde começar.

Ele revisou o documento novamente e perguntou ao botânico algumas questões de modo a estabelecer um vocabulário comum. Quando isso não deu certo, Chris decidiu seguir um caminho mais básico.

— Eu gostaria de examinar os corpos das frutas destruídas pela praga. Existe algum modo com que eu possa aumentar essas amostras?

O homem tocou uma caixa octogonal feita de algum tipo de cristal.

— É isso o que essa caixa faz.

— Obrigado. — Ele se virou para a filha. — Becky, você pode conseguir pra mim alguns pedaços frescos?

— Claro — Becky disse pegando uma ferramenta de outro botânico. Ela retornou com dois caules de folhas.

Chris levou as amostras para a caixa e passou a mão suavemente pela superfície da máquina. Era tão lisa quanto plástico, mas inquestionavelmente feita de algum tipo de cristal.

— É okanogan — Becky explicou.

— O quê?

— É feita de okanogan, o cristal que você pode moldar, se lembra disso?

Okanogan, claro. Ouvir essa palavra foi o mesmo que ouvir o nome de um velho amigo de infância, uma familiaridade bem distante, mas remetente a um monte de lembranças. Becky tinha inventado o okanogan porque ela queria que as paredes do quarto de Miea brilhassem.

— Coloque aqui — o botânico indicou. Ele pegou um dos pedaços das mãos de Chris, deslizou uma gaveta e colocou o material ali. — Assim podemos vê-lo do outro lado.

Um dos lados do octógono era uma tela, feita com o mesmo okanogan do restante do aparelho. Uma imagem amplificada da amostra surgiu, com um conjunto de números que corrriam no canto da tela. O botânico mostrou a Chris como ajustar a lente de aumento, e ele examinou os corpos das frutas no caule. Era naquele ponto que a praga surgia naquela planta, e estudá-la em campos diferentes e em vários estágios da doença ensinaria a ele como esse mal progredia. Ele ficou surpreso de ver que não havia quase infestação nessas amostras em particular. Considerando a necrose presente em quase todo o campo, ele havia esperado um estágio mais avançado da praga em toda a vegetação da região. Essa parecia mais azul de perto. De longe o campo deveria ter parecido mais azul. Mais estranhezas de Tamarisk.

— Isso é estranho — o botânico disse se aproximando de Chris para poder visualizar melhor a tela.

— O quê?

— Os resultados compostos não são os mesmos com essa amostra como estavam com aquele pedaço que eu havia lhe mostrado antes. — O botânico pegou o papel que havia dado a Chris quando ele chegou. — Não, não é igual. Parecido, mas ligeiramente diferente.

— Você pegou essa amostra de outro lado do campo?

O botânico balançou a cabeça.

— Não, apenas algumas fileiras acima.

Chris pensou nisso por um instante.

— A praga não poderia estar afetando de forma diferente as plantas do mesmo sistema de raízes. Isso é algo que temos de examinar.

A expressão do homem demonstrou que ele não ficou satisfeito com essa explicacão.

— Espero que seja isso.

— O que mais pode ser?

O botânico tocou a tela e espiou dentro da máquina.

— Nós nunca usamos um analisador como esse no campo antes. Temos ferramentas menores e menos precisas para isso. Esse é um aparelho de laboratório. Espero que ele não esteja se provando inconfiável a céu aberto.

Chris suspirou. Esse trabalho ia ser mais difícil do que esperava. Se os aparelhos tamariskianos não fossem precisos, seria impossível.

* * *

Miea não mais acreditava que Thuja estivesse alterando os relatórios de Dyson. Isso era ao mesmo tempo tanto uma boa notícia quanto uma terrível. Miea agora admitia o que ela tinha se recusado a admitir por muito tempo: o ministro da agricultura na verdade não tinha nenhuma novidade para relatar em relação à praga. O relatório de Dyson era conciso e, pela primeira vez, Miea não contestou nada do que ele disse. O assunto deles, portanto, terminou rapidamente.

— Isso é tudo, Vossa Majestade? — Dyson perguntou parecendo um pouco inseguro.

— Não tenho nenhuma pergunta, Dyson. Obrigada pela sua atenção.

Dyson se levantou lentamente. Ele tinha ido ali esperando alguma grande discussão? Será que ele tinha se acostumado com isso? Ele estava preocupado com o que aquela admissão significava?

— Obrigado, Vossa Majestade. Espero trazer mais notícias ao final da semana.

Miea acenou com a cabeça e Dyson a olhou por mais tempo do que de costume. Será que ele queria dizer alguma coisa a ela? Será que ele havia percebido alguma coisa na atitude dela que o perturbou ou o deixou preocupado? Ele continuou a olhar para ela e a situação ficou desconfortável.

Se você tem alguma coisa a dizer, diga logo, ela pensou.

Por um segundo, Dyson a encarou como se estivesse prestes a dizer algo. Em vez disso, ele se curvou, virou e caminhou na direção da porta.

Miea tinha tido muito poucos confidentes ao longo dos anos. Ela costumava compartilhar segredos com alguns amigos da infância, mas isso foi ficando cada vez mais difícil quando a adolescência chegou e ela começou a cumprir os deveres diplomáticos de uma princesa. Na maior parte de seus anos como adolescente ela havia conversado com o pai sobre as coisas que ela achava que podia, e deixava o resto sem dizer.

Depois que ela conheceu Dyson tudo mudou. Ele nunca parecia se cansar de ouvir o que ela estava pensando e ela nunca se cansava de compartilhar suas ideias com ele. Aqueles tinham sido meses empolgantes, libertadores e íntimos. Ela não tinha percebido o quanto sentia falta dessa sensação de compartilhar alguma coisa com alguém até encontrar Becky. Agora ela também estava perdendo Becky. Talvez isso fosse algum tipo de mensagem. Talvez ela amaldiçoasse todos aqueles que se aproximassem dela.

Dyson estava com a mão na maçaneta quando ela falou.

— Becky está gravemente doente.

Ele parou e se virou para olhar para ela, novamente parecendo confuso.

— O que há de errado com ela?

— Câncer. Os médicos dela dizem que ela está morrendo. — Inesperadamente a voz de Miea ficou embargada na última palavra. Ela cobriu a boca com a mão.

Dyson voltou para dentro da sala.

— Eles têm certeza?

Miea sacudiu a cabeça lentamente.

— Eles estão tentando tratamentos experimentais. Becky não se sente muito otimista em relação a isso. Vou levá-la amanhã pra se consultar com os médicos do palácio.

— Talvez eles consigam fazer a diferença. Pelas mesmas razões que o pai de Becky pode ter as respostas para a praga.

— É isso que espero. Ela é jovem demais para passar por uma provação dessas. — Novamente a voz de Miea falhou no final da frase. Ela tinha que se recompor.

Dyson a observou em silêncio por um momento, com o olhar respeitoso, porém mais pessoal do que tinha parecido durante suas reuniões.

— Até nós sabermos de tudo, milagres ainda são possíveis.

Dyson estava citando o professor Leatris novamente, fazendo uma referência ao tempo mais maravilhoso da vida de Miea. Mais uma vez ela sentiu seu coração se despedaçar por razões demais para se enumerar.

— Estou tendo muita dificuldade em acreditar nisso nos últimos tempos.

— Não faça isso, Miea.

Ela ergueu os olhos ao ouvir o som do seu nome. Dyson olhou de novo para ela com uma expressão que ela não via em anos. Não havia nada que ela precisasse ver mais naquele momento.

— Vou tentar, Dyson. Vou tentar me convencer de que milagres ainda são possíveis.

— Isso é essencial, Miea. Mesmo agora. Especialmente agora.

Dyson lhe deu um sorriso carinhoso e ela percebeu como queria segurar desesperadamente a mão dele, puxá-lo para perto de si e abraçá-lo nem que fosse por um minuto. No entanto, ela não podia fazer isso. Por mais que ela precisasse de consolo, seria um erro complicar sua vida desse modo, complicar a vida de Dyson desse modo. Ela era a rainha, ele trabalhava para um de seus ministros e as atitudes de todos os envolvidos eram importantes agora. Seus sentimentos — os sentimentos deles — vinham depois do trabalho.

A oportunidade de se livrar das responsabilidades — se é que essa oportunidade um dia existiu — tinha desabado com a ponte Malaspina fazia vários anos.

— Obrigada, Dyson. Agradeço a sua compaixão.

Dyson olhou para baixo, com os lábios franzidos.

— De nada, Vossa Majestade. Vou manter Becky no meu coração. Espero que nossos médicos tenham boas notícias. — Ele se curvou novamente e foi em direção à porta e dessa vez a abriu. — Nós realmente não sabemos de tudo, Vossa Majestade — ele disse virado de costas para ela. Então saiu.

Com a saída de Dyson, Miea se sentiu desamparada. Dessa vez ela tinha sentido a conexão entre eles realmente se quebrar. Por essa e outras razões, Miea sentiu uma lágrima solitária escorrer por seu rosto, se apoiando em seu queixo incapaz de ir mais longe. Sorbus entrou e sua máscara profissional insinuou um toque de alarme.

Ela não podia agir assim. Ela limpou o rosto e se endireitou.

— A ministra do comércio está aqui, Sorbus?

— Está sim, Vossa Majestade.

— Gostaria de me encontrar com ela na pequena sala de reuniões. Acho que está na hora de eu sair desse escritório por um instante.

— Sim, Vossa Majestade. — Ele não se afastou da porta com a mesma rapidez com que sempre fazia. — Há alguma coisa que eu possa fazer pela senhora, Vossa Majestade?

— Eu gostaria de uma xícara de argo. Tenho certeza de que a ministra também gostaria de uma.

Sorbus inclinou a cabeça respeitosamente.

— Vou mandar levar o chá para a sala de reuniões imediatamente.

Sorbus saiu e Miea se levantou. Estava na hora de voltar ao trabalho. Ela limpou o rosto novamente, mas ele já estava seco.

18

Chris ficou um pouco preocupado ao saber que os médicos de Tamarisk iam examinar Becky.

— Eles não vão injetar nada em você, vão? — ele disse seriamente antes de partir para os campos.

— Acho que não. Eu realmente não sei.

— Não quero que eles coloquem nada no seu corpo, nós não sabemos ainda as diferenças nas nossas fisiologias.

— O que eles vão fazer, pai? — Becky indagou com ar petulante. — Me matar?

O pai olhou para ela como se Becky tivesse dado um tapa no rosto dele.

— Desculpe — ela disse, se sentindo muito mal. — Não vou falar desse jeito de novo.

Ao entrar na sala de exames, no entanto, ela começou a se sentir um pouco nervosa. Além de uma mesa para ela se deitar, nada mais parecia familiar. Seu pai e ela haviam inventado as ferramentas da medicina tamariskiana (Miea uma vez teve um susto cerca de um ano depois que eles começaram a criar as histórias), mas eles tinham feito isso havia muito tempo e os detalhes eram superficiais. Num canto havia duas máquinas de okanogan parecidas com aquela que seu pai tinha usado em Ribault na outra noite. Ela não se lembrava de jamais ter colocado essas máquinas numa história. Uma bancada perto da mesa guardava várias serpentinas de tubulação. Becky não saberia dizer se havia alguma coisa pulsando dentro da tubulação ou se eram as cores do tubo que mudavam de tal maneira que pareciam pulsar. Becky se lembrou de que a tubulação era feita de um material conhecido como yunque, um tipo de borracha que conduzia o som especialmente bem. Um tipo diferente de tubulação yunque tinha criado o sistema de comunicação que cobria todo o palácio.

Becky olhou nervosa para Miea.

— É aqui que você vem pros seus *check-ups*?

— Todos os meses.

— Todos os meses? Tem alguma coisa errada com você?

Nas histórias que ela havia criado em casa, as crises de vertigem de Miea tinham se revelado ser uma coisinha sem importância, como uma falta de vitaminas.

Miea sorriu.

— Você pode dizer que sim: eu sou a rainha. Uma das regras é que a rainha tem de fazer um exame médico completo a cada mês.

— Ui! Então eu acho que você conhece os médicos daqui muito bem, hein?

Miea colocou uma mão tranquilizadora no ombro de Becky.

— Eles fazem um trabalho excelente, Becky.

Becky tinha certeza de que sim. A sua dúvida era *como* eles faziam seu trabalho. Apesar de se lembrar dos detalhes importantes de praticamente todas as histórias de Tamarisk que ela já havia criado, por algum motivo ela não conseguia se lembrar de nenhuma delas que envolvia médicos.

Becky se sentou na ponta da mesa e Miea se encostou no móvel para ficar por perto. Ela não parecia uma rainha agora. Ela parecia muito descontraída. Se Becky não soubesse que ela tinha milhões de coisas ocupando sua mente, ela ia até mesmo dizer que Miea estava relaxada.

— A dra. Nella tem mau hálito — Miea sussurrou.

— O quê? — Becky perguntou dando uma risadinha.

Miea sorriu.

— É um problema médico. Você não vai querer saber como nós ficamos sabendo desse dado. O hálito dela é horrível, e eu achei que seria uma boa ideia avisar antes. Mas ela é uma médica muito boa.

Por mais nervosa que estivesse, Becky não pôde evitar achar isso engraçado.

— Algo mais que eu deva saber?

Miea se aproximou um pouco mais dela.

— Foi a filha dela de oito anos que fez o colar que ela usa. Fica muito esquisito nela, mas a dra. Nella usa por motivos sentimentais. Você provavelmente não vai conseguir parar de olhar pra ele. Se ela perguntar se você gosta, por favor, seja agradável.

— Vou dizer a ela que eu adorei.

— Não faça isso porque ela vai saber que você está mentindo. Claro que você vem de outro mundo. Talvez bijuterias horríveis sejam costumeiras por lá.

Essa era uma conversa bem estranha. Quando a dra. Nella entrou na sala, Miea se levantou e voltou a assumir sua postura imperiosa. A médica se curvou para Miea e então se virou para Becky. O colar não era tão horrível quanto Miea tinha dito, mas ele parecia realmente feito por uma criança.

— Vossa Majestade me contou coisas fascinantes sobre você — a médica comentou.

Becky sorriu para Miea.

— Eu não sou tão fascinante.

A doutora mal deu atenção àquele comentário.

— Ela também me disse que você está gravemente doente.

Becky olhou para baixo.

— Acho que essa parte é totalmente verdadeira. Eu gostaria de estar tão doente quanto sou interessante.

A médica se aproximou mais e colocou as suas mãos dos dois lados da cabeça de Becky, segurando-a por um tempo longo, a ponto de deixar Becky desconfortável com isso. As mãos da dra. Nella eram grandes e estranhamente quentes. Era como se ela estivesse aplicando uma compressa quente no rosto de Becky. Miea definitivamente não estava brincando quando se referiu ao mau hálito da médica.

A médica soltou a cabeça de Becky de repente, e ela deu uma guinada para a frente quase caindo da mesa. Ela se reequilibrou e olhou para a médica, mas a mulher já tinha se encaminhado para uma prateleira de aparelhos e começado a fazer algumas anotações. Ela levou algum tempo fazendo isso e Becky ficou imaginando o que ela havia apreendido tanto assim só de segurar sua cabeça.

— Preciso que você se deite um pouco — a dra. Nella pediu enquanto escrevia.

Ela certamente não gasta muito tempo com boas maneiras, Becky pensou enquanto se deitava.

— Você está bem? — Miea perguntou segurando a mão dela.

— Estou. É que demora um pouco pra se acostumar a isso.

Miea apertou a mão dela.

— Tenho certeza de que sim.

A rainha deu um passo para o lado quando a doutora voltou trazendo um carrinho que guardava uma bandeja de instrumentos e um recipiente cilíndrico feito de um malheur muito bem polido. Nos minutos seguintes, a médica examinou olhos e boca, raspou por debaixo das unhas e ouviu não apenas as batidas do coração, mas também alguma coisa na testa, no pescoço, estômago e abdome. Então ela agitou um instrumento de chacoalhar na cabeça de Becky e entre suas pernas. A agitação fez o seu colar deslizar e Becky pôde ver que algumas partes estavam coladas com algum tipo de fita adesiva. Depois disso, a dra. Nella passou um pente de okanogan pelo cabelo de Becky, várias e várias vezes no mesmo lugar, e examinou um tipo de leitura que o pente produzia.

Apesar de a médica não falar muito durante o exame, Becky foi ficando cada vez mais à vontade na medida em que o exame progredia. Ela preferia passar por um pente do que por uma ressonância magnética, e o toque da doutora tinha um efeito calmante, de modo que isso compensava a aspereza da sua personalidade. Talvez os médicos tamariskianos não precisassem ser agradáveis porque eles tinham mãos tão maravilhosas.

— Por favor, dobre suas mangas — a dra. Nella disse de repente.

Lembrando-se dos avisos do pai, Becky ficou nervosa.

— Não quero que você injete nada em mim.

A médica pareceu confusa com essa declaração.

— Por que eu injetaria alguma coisa em você?

— Por que você precisa que eu dobre as mangas?

A médica pegou o recipiente de malheur.

— Eu preciso colocar isso diretamente na sua pele.

Becky não tinha certeza do que a mulher estava planejando fazer com o recipiente, mas ela dobrou as mangas apesar de tudo.

Miea tocou o seu ombro.

— Vocês não têm sensores de espuma na sua terra?

Sensores de espuma! Becky tinha se esquecido deles completamente. Ela os havia inventado nas visitas médicas de Miea nas histórias porque Becky tinha ficado frustrada e nervosa com as dezenas de exames de sangue que ela tinha feito durante sua primeira luta contra a leucemia.

— Não — Becky disse —, nós não temos isso no lugar de onde eu venho, mas eu lembro agora.

A médica despejou uma camada fina de um gel cor-de-rosa do recipiente em cada um dos braços de Becky até os pulsos. E então espalhou o material por sua pele. O gel começou a borbulhar e sugar. Era como se um aspirador de pó estivesse fazendo cócegas nela. Ao fazer isso o gel se transformou numa espuma perolada que se ergueu por vários centímetros. A médica se ocupou com outras coisas enquanto Becky ficou observando os sensores de espuma crescerem.

Quando o processo terminou, a médica raspou a espuma para dentro de um vidro, o selou, marcou e o colocou no armário. Ela entregou para Becky uma toalha úmida para a limpeza.

— A espuma vai processar durante três dias. Para quem eu devo entregar os resultados?

— Pode deixá-los com o Sorbus — Miea disse. — Ele vai entregá-los para mim e eu vou discutir com Becky e o pai dela.

A dra. Nella se curvou para Miea e então acenou na direção de Becky, saindo da sala sem dizer outra palavra.

— Espero que isso não tenha deixado você desconfortável — Miea falou quando a médica saiu.

— Não, de jeito nenhum. No começo foi um pouco estranho, mas, comparado com as coisas pelas quais eu tenho passado, isso foi moleza.

Miea colocou seus braços em volta dos ombros de Becky.

— Fico feliz.

— E agora, o que acontece?

— Vamos esperar os resultados.

— Você acha que ela tem alguma ideia sobre o que viu?

— Tenho certeza de que ela tem algumas ideias. Mas a dra. Nella é profissional demais pra discutir suas teorias até que ela tenha todos os fatos.

Os resultados estariam de volta em três dias. Isso significava que ela só saberia sobre eles dali a quatro dias. Será possível que a medicina de Tamarisk teria uma resposta para o que os médicos da Terra não tinham? Ela logo saberia.

* * *

Becky estava exausta quando chegou em casa depois da escola no dia seguinte. Como sempre, a primeira aula passou como um borrão, enquanto ela tentava fazer seu corpo se acostumar e se sentiu melhor nas aulas seguintes. Mas ela foi ficando cada vez mais cansada depois do almoço, se arrastou para dentro do ônibus e caiu no sono, quase perdendo sua parada. A caminhada até a casa, provavelmente nada mais do que uma centena de metros, fez parecer que ela tinha percorrido uma centena de quilômetros. Achou burrice pedir para sua mãe pegá-la de carro no ponto de ônibus (e ela com certeza não queria que a mãe a levasse de carro para a escola), mas percebeu que logo teria de fazer isso.

A mãe estava esperando por ela na porta.

— Como foi o dia?

— Tudo bem, nós assistimos parte do *Orgulho e Preconceito* na aula de inglês hoje. O Colin Firth é uma gracinha.

— E você ficou bem?

Becky acenou com a cabeça vigorosamente.

— Sim, fiquei.

Ela foi para a cozinha e a mãe a seguiu.

— Você quer alguma coisa?

— Acho que não. Só quero tomar um copo d'água.

— Sente aqui comigo um pouco.

Becky pôde perceber pelo simples tom na voz da sua mãe que esse não era um papo sobre a escola. A mãe provavelmente tinha alguma coisa bem séria que queria discutir. Na verdade, Becky só tinha vontade de ir para o quarto e descansar, talvez até tirar uma soneca, mas isso teria de esperar. Ela encheu um copo d'água e se sentou à mesa. Sua mãe já estava lá com os dedos das mãos juntos.

— Eu fiz um pouco mais de pesquisa e algumas ligações. Fiquei sabendo de uma nova droga experimental que eu acho que devemos tentar. Chama-se Gleevec e ela tem demonstrado algum sucesso em casos avançados.

Becky sacudiu a cabeça lentamente. O último tratamento que eles haviam tentado obviamente não deu resultado algum, mas será que eles deveriam trocar assim do nada?

— O dr. Harner acha que eu vou melhorar com essa outra?

— Nós não iríamos ao dr. Harner pra fazer isso. — O rosto da mãe ficou tenso. — Eu liguei pra ele várias vezes e ele tem a mente muito estreita. Às vezes eu acho que esses médicos são como atletas profissionais, eles apenas apoiam os produtos que as empresas pagam pra eles. Célia me colocou em contato com o oncologista dela, mas ele trata somente adultos. Ele me apresentou a uma médica em Bridgeport, e ela foi muito encorajadora. Eu marquei uma consulta pra amanhã, na hora do almoço.

— Eu ainda vou estar na escola na hora do almoço.

Os olhos da mãe dela se apertaram e ela inclinou a cabeça para o lado.

— Vou pegar você na escola, assim você não tem de perder o dia todo. Precisamos fazer isso.

Becky não sabia como ter essa conversa com a mãe. Mas como ela poderia explicar que ela não acreditava que nenhuma dessas drogas experimentais fosse fazer efeito? Becky também havia feito suas pesquisas. Ela sabia quais eram suas chances reais.

— E quais são os efeitos colaterais?

— Bom, existem alguns como diarreia, náusea, vômito e câimbras musculares.

Ótimo, então eu vou passar as minhas últimas semanas antes dessa doença me derrubar por completo no banheiro.

— Isso não parece muito divertido, mãe.

— Sei que não é, meu bem. Mas nós não podemos ficar sem fazer nada. Os efeitos colaterais são piores, como você já percebeu. Essa droga já obteve excelentes resultados.

Alguma coisa dizia a Becky que sua única esperança estava com a dra. Nella, do mesmo modo como ela sabia que seu pai tinha a chave para salvar Tamarisk. Se a dra. Nella tivesse algum outro tipo de tratamento e ela ainda estivesse com aqueles remédios fortes no seu organismo, será que atrapalharia? No fim, ela teria de passar por uma bateria de exames em Tamarisk.

Ainda assim, como explicar isso para sua mãe? Becky sentia que deveria tentar. Isso era importante demais agora. Ela não podia fazer algo que parecesse errado e jogar fora suas últimas esperanças por medo de uma explosão de raiva.

— Você acha que podemos adiar isso até a semana que vem? — Becky perguntou, indecisa.

— Por que adiar? Sabemos que cada dia conta. Eu tentei arranjar uma consulta pra hoje com a médica.

— Estou esperando notícias de uma pessoa.

A mãe levantou a cabeça e franziu as sobrancelhas.

— Do que você está falando? Seu pai levou você em outro médico sem falar comigo?

Ah, mãe, e você conversou bastante com ele sobre o Gleevec?

— Não é o papai. É... — Becky hesitou, se preparando para uma explosão — ... Miea.

O rosto da mãe ficou sem expressão.

— Miea?

— A rainha de Tamarisk. Ela me levou pra ver a médica dela, porque a medicina lá é diferente.

Becky estremeceu por dentro ao dizer isso e não olhou diretamente para a mãe. Quando Polly não respondeu nada imediatamente, ela a olhou de soslaio e viu que a cabeça dela estava curvada.

— Mãe?

Ela ergueu os olhos e seu rosto estava coberto de tristeza.

— Becky, Tamarisk é uma coisa que acontece na sua imaginação, por causa da sua doença.

— Sei que você acha isso, mãe, mas não é verdade.

A mãe se aproximou dela e pegou seu rosto com as duas mãos.

— Sei que parece real pra você.

Becky retirou as mãos dela do seu rosto.

— É real, mãe. Eu não apenas sinto, mas também posso cheirar, ouvir, saborear e ver tudo.

Sua mãe cobriu a boca com as mãos e curvou a cabeça novamente.

— Venha comigo — Becky propôs. — Vamos à casa do papai hoje à noite, e eu vou levar você lá. Então, você vai acreditar.

— Meu bem, não me faça fazer isso com você — a mãe disse, com os olhos ainda voltados para a mesa.

— Fazer o quê, mãe?

Sua mãe respirou fundo e se endireitou na cadeira. Seus lábios estavam franzidos, mas os olhos ainda estavam suaves.

— Não posso ir pra Tamarisk com você. Por favor, não insista nesse assunto de novo. E vamos manter a consulta de amanhã. Não podemos desistir, Becky. Nós simplesmente não podemos.

Sua mãe se levantou, deu um abraço nela e saiu.

Por que ela não pode ir comigo? Do que ela tem medo?

Becky ficou olhando a mãe se afastar para a saleta e depois subir para o quarto. Ela queria fazer sua própria pesquisa sobre o Gleevec. E depois tiraria uma soneca.

* * *

As noites sem Becky tinham se tornado uma tortura intolerável. O relógio simplesmente ficava zumbindo a uma velocidade vertiginosa. Quantos dias mais ele ainda teria com ela? Qual seria a qualidade desses dias se a doença de Becky progredisse? O fato de agora ele poder vê-la com mais frequência parecia uma zombaria. Era uma provocação saber que esse tempo extra veio a um preço intolerável. Ainda assim, as noites em que ela estava na sua casa eram tão mais fáceis de lidar do que aquelas de que ela passava com Polly. Quando Becky estava com ele, ele podia se convencer a focar no momento — especialmente naqueles dias que ela parecia relativamente forte —, e dizer a si mesmo para aproveitar o que eles tinham juntos.

Aquelas noites também incluíam viagens para Tamarisk e as atordoantes complexidades daquele mundo. Até poder ter um melhor conhecimento do ecossistema deles — um conhecimento que habilmente o iludia —, ele não conseguia imaginar uma solução para a praga e não conseguia fazer nenhum trabalho significativo em casa. Isso significava que nos dias em que Becky não estava lá, não apenas ele sentia uma falta desesperada da filha, mas também não tinha nada para distrair sua atenção das saudades dela.

Pela primeira vez desde que ele soube que Becky estava doente novamente ele aceitou um convite de Lisa para jantar. Eles se falavam ao telefone quase diariamente, mas encontrar Lisa era mais difícil do que falar com ela. Ela queria encontrar com ele em um de seus lugares costumeiros, um barulhento restaurante indiano onde a música da cítara se misturava com o barulho da sala. Chris simplesmente não estava pronto para isso. Em vez disso, ele a convenceu a se encontrar com ele num café bem calmo chamado New America.

— É estranho ouvir o som dos talheres no prato enquanto se está comendo — ela disse quando a comida deles chegou. — Você realmente acha isso relaxante?

Chris sacudiu a cabeça para essa observação que somente uma pessoa como Lisa poderia fazer. E então deu de ombros.

— Eu não acho nada mais exatamente relaxante.

— Eu sei, meu bem — ela disse estendendo o braço para lhe fazer um carinho. — Eu sei que você não consegue. — Ela continuou a tocá-lo por muito mais tempo do que ela costumava fazer e parecia surpreendentemente equilibrada. — Você sabe que tem de se preparar pro futuro, não sabe? — Ela disse com ar pensativo.

Chris achou o tom dela estranho.

— O que você quer dizer com isso?

— Eu sei que você entende isso do ponto de vista intelectual, mas esta não é a questão. Num futuro próximo, você vai ter de enfrentar uma dolorosa realidade, daquele tipo que destrói as pessoas. Você não pode se permitir viver numa tragédia. Becky com certeza não ia querer que você fizesse isso.

Chris olhou para o teto.

— Por que as pessoas sempre dizem alguma coisa desse tipo nessas situações?

Lisa endireitou o corpo e, quando voltou a falar, parecia ela mesma novamente.

— Não é porque é um clichê que significa que não é válido. Pense nisso. Becky odiou quando você começou a se esconder atrás de uma barreira depois do seu divórcio. Você sabe como ela se sente quanto a isso.

Esse tom realmente não era nada melhor. Havia uma razão pela qual Chris ficava em casa nas noites sem a filha.

— Então, o que você acha? — ele começou bruscamente. — Sair pra dançar logo depois do funeral? Talvez nós pudéssemos ir a algum clube de *striptease* ou sair e passar um fim de semana em Vegas. Se Becky realmente se importa comigo, ela vai morrer bem na alta temporada.

A resposta de Lisa foi igualmente brusca.

— Pare de torcer as minhas palavras, Chris. Você sabe que não foi isso que eu quis dizer.

O salão parecia quieto demais para esse tipo de conversa. Talvez o indiano tivesse sido melhor. Numa mesa perto deles um homem sorria timidamente para sua companheira de mesa. Era provavelmente um encontro de início de namoro e ele estava começando a entender o quanto gostava dela.

— Eu sei que não foi isso que você quis dizer, mas a ideia de me preparar pro pior parece grotesca. A única coisa de que eu tenho certeza é que nada vai fazer diferença. Que por mais terrível que eu ache que vá ser, ainda será cem vezes pior.

— Eu sei como você se sente. Por isso estou tão preocupada com você. Isso tem um grande potencial de derrubar você no chão pra sempre, muito mais do que faz com as outras pessoas.

— Lisa, a maioria das pessoas nunca tem de passar pela perda de um filho.

— No entanto, elas continuam funcionais. Eu estou seriamente preocupada com a possibilidade de você não conseguir. Graças a Deus que você tem esse lugar de fantasia pra ir agora. Talvez você não fique completamente catatônico se continuar viajando pra lá depois que Becky tiver partido.

Lisa acompanhou a palavra "viajando" com o sinal de entre aspas no ar. Chris não queria continuar o assunto e não queria saber o que ela queria dizer com aquilo. A conversa que eles estavam tendo já era bem perturbadora.

— Eu só vou pra Tamarisk com a Becky. Acho que quando ela se for, Tamarisk também vai desaparecer.

Ele nunca havia pensado naquela possibilidade e aquilo de repente o deixou profundamente entristecido. Afastou um soluço com um gole de água, fechou os olhos e respirou fundo.

A voz de Lisa estava suave novamente.

— Talvez você esteja errado quanto a isso, Chris. Talvez você consiga continuar indo pra Tamarisk.

Chris balançou a cabeça.

— Não, não vou conseguir.

— As pessoas precisam de um lugar pra ir quando estão de luto. Talvez esse seja o seu lugar.

— Tamarisk nunca foi meu, Lisa. Tamarisk sempre foi o lugar da Becky. Talvez seja o nosso lugar. Eu nunca quis que fosse só meu.

— Talvez o que você realmente queira seja mantê-lo vivo depois que ela se for.

Chris olhou para Lisa por vários segundos antes de dizer qualquer palavra. Então abaixou a cabeça e voltou a mexer na comida do prato. Lisa não podia entender isso. Ninguém podia entender.

Incluindo ele.

19

Becky ainda estava no quarto quando Polly escutou o carro de Chris estacionar. Houve uma época em que o som da porta do carro dele se fechando e o de Becky disparando escada abaixo para cumprimentá-lo eram conectados, como se estivessem eternamente ligados. Polly se lembrou de como ficou surpresa da primeira vez em que Chris veio pegar Becky logo depois da separação, e que ele teve de ir até a porta de entrada porque ela ainda não havia descido as escadas.

Mas hoje não foi surpresa. Pela primeira vez em anos, Polly sentiu falta da conexão entre esses dois sons. Ouvi-los unidos agora significava que o que Becky estava enfrentando não era nada além de um sonho ruim. A campainha da porta tocou e Polly atendeu. Chris levantou um pouco a cabeça como sempre fazia quando ela abria a porta. Ela o deixou entrar no *hall* e caminhou até a escada.

— Querida, seu pai está aqui.

— Obrigada, dois minutinhos.

— Você precisa de ajuda?

— Não, estou bem.

Ela se virou para Chris. Ela nunca sabia o que dizer enquanto ele ficava ali parado esperando. Uma parte dela queria convidá-lo para ir até a cozinha até Becky descer. Outra parte queria simplesmente deixá-lo sozinho ali. Ela tinha feito isso inúmeras vezes antes, mas essa noite ela não queria que Becky se cansasse ainda mais tendo de procurá-la para dizer tchau.

Polly tinha conversado com vários amigos divorciados sobre como era estranho quando o pai ou a mãe tinham de pegar ou levar de volta um filho. Uma das amigas disse que ela esperava ansiosa para ver o ex-marido e conversar com ele. Ela era definitivamente uma exceção. A maioria expressava sentimentos que iam da mais completa animosidade à indiferença, da tristeza ao desconforto. Vários falaram sobre como a experiência trazia de volta lembranças ruins. Mas Polly não sentia nada disso. Depois de todo esse tempo, ela mal podia se lembrar da sensação de estar casada com Chris. O relacionamento deles somente tinha a ver com Becky agora.

É claro que nenhum dos seus amigos tinha nenhuma experiência em lidar com algo parecido com o que Becky estava passando "no momento".

— Como ela está? — Chris perguntou olhando para o alto das escadas.

Polly fechou os olhos e acenou lentamente.

— Não foi um dia muito bom.

Chris olhou para o chão.

— Alguma reação ao novo remédio?

— Nada de importante. Ela vomitou algumas vezes, mas a médica disse que isso era esperado. Eu não notei nenhum dos outros efeitos colaterais ainda.

— Mas foi um dia ruim?

— Sim... ela parece um pouco mole, como se estivesse murchando.

Chris deu dois passos em direção às escadas e parou. O que ele achava que iria fazer? Ele olhou para Polly por um segundo, e ela viu a frustração ali.

— Vamos passar uma noite bem sossegados — ele disse.

— Isso vai ser bom.

Chris parecia derrotado e Polly desejava ter um pouco de força para oferecer a ele. Será que famílias intactas lidavam com algo desse tipo de modo diferente? Polly achou que ninguém tinha a bagagem necessária para lidar bem com isso.

Polly e Chris ficaram em pé no *hall* a alguns metros de distância um do outro, em silêncio por mais alguns minutos até que ela ouviu Becky descer os degraus da escada. Chris a encontrou no meio do corredor e a segurou por um minuto antes de descerem juntos. Ele levou Becky até a mãe e Polly deu um grande abraço na filha.

— Tenha uma boa noite, querida — Polly disse dando um passo para trás.

— Tá bom — Becky respondeu meigamente.

Chris seguiu Becky até a porta. Antes de sair, ele se virou e fez aquele movimento com a cabeça novamente. Polly achou que dessa vez o gesto tinha um significado diferente.

* * *

A reunião foi tão sombria como todas as outras haviam sido desde a identificação da praga.

Miea se sentia fisicamente mais pesada à medida que a sessão avançava, e ela recebia mais relatórios dos estragos. Um deles detalhava a perda de uma microfazenda, a devastação de um dos maiores pomares de árvores pluma do reino, e a notícia horrível de que castanhas doentes afetadas por arbustos contaminados pela praga tinham envenenado um coral inteiro de norbecks. Miea observou as pessoas em volta da sala e percebeu a derrota no rosto dos seus conselheiros pela primeira vez. Ela sabia que eles haviam mantido a fachada de esperança para o bem dela, mas isso estava ficando cada vez mais difícil. De certo modo Dyson conseguiu sobreviver a todas essa frustrações sem se curvar, mas Miea sabia que ele também não era imune àquela sensação de mágoa quando se percebe que o nosso mundo está escapando das nossas mãos.

Olhar para Dyson agora fez ela se lembrar do último encontro deles. Não foi a primeira vez que ela se lembrava daquela conversa. Por um breve momento ela se sentiu ligada a ele do mesmo modo como era na universidade. Ela não precisou perguntar se ele se sentia do mesmo modo, os olhos dele confirmaram isso. Ele quis dizer alguma coisa a mais naquele dia. Talvez houvesse muita coisa a mais que ele quisesse falar. No entanto, Miea não permitiria. Não poderia permitir. Agora, depois que apenas alguns dias se passaram, ela não tinha mais certeza se estava certa. Se o final estava tão próximo, qual a vantagem de ter tanta determinação?

Misericordiosamente, a reunião terminou nos minutos seguintes. Após a catalogação de várias outras baixas. Depois de ela declarar estado de emergência em mais três regiões. Quanto tempo levaria antes que ela dispensasse a burocracia e simplesmente declarasse o que todos naquela mesa já sabiam, que o reino inteiro estava em estado de emergência?

— Dyson, você se importaria de ficar mais um minuto? — ela perguntou quando o conselho se encaminhou para fora da sala.

— Claro, Vossa Majestade. — Dyson disse alguma coisa para Thuja e o ministro acenou com a cabeça antes de olhar na direção de Miea e se curvar gentilmente.

Nem mesmo Thuja tinha coragem de ser brusco com ela novamente.

Dyson se aproximou, mas Miea não disse nada até que a sala se esvaziasse. Ela se virou para olhar para a janela que dava para o pátio. Um hoffler olhava audaciosamente para ela do gramado e ela lhe deu um pequeno sorriso. O lagarto saiu correndo rapidamente.

— Existe alguma coisa que eu possa fazer pela senhora, Vossa Majestade?

— Ansiedade ou é um sinal de grande fraqueza ou de grande sabedoria — Miea comentou citando o professor Leatris, assim como Dyson havia feito no outro dia.

Dyson estava ao lado dela agora.

— Eu confiei no professor naquela época, e eu aprendi que ele estava certo.

Miea se virou para ele percebendo que eles não tinham estado tão próximos assim um do outro em mais de quatro anos. Por um momento ela não conseguiu pronunciar uma palavra enquanto sua educação, sua formação, guerreavam com seus instintos. Ela só conseguia olhar para o rosto de Dyson e notar como ele parecia inalterado desde aqueles dias quando ela havia memorizado cada contorno e cada linha.

— No momento — ela disse, surpresa de como sua voz soava leve — eu me sinto tão fraca quanto sábia.

— Você não é fraca, Miea. Você nunca foi fraca.

Ela deu um sorriso sem alegria e abaixou os olhos. As lágrimas se amontoaram rápido demais para ela conseguir controlá-las.

— Mas eu estou muito, mas muito assustada.

Miea estendeu os braços e abraçou Dyson. Ela o segurou como se ele fosse o responsável pela própria gravidade. Ela levou um tempo para perceber que ele também a estava abraçando, que ele havia colocado a cabeça de encontro a sua, e que seu abraço não o tinha surpreendido nem perturbado.

Era terrível e emocionante ao mesmo tempo. Assim como sua viagem aos campos para examinar as primeiras folhas destruídas pela praga tinha sido. Abraçar Dyson desse modo lhe ofereceu um leve consolo, mas ela não teria atravessado esse golfo se não fosse por uma tragédia ainda maior do que aquela que os havia separado.

— Estamos perdendo essa batalha, Dyson.

— Mas nós não a perdemos. Ainda não. E enquanto isso for verdade, talvez nós nunca a percamos.

— Não sei mais o que dizer para nosso povo. Eu devo falar para o reino, mas eu não consigo pensar em nada para dizer a eles, a não ser sinto muito.

Dyson apertou os braços em volta dela.

— O povo sabe que você está fazendo tudo o que pode.

— Será que sabe?

Dyson a afastou um pouco para olhar nos olhos dela.

— Claro que sabe. Eles amaram você quando era uma menininha, eles amaram você como princesa e eles amam você agora. O modo como você se doou depois que seus pais morreram e o modo como você trouxe de volta um senso de alegria para o reino depois do luto foram uma inspiração incrível.

Miea deu um riso suave.

— Eu estava desmoronando por dentro e chorando sozinha.

— Todos nós sabíamos disso e esse fato nos fez amar você ainda mais — ele aproximou sua cabeça da dela —, mesmo aqueles que você deixou pra trás.

As lágrimas de Miea retornaram e ela escondeu seu rosto no peito de Dyson.

— Eu nunca deixei você pra trás. Não na minha alma. As exigências do reino me tomaram de assalto a ponto de eu não saber mais o que fazer. A morte dos meus pais me deixou arrasada, me deu vontade de ficar escondida no meu quarto. Mas eu tinha tanta responsabilidade. E então, além de tudo isso, havia a investigação que estava correndo para descobrir o que os havia matado. Os infindáveis impasses com os thorns, e agora essa crise que ofuscou todo o resto.

Dyson passou seus dedos carinhosamente pelo cabelo dela e permitiu que ela extravasasse seus sentimentos. Para Miea isso foi um luxo extraordinário. Por alguns minutos eles ficaram ali parados, olhando para o pátio sem dizer nada. Finalmente, ele a levou até o sofá e se sentou diante dela.

— Eu tenho uma coisa pra lhe dizer sobre o que aconteceu na ponte Malaspina.

Uma nuvem que havia se formado na mente de Miea se clareou quando ela ouviu essas palavras.

— O que você quer dizer?

— Eu tenho feito minhas próprias investigações nesses quatro anos usando recursos disponibilizados pela universidade, pelo escritório do ministro e por algumas pessoas com quem eu nunca pensei que me associaria.

— Por quê? — Miea perguntou, espantada com a notícia.

— Porque eu conhecia você, porque eu sei que você não ia acreditar no que os investigadores lhe contaram se isso não coincidisse com o que você acreditava. Eu tinha certeza, no entanto, mesmo quando a distância ficou grande entre nós, de que você ia acreditar em mim. Eu recebi os resultados definitivos da investigação pouco depois que o ministro Thuja me pediu pra me tornar seu contato com a pasta da agricultura. Eu tive vontade de dizer alguma coisa antes, mas fiquei com medo de que o nosso passado fosse interferir.

Miea sacudiu a cabeça tristemente.

— Nosso passado. Eu pensei que você me desprezasse.

— "Desprezar" não é a palavra certa.

Dyson sorriu para ela com um carinho que ela não via há muito tempo. Um conjunto de sentimentos inesperados percorreu seu corpo. Ainda assim ela precisava saber o que ele havia descoberto.

— O que você descobriu na sua investigação?

— A morte dos seus pais foi um acidente Miea, não foi devido a uma sabotagem nem a um ato agressivo feito pelos thorns ou qualquer coisa parecida.

Miea se ergueu na cadeira.

— Os investigadores disseram a mesma coisa várias vezes, mas pontes simplesmente não desabam desse jeito. Como eles não conseguiram explicar como essa desabou, eu sempre os mandei de volta pra descobrir quem tinha sido o responsável.

— Eu sei que você fez isso. Eu segui a investigação oficial bem de perto. Mas foi acidental, Miea. A ponte desabou porque ela não pôde mais aguentar a pressão do peso da comitiva inteira. Isso é o que eu sei e o que os investigadores oficiais nunca descobriram. E parece tristemente uma ironia lhe dizer isso hoje. A causa do acidente data da época da Grande Praga. Os pilares da ponte estavam presos por um composto que contém o kootenai, um organismo vivo em estagnação. O kootenai tem qualidades adesivas imensas e foi usado na construção de muitas estruturas mais antigas. Do mesmo modo como a Praga destruiu muitas plantas naquela região, ela também matou o kootenai que unia os pilares. Os primeiros investigadores nunca pensaram em verificar isso porque a Praga tinha acontecido havia muitos anos.

— Então por que a ponte não desabou na primeira vez que alguém a cruzou depois da Grande Praga?

— O resto de composto era forte o bastante pra aguentar o peso. Mas a comitiva de seus pais era muito grande. Como todos sabem, Amelan insistiu pra que uma enorme equipe os acompanhasse. Mas, ainda assim, eles teriam cruzado a ponte com segurança, se não fosse por outro evento. O veículo de segurança que liderava a caravana quebrou, e toda a comitiva parou em cima da ponte enquanto o conserto no veículo era realizado. A pressão foi demais e os pilares desmoronaram por completo. Posso lhe mostrar como reconstruí esses acontecimentos, se quiser.

Miea imaginou os momentos finais dos seus pais, e daquelas boas pessoas que viajavam junto com eles quando perceberam que a ponte ia cair e eles não tinham como escapar. Eles devem ter ficado muito assustados. Desesperados.

Quando a imagem começou a se apagar da sua mente, ela chorou copiosamente mais uma vez pelos pais, como nunca havia chorado antes. O tempo todo, Dyson ficou ao lado dela, permitindo que ela colocasse para fora aquela dor.

Queria que você estivesse comigo naquele dia, Dyson. Pra me abraçar assim. Eu teria corrido pros seus braços. Eu deveria ter exigido que eles o levassem pro palácio. Mas eu estava me sentindo perdida, e perdi você.

Finalmente ela ergueu os olhos e tocou o rosto dele.

— Obrigada. É difícil acreditar que alguém tenha feito isso por mim.

Dyson beijou as mãos dela.

— Só espero que isso a ajude um pouco.

— Vai levar algum tempo pra eu começar a aceitar tudo isso, mas, sim, vai ajudar. É diferente saber que não foi provocado deliberadamente por ninguém. Mesmo que me entristeça saber que poderia ter sido facilmente evitado, fico mais tranquila sabendo que ninguém quis lhes causar o mal.

— É um fardo a menos pra você carregar, Miea.

Miea encarou Dyson e percebeu que era verdade o que ele estava dizendo. Saber que havia alguém nesse mundo disposto a ajudá-la desse modo e que era alguém que a compreendia o suficiente para isso confortou-a. Ela estendeu os braços para o homem que havia deixado ir embora de sua vida havia muitos anos.

Mesmo ainda tendo fardos pesados o bastante para derrubar o reinado todo, eles se beijaram. E Miea se sentiu viva, como nunca pensou que se sentiria novamente.

* * *

A diferença na aparência de Becky entre as noites de terça e quinta-feira assustou Chris. Na terça ela estava com o espírito animado e a pele estava rosada. Naquela noite, ela estava apática, com os olhos turvos e a pele pálida. Ela ainda não estava indo embora, estava? Eles tinham mais tempo, não tinham?

Becky comeu um pouquinho e então se deitou no sofá enquanto ele tirava a mesa e lavava a louça do jantar. Ele tinha comprado o seu sorvete favorito para a sobremesa, um sorvete de chocolate e frutas vermelhas, mas o doce permaneceu no freezer. Talvez ela estivesse melhor no sábado, e então eles o comeriam. Quando terminou de limpar a cozinha, ele se sentou ao lado dela e acariciou seu cabelo.

— Estou exausta, pai.

— Eu sei, meu bem. Tem alguma coisa que eu possa fazer?

— Acho que não. — Ela suspirou. — Eu tentei fazer muita coisa na escola hoje, eu estava me sentindo bem, então Loni e eu voltamos andando depois do almoço. Isso foi uma burrice.

Isso não foi uma burrice. Chris sabia que era a maneira da Becky de lutar, até mesmo uma pequena vitória teria sido boa.

— Você pode descansar agora. Vai se sentir melhor amanhã.

— Sim, talvez — ela disse com um tom um pouco ausente. — Talvez isso seja um efeito do novo remédio. Ela ficou com o olhar distante por alguns momentos, com os olhos fixos na parede. — Nós vamos pra ilha de Mendana essa noite fazer algumas pesquisas, certo?

A praga tinha destruído a pequena ilha e Chris pensou que talvez ele pudesse conseguir alguma coisa lá, desde que os aparelhos tamariskianos funcionassem com alguma consistência. Becky, no entanto, não parecia estar em condições de viajar. Àquela altura ele estava achando que teria de carregá-la para a cama, pois ela estava cansada demais para andar.

— Becky, talvez nós não devamos ir pra Tamarisk hoje.

Becky se mexeu o suficiente para encará-lo.

— Não podemos fazer isso.

— Talvez tenhamos de fazer isso. Nós não sabemos o que essas jornadas estão fazendo com o seu corpo. Talvez elas sejam estressantes demais.

— Você está querendo dizer que a gente não deve ir mais?

Isso obviamente a estava deixando chateada.

— Estou dizendo que talvez nós precisemos esperar ate sábado pra ir de novo. Você tem alguns dias bons e outros ruins, Becky. E esse foi um dia ruim.

Becky se sentou fazendo uma tentativa óbvia demais para convencê-lo de que ela estava em melhor forma do que ele pensava.

— Eu posso fazer isso. Se as jornadas me cansassem eu sentiria isso quando chegasse lá, certo? E eu nunca me sinto cansada.

Este era mais um dos vários quebra-cabeças que Chris enfrentava agora. Era claro que ir para Tamarisk era muito importante para Becky. Mas também estava claro que ela não estava em condições de fazer isso. Será que ir para lá estava acelerando seu declínio? E se fosse esse o caso, o que era mais importante? Um número limitado de dias cheios de fantasias e surpresas, ou um número de dias menos limitados, cheios apenas de uma espera sem fim?

— Você realmente acha que está preparada pra isso do jeito que você está se sentindo?

— Eu realmente estou.

Chris acenou que sim com a cabeça.

— Então vamos pra Mendana. Mas vamos fazer isso mais cedo esta noite, certo?

Eles estavam sentados na cama da Becky uma hora mais tarde. Chris teve um pouco mais de dificuldade em se concentrar porque ele não conseguia parar de pensar no que aquela viagem poderia fazer com a Becky. E se o esforço minasse tanto a sua energia que a levasse para um coma? Por mais que as batalhas com Polly o desgastassem, ele não queria ser responsável por roubar uma última conversa entre ela e a filha. Como ele sabia que Becky queria ir para Tamarisk, ele se forçou a colocar essas preocupações de lado, com todo o resto. Becky precisava fazer essas viagens pelo máximo de tempo que ela conseguisse.

Eles surgiram fora do palácio onde um veículo estava esperando por eles. Quando abriu seus olhos, Chris olhou para a esquerda para ver se Becky estava bem. Ela estava olhando para tudo ao redor e ao longe e respirando fundo exageradamente.

Becky sorriu quando viu a expressão nos olhos dele.

— Adoro o cheiro desse lugar.

Em vez de enfraquecê-la, a jornada parecia ter reavivado Becky.

Ela tem tanta força de vontade, Chris pensou. *Ela está reunindo todas as forças pra me mostrar que ainda pode fazer isso. Se o destino fosse um pouco mais generoso, eu sei que ela poderia lutar contra essa doença e vencê-la.* No entanto, Chris sabia da verdade. Deixando de lado os experimentos radicais questionáveis, não havia nada — nem mesmo o poder do otimismo — que pudesse erradicar a doença da filha. Mas, naquele momento, Chris ia tentar se convencer de que Becky havia encontrado um segundo caminho, ou uma segunda força, que ia durar pelo menos até o final dessa viagem.

O veículo os levou por vários quilômetros até o porto, onde eles embarcaram num barco a vela que os levaria para a ilha de Mendana. Dyson, um dos assistentes do ministro da agricultura, se juntou a eles no porto para a viagem de meia hora.

— Vocês conseguiram algo novo nos últimos dois dias? — Chris perguntou quando o barco partiu.

— Nada de novo, receio. A rainha declarou estado de emergência em mais duas regiões do reino. Estamos evacuando tudo que nós podemos de Jonrae a essa altura. O seapowet está literalmente morrendo de fome. Nós já trouxemos vários deles para as nossas dependências pra tentar mantê-los vivos. Nas não sei por quanto tempo mais teremos sucesso. O seapowet se alimenta do ochoco, que cresce apenas em Jonrae, e os campos de ochoco estão tão destruídos que as poucas plantas sobreviventes acabam murchando no transporte.

— Temos de fazer alguma coisa, pai.

— Eu sei que sim, meu bem. Só queria ter mais tempo e mais informações — Chris se virou para Dyson. — Você conseguiu descobrir por que estamos recebendo tantas discrepâncias nas calibrações nas análises?

— Receio que isso seja simplesmente algo tão confuso como todo o resto que está associado com essa praga. Nós fizemos várias análises ontem, em horas diferentes, e todas as calibrações foram consistentes.

— Talvez os aparelhos tenham se ajustado às mudanças no meio ambiente.

— Só podemos esperar que sim, vamos ver o que nós descobrimos hoje. Uma equipe está trabalhando no posto de Mendana há um bom tempo já.

Chris avistou a ilha. De longe ela parecia ter pouca vegetação, mas à medida que se aproximaram Chris percebeu que o que ele havia confundido com a terra (que a princípio parecia negra e agora ele via que era um cinza-escuro) era na verdade trechos com plantas nos últimos estágios da necrose. Esse foi o pior caso que ele tinha visto ate então, e era muito mais próximo do palácio do que os outros campos que ele havia visitado. Mesmo que cercado pela água. Será que a doença estava extinguindo esta ilha e levando as ondas de volta para a cidade que era o centro pulsante de Tamarisk?

Eles desembarcaram e entraram em outro veículo em direção ao centro da ilha. As árvores estavam estéreis naquele lugar, seus galhos estavam descobertos. Flores elegantes surgiam de vez em quando das folhas azuis, mas a vegetação que continuava viva estava na sua maioria sem beleza.

— O tongass desapareceu — Dyson constatou, pesaroso. — Existem outros lugares no reino onde o tongass resistiu à praga. Eu pensei que nós pudéssemos descobrir alguma coisa sobre esse fato. Mas parece que ele foi arrasado aqui.

Chris entendia a sensação de perda na voz de Dyson muito bem. Quando o veículo parou perto da equipe que havia chegado àquela manhã, Chris saiu lentamente, com o coração pesado.

— É tão triste, não é? — Becky disse. — Você se lembra desse lugar das histórias?

— O nome parece familiar, mas eu não consigo me lembrar de onde.

— O Festival do Arco-Íris.

— É esse o lugar? — Chris olhou de relance a sua volta com uma nova sensação de desespero. A história que eles haviam criado sobre essa ilha surgiu viva na sua mente. Era sobre um evento que transformava este lugar pouco povoado num dos lugares mais badalados de Tamarisk em um final de semana ao ano. Um festival que tinha como pano de fundo um esplendor natural de centenas de variedades de flores em plena floração e exibia o espectro amplo do arco-íris de Tamarisk. Não haveria um Festival do Arco-íris naquele ano. — Precisamos começar o trabalho.

Ele examinou as amostras com os aparelhos dos botânicos, lendo os relatórios e tentando contextualizá-los. Como sempre, Becky o ajudava no que podia. Muito embora houvesse bastante gente disponível para fazer a mesma coisa, ela parecia animada com o trabalho e Chris queria que ela estivesse o mais envolvida possível. A Becky que ele via agora era bem diferente da garota pálida que havia se sentado ao lado dele uma hora antes. Ela se envolveu no trabalho diligentemente e, quando ele perguntou se ela precisava tirar uma folga, ela zombou do absurdo da pergunta.

Parecia haver novos problemas com a calibração. Dyson indagou à equipe sobre suas descobertas anteriores, e todos juraram que as leituras tinham sido consistentes o dia todo. Uma nuvem pesada havia coberto tudo até um pouco antes da chegada dele, e era possível que a luz clara do sol houvesse feito uma diferença considerável nas plantas, mesmo nas tão doentes quanto essas.

Chris ponderou sobre isso. Estava bem ensolarado no primeiro dia que Chris saiu para os campos, mas encoberto no segundo, quando as leituras mostraram algumas discrepâncias. Será que havia um modo para eles simularem os efeitos do sol e talvez combater a praga com essa nutrição artificial? Era algo mais para se pensar.

Enquanto ele estudava uma tela, ouviu Becky dar um grito. Imediatamente alarmado, ele girou para o lado dela e percebeu que sua exclamação foi de alegria. Ela estava ajoelhada fazendo carinho num animalzinho bípede peludo e barulhento de não mais de meio metro de altura.

— É um chestatee! — Becky exclamou. — Se lembra deles, pai? Eles parecem meio confusos.

Chris achou que o chestatee estava muito confuso. Ele se lembrava bem dos dóceis animais das suas histórias. Eles moravam em árvores e se alimentavam da vegetação dos galhos. Este pequeno ser estava provavelmente imaginando por que agora ele sentia tanta fome.

Becky se sentou no chão para acariciar o chestatee e ele pulou no colo dela fazendo um som grave profundo. Pela primeira vez, Chris notou a música própria da ilha, um som grave, pesado e monótono. Como estava mais perto, ele ouviu esse chestatee em particular distintamente, mas ele tinha certeza de que outros da mesma espécie estavam contribuindo para o pano de fundo sonoro da ilha.

O animal pulou para o peito de Becky e começou a lamber o seu queixo. Becky deu uma risada, surpresa, e se inclinou para trás. Ela abraçou carinhosamente o chestatee perto de si e então começou a brincar com suas patas fazendo o bichinho levantar uma delas. Os dois ficaram deitados juntos brincando por vários minutos enquanto Chris se deliciava de prazer em olhar para o rosto da filha. Sua risada era melodiosa e seus olhos estavam radiantes. Era um contraste tão grande com a imagem dela no apartamento que ele quase chorou pelo fato de que Tamarisk, mesmo no meio da sua própria crise, pudesse lhe oferecer momentos assim.

Por fim, Becky se levantou e ajeitou as roupas. O chestatee saiu caminhando para longe, provavelmente em busca de comida. Chris mal prestou atenção neles, no entanto. Seus olhos foram diretamente para o lugar onde os dois haviam se sentado. As plantas murchas sobre as quais Becky e o animal tinham se deitado estavam agora com um tom azul brilhante.

20

Dois dias depois, quando Becky e ele voltaram a Tamarisk, Chris ainda estava intrigado com a estranha ocorrência em Mendana. Eles imediatamente pegaram amostras das plantas renovadas e descobriram que elas estavam saudáveis e fortes. As leituras em todos os outros lugares flutuaram durante todo o dia. Chris e alguns dos cientistas de Tamarisk tentaram encontrar outro chestatee, imaginando se o animal, ou talvez a interação do animal com Becky, tinha alguma influência na praga, mas não conseguiram encontrar nenhum. Era mais um mistério que o deixava cada vez mais perto e mais distante de uma solução.

Becky e ele estavam planejando ir para outra região devastada de Tamarisk, onde os chestatees viviam. Não havia nenhuma razão científica para acreditar que os animais tivessem um efeito curativo no ecossistema, mas era tolice ignorar qualquer especulação mesmo que boba naquela altura.

Becky parecia estar um pouco melhor. Chris ficou encantado como ela se mobilizou da última vez em que eles estiveram em Tamarisk. A imagem dela brincando com o chestatee era quase tão incongruente quanto a marca que eles tinham deixado no chão. Quando eles chegaram em casa depois daquela visita, ela caiu no sono no meio de uma frase e teve dificuldade para acordar e ir à escola na manhã seguinte.

No entanto, passados dois dias, ela comeu um pouco mais no jantar e até mesmo sentiu forças para um jogo de tabuleiro antes da travessia. Chris sabia que haveria muito mais noites como as de quinta-feira no futuro de Becky que noites como essa, mas ele estava agradecido por qualquer graça.

Assim como da última vez em que visitaram Tamarisk, eles surgiram do lado de fora do castelo, esperando que um veículo estivesse preparado para eles. Tantas coisas ainda o deixavam confuso sobre esses transportes (além do óbvio, é claro). Por exemplo, como eles sabiam quando e onde ele e Becky apareceriam? Será que simplesmente havia gente em todos os lugares esperando pelos dois?

Nenhum veículo estava esperando dessa vez. Em vez disso, eles encontraram um dos assistentes de Miea que informou a Chris que a rainha desejava vê-lo sozinho. Chris achou estranho que Miea fosse excluir Becky de uma conversa, mas Becky lembrou a ele que os resultados dos exames já deveriam estar prontos.

— Ela deve ter más noticias, pai — Becky comentou, resignada. Ela não havia mencionado o assunto do resultado dos exames o dia todo, mas obviamente havia colocado mais esperanças neles do que Chris havia previsto.

— Não sabemos ainda, meu bem. Pode ser que isso não tenha nada a ver com os exames. Talvez ela queira falar comigo em particular sobre o que aconteceu em Mendana e então ela vai chamar você pra discutir os resultados.

Isso não fazia sentido para Chris, e ele duvidava que houvesse convencido Becky com um raciocínio tão superficial, mas foi o melhor em que ele pôde pensar para tentar animá-la.

Sorbus tirou Miea de uma reunião assim que Chris chegou. A rainha pediu a ele para acompanhá-la aos seus aposentos e pediu a um de seus assistentes para trazer algo para os dois. Chris se sentou num sofá e Miea se sentou de frente para ele, numa cadeira de espaldar alto.

Era óbvio que ela tinha algo importante para dizer, mas esperou até eles se sentarem para entrar no assunto.

— A dra. Nella entregou o relatório sobre a Becky há algumas horas.

Chris imediatamente ficou nervoso. Ele tinha se convencido a não nutrir nenhuma esperança quanto àquilo. Até mesmo tinha tentado esquecer o assunto por completo. Agora ele percebeu que havia falhado em fazer ambas as coisas.

— Ela pode ajudar?

— Ela não encontrou nada.

Chris sentiu o coração apertado.

— Então não há nada que vocês possam fazer também.

Mais uma cura milagrosa havia se transformado em pura fantasia.

— Não, Chris, você não está me entendendo bem. Não estou dizendo que ela não pode fazer nada pra ajudar Becky. Estou dizendo que ela não conseguiu encontrar nada de errado com ela. Becky não tem câncer aqui. Becky não tem *nenhuma* doença aqui.

Chris se aproximou de Miea como se não tivesse certeza de que a tivesse ouvido corretamente.

— Ela não está doente?

Miea sorriu.

— Não tenho como dizer como ela está em Connecticut, mas, quando ela está aqui, ela não está doente.

Chris não tinha certeza de como reagir a isso.

— Talvez sejam os aparelhos. Nós estamos tendo muitas inconsistências nas leituras nos campos.

— Não foram nos aparelhos. A dra. Nella sabia o que procurar, temos muita experiência aqui com esse tipo de doença.

Claro que sim. Nas primeiras histórias que Becky criou sobre Tamarisk o assunto apareceu em várias ocasiões.

— Mas como é possível que ela não esteja doente aqui?

Miea se endireitou na cadeira. Seus olhos estavam mais brilhantes do que Chris já havia visto antes.

— Não acho que alguém possa responder a essa pergunta. No entanto, eu tenho uma ideia. Becky me disse que Tamarisk foi ideia sua.

Chris levantou a mão.

— Tamarisk foi definitivamente uma ideia da Becky.

— Mas foi sua ideia criar um mundo pras histórias na hora de dormir.

— Sim, foi.

— Você fez isso pra distrair a Becky dos tratamentos do câncer.

Chris concordou lentamente.

— Foi assim que começou.

Miea se levantou e se sentou perto dele no sofá. Ela estava praticamente vibrando com tanta energia. Será que essa era a mesma mulher que havia falado com ele de um jeito tão sombrio sobre seu país durante a última reunião?

— Essa é minha teoria: acho que Tamarisk se tornou real por causa da doença da Becky. Vocês dois não estavam apenas contando histórias pra aliviar a mente da Becky. Vocês estavam criando um mundo onde ela nunca ficaria doente.

Essa revelação atingiu Chris em cheio. Ele se viu no quarto de Becky nos primeiros dias da doença, totalmente convencido de que ela ia melhorar. A intenção dele era que as histórias ajudassem com a transição, mas, em vez disso, o corpo de Becky conseguiu forçar o câncer a ir embora. Ao que parece, foi uma luta que não dava para ser vencida desde o começo. Será possível que as histórias realmente tivessem outro propósito? Será que Miea estava certa quanto a isso? Eles estavam criando um mundo onde Becky ficaria bem? Se era esse o caso, então essa era uma fantasia muito maior do que ele jamais havia imaginado.

As histórias — o tempo que eles passaram juntos criando os enredos, a imaginação que eles deixaram livre, a língua especial que permitia que Chris e Becky falassem ao mesmo tempo — sempre tinham sido preciosas para ele. Até mesmo agora, ao se sentar em Tamarisk e ouvir essas notícias incríveis, ele concluiu como isso tudo era precioso.

As imagens eram demais para ele suportar. A vozinha de criança de Becky contando para ele os primeiros contos de Tamarisk. Sua voz mais madura sussurrando no seu ouvido que Tamarisk era de verdade. A expressão dela quando ficou sabendo que sua doença estava de volta. Becky despreocupada rolando no chão com o chestatee.

Um soluço sacudiu seu corpo e ele cobriu seu rosto com as mãos. Ele chorou incontrolavelmente por vários minutos, deixando aflorar uma grande gama de emoções ao mesmo tempo.

A certa altura, Sorbus chegou com o argo. Miea tocou gentilmente no ombro dele e perguntou se ele queria tomar uma xícara. Chris acenou que sim e levantou a cabeça, pegando a xícara de madeira esculpida com o líquido quente. Ele sorveu a bebida lentamente deixando que as bolinhas estourassem no seu rosto, respirou profundamente e olhou para Miea.

— Você está bem? — ela quis saber.

— Não faço ideia.

— Tem mais ainda. Pelo menos eu acredito que sim. Dyson me contou sobre o que aconteceu com a Becky e o chestatee na ilha de Mendana no outro dia.

— Estou tentando entender o que aconteceu ali.

— Acho que eu já entendi. Novamente é apenas uma teoria. Mas eu acho que é uma bem razoável. As discrepâncias nas leituras quando Becky e você estão nos campos estão ligadas a isso. Acho que a notícia que nós recebemos da dra. Nella e a recuperação daquelas plantas mostra em definitivo que Becky e Tamarisk têm uma relação simbiótica.

Chris depositou a xícara na mesa. Sua cabeça estava clareando.

— Você está querendo dizer que a peste e o câncer de Becky estão relacionados?

— Estou dizendo que eles são a mesma coisa. Becky é mais saudável aqui do que ela é no seu mundo, e nosso mundo é mais saudável quando ela está aqui. A diferença é simplesmente uma questão de dimensão.

Até certo ponto isso fazia sentido, já que nada mais fazia sentido. Quais eram as implicações então? O que isso importava?

— Ainda assim, no final das contas Becky fica muito mal quando chega em casa, sem nenhuma esperança de solução e eu acredito que não há nenhuma solução disponível pra Tamarisk também.

— A menos que Becky viva aqui permanentemente.

Chris se espantou ao ouvir essas palavras.

— Isso é possível?

— Acredito que estava predestinado a ser assim.

— Mas ela é arrancada pro nosso mundo em momentos completamente inesperados. Ela não tem nenhum controle quanto a isso, como ela poderia ficar?

— Na noite em que Becky e eu nos conhecemos, eu estava meditando sobre os problemas que estávamos enfrentando aqui. Enquanto meditava, eu me vi conversando com alguém que se parecia com o meu pai, mas não falava como ele. Isso deixou um caminho aberto entre Tamarisk e Becky. Na noite passada, depois de falar com a dra. Nella, eu meditei do mesmo jeito esperando encontrar aquela presença novamente. Ela veio pra mim dessa vez sem a aparência do meu pai. Pra lhe dizer a verdade, eu nem sei qual era a aparência dele. Ele falou em frases que eu não entendi completamente. Então senti uma forte sensação de energia emanando dele e disse "leia os sinais".

— Eu conheci essa coisa. — Chris estava meio desorientado.

— Você conheceu?

— Sim, da primeira vez que estive aqui. Também fiquei espantado e ele disse uma série de coisas desconcertantes tipo "absorva isso e todos os outros recursos". Eu fiquei tentado a descobrir o significado daquilo desde que ouvi. Tem a ver com o que nós estamos falando agora, não tem?

— Talvez sim. Eu passei a maior parte do dia tentando "ler os sinais" e acho que encontrei alguma coisa. Eu acho que se ela realmente quiser ficar, a Becky poderia, mas só se ela decidir que quer ficar aqui para sempre. É isso que os sinais querem dizer sobre sua saúde e o efeito dela sobre nosso ecossistema. O maior sinal é que ela consegue chegar até aqui. Acho que ela volta pra casa porque ela considera Connecticut seu lar. Talvez não seja. Talvez *aqui* seja o lar dela, e se ela reconhecer isso, talvez ela consiga ficar.

— E aqui ela permaneceria saudável?

— Acho que ela seria tão saudável quanto ela está agora. Certamente ela não teria câncer. Leia os sinais.

Chris queria desesperadamente acreditar na teoria de Miea, muito embora ele soubesse que não havia como comprová-la. Apesar das suas suposições não serem nada científicas, elas faziam sentido. Becky não estava doente aqui. Seu contato com as plantas tamariskianas as deixavam mais saudáveis. Ela fez até o faminto chestatee brincar, será que ela poderia morar lá? Nada que ele conhecia indicava que isso era possível, ainda assim era uma chance que Becky poderia ter. Seu tempo em casa estava se acabando rapidamente. Lá — se ela realmente pudesse ficar lá — ela viveria longe da doença, da dor e do medo da morte. Se Miea estivesse certa, Becky só precisaria tomar a decisão de ficar ali para sempre e seu câncer ia desaparecer.

— Posso ficar aqui com ela? — Chris perguntou impulsivamente.

Ele realmente não havia pensado nisso, mas o quanto havia para pensar? A coisa mais importante do mundo dele estaria lá e Tamarisk ofereceria oportunidades infindáveis de descobertas. Nada em casa se equipararia a isso. Miea inclinou a cabeça com simpatia e a sacudiu lentamente.

— Não é isso que os sinais indicam. Este é um mundo da Becky, Chris. Você o criou para ela, você mesmo disse isso. Você não pode ficar aqui por conta própria. Eu acredito também que você nem tenha essa escolha.

— Você não tem certeza disso. — Ele foi ríspido.

Miea olhou para ele atentamente.

— Eu não sei *nada* sobre isso com certeza. O que estou dizendo é o resultado de muita especulação e meditação. Nada disso pode ser provado antes do tempo, Chris. No entanto, eu acredito nisso. Acredito nisso como jamais acreditei em coisa alguma.

— E se Becky escolher me manter aqui?

A expressão de Miea ficou sombria.

— Não acredito que a sua filha possa fazer essa escolha.

Isso significa que eu vou perdê-la de qualquer jeito. Claro que havia grandes diferenças.

— Onde ela viveria?

— Aqui no palácio, junto de mim. — Miea sorriu suavemente, quase como se estivesse tentando poupar os sentimentos dele. — Nós seriamos como irmãs.

Os olhos de Miea estavam brilhantes quando ela disse aquilo. *Ela esteve pensando nisso o dia todo.* Chris não tinha dúvida de que Miea ia amar e cuidar de Becky. Ele nunca mais veria a filha novamente, mas ele saberia que ela estava vivendo uma vida de conforto e maravilhas. Será que ele — ou qualquer outro pai — poderia querer mais alguma coisa?

Claro que sim. Eu queria poder dividir tudo isso com ela.

Não era a mesma coisa que mandá-la para a faculdade. Não tem muito tempo que ele havia lamentado o fato de que quando ela fosse embora para a faculdade ele seria apenas um visitante na vida dela. Agora não haveria nem mais visitas. Se Miea estivesse certa, quando chegasse a hora, ele realmente não teria muita escolha a não ser acreditar: ela ia continuar a viver. Ela teria uma vida incrível. Uma vida com a qual ela nunca tinha sonhado.

— Acho que eu tenho de contar a ela — ele disse um pouco inseguro.

Miea colocou sua mão sobre a dele.

— Acostume-se com a ideia primeiro, Chris. Conte tudo quando você voltar pra casa. Tenho uma ideia pra passarmos o dia de hoje juntos.

* * *

Enquanto ela esperava pelo pai e por Miea, Becky explorou o pátio. Mesmo agora, quando o reino enfrentava tantos problemas, ela parecia descobrir algo novo para onde quer que olhasse. Ao se curvar para examinar uma flor quase transparente, seus olhos se fixaram num pequeno passarinho azul-laranja-prateado com um topete de penas escuras. Ele ficou pulando perto dela. Primeiro com uma perna e depois com a outra, virando a cabeça de um lado para o outro. Quando Becky deu um passo na sua direção o pássaro emitiu um grito alto, algo parecido com um trinado e um latido. O volume do som surpreendeu Becky a ponto de fazê-la tropeçar e cair com o traseiro no chão. Becky riu e o pássaro — ela lembrou agora que ele era chamado de hobcaw — deu uma bicada na sola do seu sapato antes de voar para longe.

Becky não se levantou imediatamente. Ela apreciava passar as mãos delicadamente pelos tufos de grama azul, inalando os cheiros de chocolate do solo de Tamarisk. De onde estava as coisas até mesmo soavam diferentes, como se os insetos tivessem sua própria música. Becky se deitou e respirou profundamente. Ela sempre se sentia bem ali. Ela se sentia mais leve, quase como se a gravidade fosse diferente nesse lugar, muito embora ela soubesse que não era. Neste momento era quase impossível acreditar que as coisas pudessem dar muito errado, tanto à sua volta, quanto dentro dela.

O pai de Becky já estava com Miea há um tempo. O que será que eles estavam conversando? Tinha que ter alguma coisa a ver com os exames da dra. Nella, e já que Miea não queria que ela estivesse presente, isso definitivamente não devia ser uma boa notícia. Talvez eles estivessem conversando por tanto tempo assim porque o seu pai provavelmente estava tendo dificuldade em lidar com o assunto. Becky sabia como tudo isso era duro para ele, muito embora ele tentasse não demonstrar. Foi um pouco como aconteceu quando ele e sua mãe se divorciaram.

Não, na verdade, foi completamente diferente.

Ela rolou para o lado e colocou o rosto na grama fresca. A sensação era agradável. Ela sabia que em breve não ia conseguir mais visitar Tamarisk e ela queria guardar na memória essas sensações o máximo que pudesse.

Como é que seriam esses últimos dias? Ninguém queria conversar com ela sobre isso, mas Becky sabia que seriam horríveis. Se ela tivesse sorte — se é que se pode chamar assim —, ia entrar em coma antes do pior acontecer.

Ela tinha evitado pensar sobre isso porque era incrivelmente assustador. Morrer não era o bastante. Tinha de ser uma morte dolorosa também. Becky não queria morrer. E, mesmo agora, da maneira como ela estava se sentindo ultimamente em casa, era surreal pensar que a morte estava tão próxima. No fundo ela acreditava que ainda tinha muita vida para viver. Ela tinha tantas coisas que queria conquistar, tantas coisas que achava que *deveria conquistar*. Era difícil imaginar — principalmente agora, deitada ali, apreciando o instante como estava fazendo — que ela estava prestes a ser desligada, a ser cortada.

Ela tremeu e se sentou. *Não faça isso. Não se torture, não vai adiantar nada.* Becky tentou se concentrar no que estava pensando há apenas alguns minutos, mas a música que estava ouvindo no ar agora parecia desafinada. Algumas notas dissonantes interrompiam a harmonia dos pássaros e dos animais. Ela sacudiu a cabeça, mas os sons permaneceram.

— Becky, você está bem? — seu pai perguntou de longe.

Ela se levantou e se virou na direção da voz familiar. Miea estava caminhando ao lado dele.

— Sim, estou bem. Só estava verificando algumas coisas.

Ela se aproximou deles e tentou ler suas expressões. Era óbvio que o pai estava preocupado com alguma coisa, mas ele não parecia chateado. Miea, ao contrário, parecia feliz. E, mais surpreendentemente ainda, ela a abraçou e a beijou no rosto.

— Vocês tiveram notícias da dra. Nella? — Becky quis saber, com os olhos passando de Miea para o pai. O pai parecia querer dizer alguma coisa, mas Miea se adiantou.

— Houve um problema com um dos resultados. Parece que muitos dos nossos aparelhos não estão confiáveis ultimamente. Vamos ter tudo pronto pra sua próxima visita.

— Será que "o problema com um dos resultados" significa que é alguma coisa ruim e vocês estão tentando confirmar?

— Não, nada disso. Nada disso mesmo.

Miea estava diferente e isso deixou Becky desconfiada.

— Se é o que você diz.

— Becky, de verdade. Não há nada nos resultados pra deixar você preocupada. Nós só precisamos de um pouco mais de tempo.

— Minha filha, está tudo bem.. Realmente está.

Com certeza havia algo mais acontecendo ali, mas ela tinha certeza de que àquela altura ele não teria conseguido esconder dela se fosse um desastre.

— Por que é que vocês demoraram tanto?

— Miea e eu tínhamos muita coisa pra conversar, muitos detalhes, especialmente depois que aquela coisa aconteceu em Mendana na quinta-feira. Nós deveríamos ter vindo pegar você, mas ficamos envolvidos nas hipóteses e especulações.

Becky concordou com a cabeça. Embora o momento fosse estranho, o pai podia estar falando a verdade. Ela conseguia imaginar ele e Miea tentando desvendar todos os tipos de teoria sobre o que havia acontecido com ela e o chestatee. Ela mesma tinha chegado a algumas conclusões.

— Bem, precisamos sair pros campos. Você já ficou bastante tempo aqui, quem sabe quanto tempo nós ainda temos.

— Seu pai e eu não vamos pros campos hoje, Becky — Miea explicou.

— O que você quer dizer com isso? Talvez a gente descubra alguma coisa relacionada ao chestatee.

— Eu sei disso. Eu também sei que tudo que temos feito é procurar incansavelmente uma cura para essa praga. Acho que a melhor coisa que a gente tem a fazer hoje é tirar uma folga. Talvez isso nos dê alguma perspectiva.

Becky olhou para o pai, ele deu de ombros e ela se virou novamente para Miea.

— Estou um pouco preocupada porque nós estamos ficando sem tempo. Isso serve pra todos nós.

Miea a abraçou novamente. Isso era algo completamente fora do comum.

— Sei que você está. Preciso que você confie em mim. Estamos todos trabalhando sem parar. Precisamos passar algum tempo relaxando para clarear nossas ideias.

— Miea está certa, meu bem. Eu realmente não me importaria de passar algum tempo apreciando um pouco esse lugar.

— Tudo bem — Becky disse lentamente, olhando para os dois de um jeito estranho. — Se você acha que é realmente uma boa ideia, eu vou junto. O que vocês estão pensando?

— Quero levar você até a universidade — Miea disse. — Meu waccasassa está esperando por nós.

* * *

Chris é um bom homem, Miea pensou enquanto eles voavam. *Ele teve de ser corajoso pra ajudar a filha muitas vezes no passado, e agora eu virei o seu mundo de cabeça pra baixo novamente.* Ela tinha certeza de que o primeiro passeio numa waccasassa seria fascinante para ele, mas a alegria que ele estava demonstrando parecia forçada. Ele estava fazendo isso pelo bem da Becky, para impedir que ela visse que suas emoções estavam num turbilhão. Não tinha como ser diferente. A dra. Nella havia possibilitado uma descoberta que salvaria tanto Becky quanto o reino. Chris estava certo quando disse que a teoria de Miea não era um fato, mas os fatos realmente se encaixavam, e o tempo que Miea passou na escuridão na noite anterior havia lhe dado mais razões para acreditar.

A solução, no entanto, significava que Chris nunca mais veria Becky. Mesmo que isso fosse preferível ao outro destino dela, Chris tinha de sentir uma profunda sensação de perda com isso.

O pássaro pousou num campo aberto atrás do Centro de Humanidades. É claro que quando uma rainha estava envolvida não existiam visitas casuais, e uma equipe havia voado na frente para preparar a escola para a chegada dela. O reitor Sambucos — parecia um pouco mais grisalho do que Miea se lembrava — e um enorme círculo de alunos estava esperando por eles quando a comitiva de Miea tocou o solo.

— É muito bom vê-la novamente, Vossa Majestade — o reitor exclamou quando ela desceu do waccasassa.

— Obrigada, reitor. Já faz muito tempo.

— Um tempo bem longo, Vossa Majestade. Espero que nos dê a graça de suas visitas com mais frequência no futuro.

Miea olhou de relance para Becky.

— Espero por isso ansiosamente.

Miea tentou dispensar as formalidades rapidamente. O objetivo dessa visita não era conceder saudações oficiais para a universidade. Era para mostrar a Becky e Chris uma parte da sua vida. Felizmente o reitor Sambucos e os outros da comitiva pareceram entender e deixaram os três sozinhos, se é que Miea podia se considerar sozinha num lugar público.

Os jardins em volta do *campus* estavam em plena floração. A universidade era um paraíso botânico, exibindo todas as espécies da flora de Tamarisk que o clima permitia. A Escola de Estudos Botânicos — na qual tanto Dyson quanto Thuja haviam se formado — era a melhor do reino, com uma equipe de professores de elite e cientistas pesquisadores, muitos dos quais estavam trabalhando durante a crise atual. Essa região de Tamarisk havia sido poupada pela praga até agora e, conforme o que Miea havia aprendido hoje, provavelmente seria poupada para sempre. Miea percebeu que havia uma possibilidade de Becky escolher não morar em Tamarisk eternamente, mas ela considerava essa possibilidade remota. Como Becky poderia recusar uma proposta dessas quando a morte estava esperando por ela em casa?

A primeira parada no passeio deles foi o Hall Menziesii, o auditório finamente decorado, construído com a doação de um dos seus bisavós. Construído com enormes placas de malheur, o prédio foi esculpido por dezenas de artesãos ao longo de vários anos. Na época da sua construção, os artistas consideravam trabalhar numa parte desse Hall como sendo um dos trabalhos mais prestigiosos possíveis, e competiram agressivamente por essa honra, e contribuíram com uma das peças mais apaixonantes.

— Este lugar é incrível — Becky disse passando a mão carinhosamente sobre as esculturas de Custis.

— Os detalhes são extraordinários — Chris comentou. — Tantos estilos artísticos mesclados com perfeição.

Miea ficou encantada em ver como eles ficaram impressionados.

— É realmente um trabalho de mestre. Cada uma dessas esculturas foi "equalizada" pelos engenheiros de modo que o som seja consistente em cada poltrona do Hall.

— Uau — Becky disse colocando os ouvidos na parede —, queria que tivesse um concerto agora. — Miea deu uma olhada rápida na direção de Chris.

— Talvez na próxima vez que você vier aqui.

A parada a seguir foi o antigo dormitório de Miea. Tinha sido construído como muitos dos prédios em volta do *campus*, com a resistente uinta, uma variedade vermelho-ocre extraída de uma pedreira alguns quilômetros ao sul. Comparada com a arquitetura mágica do Hall Menziesii, os dormitórios eram simples, estruturas básicas com linhas limpas. Eles representavam a primeira e única alternativa de Miea de viver por conta própria, e, portanto, tinham um lugar especial no seu coração.

— Fiquei imaginando se nós poderíamos entrar no meu antigo quarto — Miea disse entrando no prédio.

— Você ficou num dormitório comum? — Chris indagou.

Miea sorriu.

— Sim, fiquei, embora isso tenha exigido muita negociação. Você não vai acreditar na suíte que eles tinham preparado para mim.

Becky parecia fascinada, mesmo com esses ambientes modestos.

— Então você morou aqui sozinha?

— Junto com uma companheira de quarto e uma centena de estudantes.

— Isso é muito legal.

Eles seguiram na direção do quarto e Miea bateu. Ela ouviu passos apressados e então uma jovem rapidamente abriu a porta.

— Sei que estou atrasada, des... — A jovem parou abruptamente, ela claramente estava esperando outra pessoa.

— Eu costumava morar aqui — Miea explicou. — Você se importa se entrarmos por um momento?

A jovem não se moveu e não disse uma palavra, parecendo confusa. Finalmente ela balbuciou:

— Vossa Majestade? — muito suavemente.

— Sei que não tenho o direito de me impor, mas essa viagem foi uma coisa de última hora. Você se importaria se nós déssemos uma olhadinha só por um minuto?

A jovem se afastou da entrada do quarto.

— Não, não, claro que não. Entre.

Ela rapidamente começou a recolher comida, roupas e papéis soltos.

— Aposto que esse quarto era bem mais arrumado quando você morava aqui — Chris sussurrou.

— Na verdade não era.

Becky cutucou o braço dela.

— Você era relaxada quando era adolescente?

Miea revirou os olhos.

— Eu ainda sou relaxada. Você não percebe porque as pessoas vêm atrás de mim arrumando tudo.

Becky deu um tapinha de brincadeira no peito do pai.

— Está vendo, pai, tem alguma coisa nobre sobre ser relaxado.

— Obrigado, Miea — Chris falou usando um tom severo. Mas ele estava sorrindo. Essa viagem parecia estar fazendo com que ele relaxasse. Talvez estivesse começando a se acostumar com a ideia surgida na conversa que eles haviam tido anteriormente.

A jovem que morava no quarto estava obviamente desconfortável com o fato de ter a rainha ali. Ela tinha parado de recolher as coisas, mas ficou em pé num canto, nervosa. Miea caminhou até a janela para ver as campinas ondulantes e seu arco-íris reluzente de flores silvestres. Dyson e ela tinham feito piquenique naqueles prados na última vez em que ela esteve ali. Miea nunca teve oportunidade de voltar para o quarto naquele dia.

— A vista é maravilhosa, não é? — ela perguntou para a jovem. A vista foi a única concessão que ela fez sobre ter um tratamento especial. A posição dessa janela permitia a melhor vista em todo o prédio.

A estudante deu um passo para a frente.

— Às vezes eu passo horas olhando pro campo lá fora, Vossa Majestade. Ninguém me disse que esse quarto havia sido seu, eu teria cuidado melhor dele se soubesse.

— Não seja tola. É seu quarto agora e você deve viver nele do modo que quiser. Eu certamente fiz isso.

Miea ficou olhando para a janela por outro longo momento. Ela havia perdido tantas coisas desde que estivera ali pela última vez. Mas — talvez pela primeira vez em um bom tempo —, ela tinha razões para acreditar que as coisas boas estavam chegando. Até mesmo Dyson havia voltado para ela. Ela se virou e sorriu para a jovem.

— Você está atrasada e eu estou prendendo você. Nós vamos embora.

Eles saíram do dormitório e caminharam para o centro do *campus*. No parque, as pessoas comiam, bebiam, se deitavam sobre os cobertores e conversavam com os amigos. Vários deles se levantaram e se curvaram quando ela passou e Miea acenou educadamente. Um grupo de estudantes a seguia à distância, provavelmente pensando que ela não havia notado que estavam fazendo isso. Embora ela nunca tivesse se misturado com a multidão, aqui ela era bem menos notada. Um grupo estava jogando poledisk, com o lançador jogando o disco a distâncias imprevisíveis e três outros tentando desesperadamente segurá-lo com seus tacos, dando risadas e trocando insultos com o lançador quando ele o fez.

— Adoro esse jogo — Becky comentou quando eles pararam e começaram a observar.

— Vocês têm o poledisk onde vocês moram?

— Não, eu o inventei, mas tive a oportunidade de jogar uma partida em uma das minhas viagens. Eu até mesmo fiz um ponto!

— Isso é impressionante pra alguém sem experiência alguma.

— Sim — Becky concordou, orgulhosa, e então se virou para admirar as travessuras dos participantes. — Você acha que eles me deixariam jogar?

Miea sorriu.

— Algo me diz que sim. — Eles se aproximaram um pouco mais e ela chamou o lançador. — Com licença?

O rapaz lançou o disco para bem longe dos seus companheiros e então se virou para ela, dando risada com o que tinha feito. Mas quando ele reconheceu Miea, sua expressão ficou mais séria e ele se curvou de um modo desengonçado. Outro jogador recuperou o disco e então todos os quatro se curvaram juntos.

— Desculpe por interromper, mas gostaria de saber se a minha amiga poderia se juntar a vocês por alguns instantes.

Os quatro se endireitaram e se entreolharam.

— Claro que sim, Vossa Majestade — respondeu um dos jogadores com um taco, caminhando na direção de Miea. Becky foi para perto dele e pegou o taco da sua mão.

— Pai, preste atenção — ela disse. — Eu sou realmente boa nisso.

O jogo continuou, com o lançador fazendo jogadas fáceis para Becky, e olhando de volta na direção de Miea. Depois de algumas jogadas Becky avisou:

— Você pode jogar mais forte. Eu sei o que estou fazendo.

E o jogo continuou num ritmo um pouco mais frenético do que quando Miea o interrompeu. Miea se virou para Chris, que cumprimentou Becky quando ela fez uma jogada difícil.

— Ela realmente está se divertindo.

— Você não faz ideia de como eu desejei vê-la assim novamente.

— Eu sei que você deve estar perturbado com tudo o que ficou sabendo hoje Chris, mas mantenha essa imagem na sua cabeça. É assim que a Becky vai ficar o tempo todo, talvez seja assim que a Becky tenha de ficar.

* * *

O disco fez um espiral no ar para a esquerda de Becky. Ela saiu correndo atrás dele com o taco levantado bem para o alto. Ela sabia que ia conseguir alcançá-lo se corresse o mais rápido que pudesse. Ela levantou o disco e de repente sentiu como se um trem a tivesse atropelado. O taco voou da sua mão e ela caiu com força no chão. Só depois que caiu foi que percebeu que o garoto havia batido nela. Ela ficou meio tonta, mas sabia que estava bem. O garoto tentou se levantar rapidamente e veio para o lado dela.

— Sinto muito, você está bem?

Becky se levantou e limpou a sujeira da roupa. Ela fez um sinal para o pai, que tinha começado a correr em sua direção com o olhar preocupado no rosto.

— Sim, estou bem. Eu devia ter prestado mais atenção pra onde estava indo. Você está bem?

— Claro, claro!

O garoto correu para pegar o taco e o entregou para ela gentilmente.

— Será que a rainha vai mandar me prender? — ele perguntou, nervoso.

Becky gargalhou.

— Aposto que eu posso conseguir uma sentença reduzida.

O garoto parecia preocupado.

— Eu realmente não tive a intenção.

— Estou brincando, a rainha é legal.

O garoto olhou na direção de Miea e então para Becky.

— Como você a conhece? Vocês são primas ou alguma outra coisa?

— Acho que você pode nos chamar de parentes distantes.

— Você está vindo estudar aqui?

Becky olhou de relance para o *campus* e deu um suspiro.

— Bem que eu gostaria, mas eu moro muito longe. Essa provavelmente é a única chance que eu vou ter de visitar esse lugar.

— Que pena — o lançador fez um gesto para o garoto e ele gesticulou de volta.

— Quer fazer mais algumas jogadas? Prometo ficar de olhos bem abertos.

— Quero, isso seria ótimo.

O jogo voltou com o lançador fazendo algumas jogadas bem suaves de modo que Becky pudesse concluí-las. Mais uma vez Becky sentiu a necessidade de forçá-lo a jogar mais duro, o efeito daquela trombada não a tinha incomodado de modo nenhum.

* * *

Se Chris ainda tinha dúvidas sobre as afirmações de Miea em relação à saúde de Becky, a atitude dela após a colisão as havia eliminado completamente. Garotas doentes não saltam desse modo. Até onde sabia, ele estava em boa forma física, mas se alguém trombasse com ele do jeito que aquele garoto trombou com Becky, Chris provavelmente teria ficado no chão por mais algum tempo.

Ele ia falar com Becky sobre viver em Tamarisk quando chegasse em casa. É claro, não havia escolha. Mesmo que a teoria de Miea provasse ser falsa não havia uma saída melhor. Ver Becky tão esfuziante o fez acreditar por um instante que Miea tinha a resposta para mantê-la assim para sempre.

Por enquanto ele só queria observar ela jogar, e deixar marcada na sua memória essa vitalidade. Ele queria pensar nela sempre assim.

Miea parecia estar se deliciando em observar Becky tanto quanto ele. Ela havia dito que elas seriam como irmãs morando ali. Enquanto eles caminharam, se afastaram do parque e continuaram seu passeio pelo *campus*, Miea passou um de seus braços pelos ombros de Becky. Exatamente como uma irmã mais velha faria.

Eles estavam se aproximando da Escola de Tecnologia, outro prédio lindamente construído, feito da mesmo pedra alaranjada dos outros, quando Chris sentiu uma resistência prendendo seus pés.

— Você sentiu isso, Becky?

— Sim. Eu estava esperando que esse puxão fosse se esquecer da gente por um tempo.

O puxão foi mais intenso que o de costume. Talvez ele sentisse essa força porque agora ele sabia. Como Becky poderia lutar com uma força como essa?

Miea abraçou Becky e então estendeu os braços para Chris. Antes que eles pudessem se tocar Chris sentiu que estava indo embora.

Ele abriu os olhos e se viu sentado na cama de Becky. Ela estava encostada nele com a cabeça apoiada no seu peito, dormindo e respirando suavemente.

Naquela noite ela havia tido uma aventura maravilhosa, certamente a mais tranquila que ela havia passado em semanas. No entanto, havia um preço físico a pagar. Enquanto ele a ajeitava debaixo das cobertas, Becky nem se mexeu.

Chris ficou observando sua forma imóvel por vários minutos. Ela não era mais aquela imagem sem limites que ele havia visto correndo pouco tempo atrás. Ela nunca seria aquela pessoa nesse mundo novamente.

Não, não havia escolha nenhuma, independentemente das suas dúvidas.

De manhã cedo ele ia dizer a Becky o que Miea tinha lhe contado.

21

Chris levantou às seis da manhã seguinte depois de um sono inquieto. Ele ficou pensando no que ele precisaria dizer a Becky durante noite inteira. Como se prepara alguém para uma conversa desse tipo?

Enquanto esperava que ela acordasse, ele tentou ler o jornal e um livro novo que havia comprado, mas ele não conseguia se concentrar. Tentou assistir televisão, mas havia pouca coisa além de comerciais àquela hora da manhã de um domingo. Ele pensou em assistir um dos vídeos da família novamente, mas então percebeu como ridiculamente sentimental isso seria. Agora não era a hora de fraquejar. A fraqueza teria de ser temporária, e não permanentemente suspensa. Ele já havia permitido que a melancolia tomasse conta dele uma vez.

Por fim, ele se recostou no sofá e ficou olhando para o teto, um exercício de meditação que acabou sendo mais restaurador do que as horas que ele passou se revirando na cama. Becky veio para a sala por volta das nove e meia.

— Tem alguma coisa interessante aí em cima? — ela perguntou.

Ele se sentou e fez sinal para ela se sentar ao lado dele. Os olhos dela estavam fundos e a pele, com uma cor amarelada. Ele teve vontade de vê-la jogar poledisk de novo.

— Meu bem, tenho uma coisa muito séria pra falar com você.

Becky se afundou no sofá.

— Eu sabia. Eu sabia que a Miea tinha notícias horríveis e que você não quis me contar ontem.

— Ela tinha notícias sim, Becky, mas não são horríveis. São impressionantes. Na verdade, completamente extraordinárias. Em todos os níveis.

Ele começou a lhe contar tudo o que Miea havia lhe dito sobre as descobertas da dra. Nella e sobre a conexão entre ela e Tamarisk.

— Eu posso morar lá? — Becky perguntou quando ele terminou.

— Você pode *viver muito bem* lá, sem qualquer coisa de errado.

— É por isso que eu pude correr tanto ontem. Eu não entendi o que estava acontecendo.

— Você vai ter toda a energia de uma garota de catorze anos muito, mas muito saudável.

Becky encarou o nada à frente dela, obviamente tentando assimilar tudo aquilo. Ela olhou novamente para ele.

— As pessoas podem vir me visitar?

Chris sentiu as lágrimas tomarem seus olhos e ele tentou segurá-las.

— Receio que não, meu bem.

— Posso voltar aqui às vezes?

— Não, a menos que a Miea esteja entendendo os sinais erroneamente. É um bilhete só de ida, Becky.

Becky pareceu capturar essas palavras muito lentamente, Chris pôde perceber que ela estava pensando, imaginando um futuro sem as pessoas que sempre a tinham cercado. Quais rostos estariam passando por sua cabeça? O de Polly? O de Lonnie? Algum carinha de quem ela nunca havia falado? O dele?

— Se eu for pra lá, ficarei lá sozinha pra sempre.

Chris se esforçou para resistir. Ele precisava de toda a força que possuía. Não era a vida dele, afinal.

— É assim que vai ter de ser.

Becky baixou os olhos.

— Não sei se eu consigo fazer isso.

Chris pegou as duas mãos da filha nas dele e apertou com força.

— Pense na alternativa, meu bem. Que outra opção nós temos além dessa? Você acabou de receber um presente incrível, uma extensão na sua vida. Você pode viver saudavelmente num lugar espetacular. Pense nas melhores férias que você já teve, multiplique isso por cinco e você vai estar visualizando um dia ruim em Tamarisk.

Becky olhou para os olhos dele por um longo instante e então afastou o olhar.

— Mas isso tudo é tão permanente.

— Então sua decisão é de não ir.

Becky olhou para ele novamente com os olhos que demonstravam camadas de confusão, doença e inocência.

— Você quer que eu faça isso?

— Não — ele disse com uma risada seca. — Eu queria ter uma terceira opção onde eu pudesse ir com você, ou pelo menos ir visitá-la várias vezes na semana. Infelizmente, essa não parece ser uma das possibilidades.

Becky se apoiou nele e o abraçou bem forte. Ela se sentiu tão fundamental para ele. Chris sabia que precisava memorizar essa sensação. Por vários minutos, nenhum deles falou nada. Então Becky se recostou novamente no sofá com o braço de Chris em volta dela.

— Se eu for, a praga acaba?

— Você faz Tamarisk melhorar todas as vezes em que está lá. Se você ficasse lá pra sempre, a praga ia desaparecer.

— Isso é tão incrível.

— Pode acreditar, Becky. Pense como você se sentiu quando esteve na universidade. Você não estava doente. Estava totalmente bem. Um enorme garoto da faculdade trombou com você e você se levantou imediatamente.

Agora foi a vez de Becky olhar para o teto.

— Como vamos contar isso pra mamãe?

— Vamos descobrir um jeito.

Becky se inclinou para a frente.

— Pai, ela não acredita em nada disso.

— Vamos descobrir um jeito. Isso não pode ser um impedimento a essa altura.

— Mas é, pai.

Chris compreendeu — ainda melhor que Becky — como a resistência de Polly podia soar como um enorme obstáculo. No entanto, ele não ia deixar que ela atrapalhasse dessa vez.

— Eu lido com a sua mãe — ele disse, mesmo sabendo que ele efetivamente não tinha conseguido "lidar com" Polly em muitos anos. O que havia se passado entre eles não significava nada agora.

— Nós não podemos forçá-la a nada. E eu não ia conseguir viver desse jeito. Se não tiver a bênção dela, eu não vou ser capaz de ficar bem comigo mesma. Não vou ser capaz de ter uma vida feliz em Tamarisk se eu souber que ela está aqui sofrendo pela minha morte.

Chris não havia previsto essa complicação. Ele devia ter percebido que Becky ia querer que tanto ele quanto Polly concordassem com isso, mas ele não estava pensando assim. Tudo que ele sabia é que Tamarisk era um presente imenso. Não se recusa um presente assim.

— Então vamos conseguir a bênção dela.

— Não vai ser fácil, pai. Ela vai pensar que nós dois enlouquecemos.

— Vamos conversar com ela esta tarde, quando eu levar você de volta.

Absorva isso e todos os outros recursos, Chris pensou, repetindo as palavras que aquela voz sobrenatural havia lhe dito.

* * *

O otimismo era uma sensação fácil de ser lembrada, muito embora Miea tivesse recorrido a ele muito poucas vezes nos últimos anos. Naquela manhã ela acordou se sentindo renovada, depois de ouvir as boas notícias da dra. Nella. Seu mundo ia sobreviver. Becky ia sobreviver. Haveria um futuro novamente. Um futuro que continha uma promessa verdadeira. Além disso, Dyson vinha almoçar com ela pela primeira vez desde a última reunião e ele não estaria ali para uma reunião de negócios. Ela havia conversado com ele na noite anterior e havia lhe contado tudo. Dyson estava praticamente tão feliz quanto ela. Hoje eles fechariam as portas dos seus aposentos, ela insistiria em não ser interrompida (ela havia cancelado uma reunião com o ministro do transporte para poder ter esse almoço) e eles iam conversar sobre qualquer outra coisa que não a praga.

— A senhora precisa de mim, Vossa Majestade? — Sorbus perguntou entrando no seu escritório.

Miea se levantou da mesa e se dirigiu ao seu assistente mais próximo.

— Precisamos planejar algumas coisas, Sorbus. Precisamos chamar uma equipe de construção e a decoradora aqui imediatamente.

— Certamente, Vossa Majestade. Posso lhes adiantar alguma coisa sobre o trabalho quando eles chegarem?

— Vamos fazer algumas reformas na residência. Na suíte ao lado da minha.

— Seu antigo quarto, Vossa Majestade?

— Sim, eu não preciso mais dos arquivos, dos projetos e dos modelos que estão lá. Podemos colocar tudo num depósito. Não, acho que podemos jogar tudo fora... eu acho. Deixe eu pensar um pouco mais sobre isso. Quero que aquela área seja um lugar pra se morar novamente. Quero derrubar algumas paredes pra deixar mais aberto. Quero uma porta diretamente pro pátio. Quero janelas maiores... e uma claraboia no quarto.

— Vou informar isso para a equipe da construção.

— Diga ao decorador pra pensar em algum modo criativo para usar o payette. E o seney também. Ela parece gostar muito desses materiais.

— "Ela", Vossa Majestade?

Miea sorriu largamente. Ela estava tão preocupada fazendo gestos e imaginando modos de melhorar o espaço que havia se esquecido de contar a Sorbus porque ela queria tudo isso.

— Estamos reformando esse quarto pra Becky.

Sorbus acenou com a cabeça.

— É muito gentil da sua parte dar um lugar para ela ficar nas suas visitas.

— Logo ela não vai estar mais visitando, Becky vai vir morar aqui.

— Mas eu achei...

— Nada é exatamente como a gente pensa, Sorbus, e este é um bom exemplo.

* * *

Eles haviam passado as últimas horas no sofá, Becky teve uma vontade enorme de se sentar um pouquinho lá fora. Mas a sua resistência se acabou rapidamente, e ela mal conseguiu voltar para o apartamento. Eles assistiram à TV com a cabeça de Becky apoiada no colo de Chris pelo restante do dia.

Ele ainda não tinha conversado sobre Tamarisk de novo. Será que ele havia acrescentado mais um peso na carga já pesada da filha? Uma cura para a doença de Becky estaria disponível, mas carregava em si compromissos adicionais e problemas, incluindo um que Chris havia se esquecido de considerar: Polly. Que ironia seria se sua imaginação tivesse ajudado a gerar uma nova vida para a filha doente e a falta de imaginação da sua ex-esposa a impedisse de aproveitar essa vida?

Havia muito tempo Chris havia parado de se preparar para as conversas com Polly. Isso fazia pouca diferença no resultado final. Dessa vez, no entanto, enquanto ele se sentava ao lado de Becky acariciando seus cabelos, ele pensou num modo de abordar o assunto. Ele achava terrivelmente frustante imaginar quais seriam as respostas de Polly.

Becky comeu um pouquinho antes de voltar para Moorewood, mas ela vomitou na beira da estrada antes de chegarem na ponte. Quando voltaram para o carro, ela lhe deu o sorriso mais triste que ele já tinha visto. Daquele tipo que revelava que ela sabia que logo esse seria considerado um bom dia. Foi naquele momento que Chris percebeu — embora ele pensasse que tivesse percebido antes — como ele estava realmente despreparado para o declínio físico de sua filha.

Na casa de Polly, Chris ajudou Becky a sair do carro e então passou seus braços embaixo dela para caminharem até a porta.

— Você vai mesmo conversar com ela agora? — Becky perguntou com a voz trêmula.

— Claro que vou falar com ela.

— Você quer que eu fique junto?

— Acho melhor não.

Becky apertou a mão dele e eles entraram na casa. Polly chegou um momento depois e beijou a filha.

— Preciso de alguns minutos com você. — Chris falou enquanto Polly ainda estava abraçando Becky.

— Vou subir pro meu quarto — Becky declarou beijando a mãe no rosto. Ela olhou para as escadas e então respirou fundo. — Não, talvez eu vá pra cozinha. — Ela estendeu a mão para Chris e ele a segurou por um momento antes que ela partisse.

— O que está acontecendo? — Polly quis saber depois de ver Becky desaparecer no corredor. Chris preferiu ir direto ao assunto. Não adiantava nada fazer preliminares.

— Fiquei sabendo de uma coisa ontem à noite que pode curar a Becky.

Polly ficou espantada por um instante, mas se recobrou rapidamente.

— Nós já começamos com o Gleevec, não vamos mudar de curso agora e tentar alguma outra coisa maluca. A medicina alternativa nunca provou que funciona.

— Não estou falando de medicina alternativa e também não é nenhuma droga milagrosa, Polly, é Tamarisk.

Polly pareceu desapontada por um momento, como se de algum modo ele a tivesse frustrado. Então seu rosto se contorceu e ela o atacou novamente.

— Você deve estar brincando comigo. Você não acha que já estou sofrendo o bastante sem você ficar me aterrorizando com essas coisas do faz de conta? O que você quer me dizer? Que a "consulta médica" de Becky em Tamarisk revelou que ela precisa passar mais algum tempo com os duendes?

A raiva de Polly não afetou Chris.

— Você sabe o que me espanta? Que você está disposta a explorar qualquer remédio que aparece, independentemente da pouca pesquisa que foi feita, mas você não abre a sua mente pra mais nada.

— Existe uma diferença entre pesquisa científica e mundos imaginários, Chris.

— Sim, existe. Realmente existe. E apenas um deles oferece uma saída pra Becky ficar melhor.

Polly encarou Chris intensamente. Se ela estava tentando fazer com que ele afastasse o olhar ela havia escolhido o momento errado. Finalmente ela sacudiu a cabeça.

— Vou ficar um pouco com a minha filha. Você sabe onde é a saída.

— Polly, queremos a mesma coisa. Qual o problema de ouvir o que tenho a dizer?

Polly olhou furiosa para ele, jogou as mãos para o alto e se sentou nos degraus da escada que levavam para o segundo andar.

— Tudo bem, Chris. O que você tem a dizer?

Chris caminhou até a escada e se sentou um degrau abaixo da sua ex-mulher.

— Existe uma razão para Tamarisk existir.

— Supondo-se que você acredite que Tamarisk exista.

Ele deixou o comentário passar.

— Ela existe como um lar pra Becky.

As sobrancelhas de Polly se arquearam.

— O quê?

Chris se inclinou um pouco para a frente.

— Becky não está doente quando está em Tamarisk.

— Isso é muito tranquilizador, Chris. Totalmente irrelevante, mas tranquilizador. Não acredito que você esteja fazendo isso agora. Eu tinha começado a me convencer de que talvez fosse melhor se eu entrasse nessa com vocês. Que burra que eu fui.

Chris estava achando cada vez mais difícil controlar sua raiva, mas ele lutou.

— O que estou dizendo não é totalmente irrelevante. É a única esperança dela. Tamarisk existe porque Becky pode ser saudável lá.

Polly sorriu sarcástica.

— Esta é sua nova teoria.

— Não é uma teoria. Você devia ter visto como ela estava bem quando estivemos lá na noite passada.

Os olhos de Polly se apertaram e ela ficou vermelha.

— Você esteve lá na noite passada?

— Sim, estive lá noite passada. Estive em Tamarisk muitas vezes. Você devia ter visto a sua filha...

— Chris, ouça o que está dizendo.

— Polly, é você quem precisa me ouvir. Entendo que isso parece uma loucura. Nem eu mesmo acreditava quando Becky falava sobre isso, mas existe uma razão pra tudo isso. Becky pode viver em Tamarisk. Quando ela está lá ela é saudável e cheia de vida como nunca.

— Ah, meu Deus.

Será que ela estava reconhecendo a possibilidade? Chris pressionou.

— Eu sei. É muita coisa pra absorver. Eu virei a noite inteira na cama pensando sobre isso. Nós nunca a veremos novamente, mas saberemos que ela está bem.

Polly não disse nada por um momento. Quando ela voltou a falar, sua voz tinha um timbre agudo.

— Sinto muito, Chris. Você foi mais longe do que eu imaginava. Isso deve ser bem difícil. Ouça, eu tenho falado com uma boa terapeuta. Talvez você possa se encontrar com um também.

Chris sentiu como se tivesse experimentado uma queda de açúcar no sangue.

— Você acha que estou inventando isso.

— *Eu sei* que você está imaginando isso. Por pior que eu esteja me sentindo com o que está acontecendo com a Becky, e eu me sinto mal a cada momento, sei também que o que você está passando é mais prejudicial ainda pra você.

— Isso não é uma ilusão.

Polly se levantou. Agora ela estava olhando do alto para ele.

— Procure ajuda, Chris. Faça isso pela Becky.

— Isso não é uma ilusão, tenho como provar pra você.

Polly desceu as escadas, passou na frente dele e foi para a cozinha.

— Eu vou te mandar um e-mail com o número de telefone da minha terapeuta. Tem vários outros médicos no grupo dela.

Com isso, Polly se virou e foi para a cozinha encontrar a filha deles. Chris se sentiu humilhado. Por um momento ele pensou em seguir

Polly pelo corredor, mas ele não queria ter um confronto desagradável com ela na frente da Becky.

Em vez disso ele esperou nas escadas por alguns minutos caso Becky voltasse para vê-lo. Quando ficou óbvio que ela não viria, ele saiu da casa se sentindo derrotado como jamais tinha se sentido.

Absorva isso e todos os outros recursos.

Ele não poderia deixar Polly vencer dessa vez. Ele havia feito muitas concessões a ela nos últimos quatro anos. Agora não havia tempo para concessões.

22

Àquela altura, todas as vezes em que voltava para Tamarisk, Becky se sentia como um brinquedo inflável se enchendo de ar novamente. Durante a semana anterior, ela se sentiu cada vez mais fraca nos dias em que estava em casa. Ela havia lido que o Gleevec era ótimo para muitas pessoas, mas não estava fazendo nada por ela, a não ser lhe deixar terrivelmente enjoada. Agora ela tinha extensos períodos em que se sentia cansada demais até para andar. À noite o pai teve de carregá-la até o quarto e ela teve dificuldade para levantar a cabeça e lhe dar um beijo de boa-noite. Dois dias antes ela caiu no sono enquanto se preparava para "escurecer", e não chegou a fazer a travessia para Tamarisk. O pai ficou ao lado dela dessa vez para garantir que isso não ia acontecer de novo.

Quando ela chegou ao palácio, estava intensamente acordada e lúcida. Ela respirou fundo, como se pudesse inalar todo o ar do reino e ainda ter espaço para mais. Sua mente devia estar pregando peças nela — especialmente agora que ela compreendia tudo sobre esse lugar —, mas ela nunca se sentira tão bem assim na própria casa. Nunca, na sua vida toda.

E talvez ela nunca se sentisse tão bem assim novamente. A mãe dela havia estourado com o seu pai quando ele tentou conversar sobre Becky viver em Tamarisk, e ela não quis conversar de modo algum sobre isso com a própria Becky. "O Gleevec precisa de um pouco de tempo pra funcionar", era tudo que ela dizia quando Becky tentava dizer que Tamarisk era sua única chance. Repetidas vezes Becky tentou fazer com que ela viesse conhecer o lugar por ela mesma, para perceber que era real, mas sua mãe havia erguido um muro tão alto e se recusava a dizer o porquê. Becky não conseguia entendê-la. Ela sabia que a mãe não queria que ela morresse, mas também não estava querendo permitir que ela tivesse sua única chance de viver. Seu pai parecia cada vez mais desesperado, ligando para a sua mãe várias vezes (e ela desligava na cara dele) e visitando a casa sem avisar com antecedência. Hoje ele tinha dito para Becky que ela precisava pensar em tomar a decisão sem a aprovação da mãe, mas Becky não queria pensar em fazer isso. Como ela poderia viver em Tamarisk sem dizer adeus à mãe, sem saber que ela ia viver o resto da vida pensando que a filha estava morta?

Sorbus a levou até os aposentos de Miea e disse que a rainha em breve estaria ali. O palácio estava muito barulhento naquele dia, com sons de serra e martelo no fundo do corredor. Considerando como tudo parecia incerto nesse momento, era estranho estarem fazendo uma reforma.

Alguns minutos mais tarde, Miea entrou no quarto e abraçou Becky com força.

— Como está se sentindo?

— Ótima. Na verdade, estou maravilhosa.

— Já faz alguns dias desde a última visita. Eu estava um pouco preocupada.

Becky torceu o nariz.

— Eu tive um problema pra chegar aqui na outra noite.

Miea estendeu a mão.

— Ah, Becky.

— Mas estou aqui hoje. Meu pai ficou me ajudando do outro lado.

Miea olhou para a mão dela e deu um apertão nela.

— Você conseguiu alguma coisa com a sua mãe?

— Não. Nada. Eu diria que estamos regredindo, mas não podemos regredir se nem saímos do lugar, não é?

— Estou tão preocupada com você. O fato de você não ter conseguido se transportar pra cá me assusta. E se você voltar hoje e eu nunca mais vê-la?

Becky não queria pensar sobre isso, embora não houvesse muito mais no que ela pudesse pensar. Ela sabia que em pouco tempo não conseguiria se transportar mais e a sua última esperança estaria acabada. E quanto a Tamarisk? Se Becky estivesse doente demais para voltar, a praga tomaria conta do reino todo. Será que Tamarisk ia morrer na mesma hora que ela? Ou algo mais ia acontecer? Talvez fosse exatamente o oposto. Talvez se ela morresse, Tamarisk ficasse livre da sua doença. Talvez isso fosse algo para lembrar se acontecesse o pior com ela.

— Não posso vir pra cá sem a bênção da minha mãe, Miea. Eu simplesmente não posso ser tão egoísta.

Miea olhou para ela atentamente.

— Sei que você não pode.

Elas ficaram paradas naquela mesma posição por um longo momento antes de Miea dar um tapinha na sua mão.

— Vamos dar uma volta comigo.

Elas saíram para o pátio, que foi a primeira parte desse mundo que Becky visitara em Tamarisk. Os jardineiros estavam cuidando das flores e dos arbustos, os passarinhos estavam voando de um lado a outro e os animaizinhos não paravam de correr. Estava tão lindo como das outras vezes. No entanto, os sons eram diferentes. A música no ar estava ainda mais sem harmonia do que da última vez em que ela estivera lá. Havia um som grave e profundo no ar, quase um grunhido, num tom completamente diferente de uma melodia bonita.

Elas continuaram o passeio até o campo onde Becky costumava fazer seus voos com o waccasassa. Só pisar ali deu a Becky a sensação de estar voando. Aquela primeira viagem, quando ela encontrou o microfazendeiro, os jogadores de poledisk e visitou os pântanos inchados, foi uma das experiências mais emocionantes da sua vida. Ela teve a sensação de que seu lugar era em Tamarisk — embora naquela época ela não tivesse ideia do que isso representava.

Assim que chegaram à clareira Becky viu as manchas verdes marcando o campo e percorrendo o vale abaixo.

— Isso é o que eu acho que é? — ela perguntou, ansiosa.

Miea acenou afirmativamente.

— A praga está vindo pro palácio, essas apareceram nos últimos dias. — Ela apontou colina abaixo. — A maior parte da folhagem de Tamarisk já necrosou. O ciclo da morte está aumentando rapidamente.

— Talvez se eu passasse algum tempo aqui as plantas pudessem voltar à vida.

— Provavelmente sim, mas não ia durar muito. Talvez fosse melhor não dar muitas esperanças para as pessoas daqui.

Becky prestou atenção nos prédios pouco visíveis àquela distância.

— Eles devem estar apavorados com o que está acontecendo.

— Eles estão assustadoramente quietos. Normalmente a cidade é movimentada e barulhenta. Agora ela está quieta. A maior parte das pessoas está ficando em casa. Aqueles que saem, fazem seus trabalhos apaticamente. É como se estivessem resignados. Acho que eu preferia uma rebelião.

Eles percebem que é inútil, Becky pensou. *Eles amam a rainha demais pra tornar isso pior do que já é.*

— Vou continuar tentando, Miea. Quero isso tanto por Tamarisk quanto por mim.

Miea passou um braço pelo ombro dela e elas ficaram olhando para o campo, para a colina, a cidade e a vasta extensão de Tamarisk que se estendia à sua frente.

A vista dessa perspectiva era extraordinária e se Becky tentasse ela ainda poderia ver o reino da sua imaginação.

Era um reino de fantasia, sonhado por uma garota com uma quantidade ilimitada de esperança.

— Preciso de um pouco daquela esperança agora — Becky sussurrou. Ela não pretendia dizer essas palavras em voz alta, mas ela deixou que elas escapassem, pois Miea apertou o seu ombro.

Becky respirou fundo mais uma vez. O ar tamariskiano a enchia por dentro.

* * *

Três dias mais tarde, Becky estava deitada na enfermaria da escola esperando a mãe chegar para buscá-la. Lonnie e ela estavam a caminho das aulas do segundo tempo quando Becky sentiu as pernas amolecerem. Ela se sentou no chão do corredor enquanto alunos passavam por ela rapidamente, alguns deles perguntando se ela estava bem enquanto Lonnie as afastava dali.

Quando os corredores esvaziaram, Lonnie a ajudou a ir até a enfermaria e ficou com ela.

— Você pode ir pra aula, eu estou bem — Becky disse.

Lonnie já havia lhe trazido um copo de água, um segundo travesseiro e um cesto de lixo caso ela sentisse vontade de vomitar.

— Não vou pra aula.

— Você está me usando como desculpa pra matar aula.

— Acertou em cheio, hein, Becky?

Becky tentou sorrir, mas não sabia se havia conseguido ou não. Ela se sentia tão apática que parecia que ia cair no sono assim que fechasse os olhos. Ela não queria fechar seus olhos. Ela não queria que a mãe a encontrasse ali inconsciente. Becky tentou se levantar do travesseiro, mas ficou exausta. Ela se deitou de volta.

— Precisa de ajuda?

— Não, estou bem assim.

Lonnie se inclinou e fez um carinho no cabelo dela. A testa de Becky estava úmida e a amiga provavelmente teria brincado com ela em outras circunstâncias.

— Você sabe que eu amo você, né, Becky?

— Amo você também, Lon.

— Melhores amigas deviam dizer sempre isso uma pra outra.

— Você está certa. Vou me lembrar disso.

— Não que isso importe pra mim agora. Estou aposentando o seu número.

Essa foi uma coisa estranha para alguém dizer, especialmente alguém como Lonnie.

— Isso quer dizer alguma coisa?

— É como no beisebol, quando um grande jogador se aposenta e eles nunca usam seu número novamente, você é minha última melhor amiga.

A voz de Lonnie tremeu com a última palavra e as lágrimas começaram a escorrer pelo seu rosto. Becky não tinha certeza se já a havia visto chorar desse jeito antes. As lágrimas por causa de namorados simplesmente pingavam, mas essas estavam jorrando dos seus olhos.

— Não quero ser sua última melhor amiga, Lon.

Lonnie fungou e limpou os olhos.

— Não estou pedindo sua opinião.

— Realmente não quero, Lon.

— E eu realmente não me importo.

Polly chegou alguns minutos depois parecendo terrivelmente abalada. Ela se ajoelhou e abraçou Becky e então se virou e abraçou Lonnie também por um longo tempo.

— Você acha que consegue ficar em pé? — ela perguntou quando se virou para Becky.

— Não tenho certeza.

A enfermeira se aproximou e disse:

— Temos uma cadeira de rodas, se você quiser.

Becky olhou assustada para a mãe.

— Não quero sair daqui numa cadeira de rodas, mãe. Eu posso caminhar.

Ela tentou se sentar, grata pela sala não ter começado a girar imediatamente. Com a mãe de um lado e Lonnie de outro, ela se levantou. Suas pernas não estavam tão bambas quanto antes e ela deu alguns passos incertos. Com a sua melhor amiga e a sua mãe de cada lado ela caminhou até o carro.

Lonnie a abraçou com força antes que ela se sentasse no banco do carro e novamente antes de fechar a porta.

— Vou te ver depois da aula — ela avisou.

— Faça isso mesmo.

— Eu vou. E eu estou aposentando o seu número de verdade, Becky. Ninguém mais vai usá-lo de novo.

— Podemos falar sobre isso nessa tarde.

Lonnie deu um passo para trás, acenando enquanto elas partiam. Becky se virou e viu a amiga esfregando os olhos com as costas da mão que ela tinha usado para dar tchau.

Enquanto a mãe saía do estacionamento, a escola ia ficando para trás. Ela ficou olhando o prédio até que desaparecesse de vista.

23

Nas duas últimas semanas, desde que Becky deixara de ir à escola, Chris só tinha ido ao escritório nos dias em que a filha estava com Polly. O lado ruim disso tinha começado e a gerência não estava sendo mais gentil com a sua decisão de ficar em casa com ela do que eles poderiam ter sido nas atuais circunstâncias, mas ele simplesmente não se importava. Se os seus supervisores realmente acreditavam que ele ia preferir ficar no trabalho que ficar o máximo de tempo que ele pudesse com Becky, eles estavam totalmente enganados.

Becky não se mexia muito mais e ela precisava de ajuda para entrar no carro, para ir e vir entre as casas. O vaivém estava cobrando o seu preço e talvez tivesse sido melhor deixá-la num único lugar, mas Becky insistia em continuar a alternar casas. Polly protestou veementemente, mas ela parou assim que Becky deixou bem clara a sua vontade. Chris não compreendia muito as coisas sobre Polly, mas ele sabia que Becky sempre tinha sido essencial na sua vida, do mesmo modo como era para ele. Ela não ia fazer dessa questão um campo de batalha com a filha agora.

No entanto, ela entraria numa batalha em qualquer outra frente. As transições entre as casas estavam ficando cada vez mais difíceis, pontuadas por brigas tensas sobre Tamarisk. Polly se recusava a acreditar que Tamarisk existia e rejeitava qualquer ajuda para ver a prova por ela mesma, em vez disso ficava insistindo para Chris fazer terapia. Nem mesmo Becky conseguia fazer ela entender. Polly simplesmente continuava a perpetuar uma fantasia real: que o Gleevec repentinamente ia ter um impacto na doença da Becky. Chris sabia que a droga experimental funcionava num número encorajador de casos. Mas ele também sabia, como Polly provavelmente o sabia se tivesse prestando atenção à pesquisa, que, se o remédio fosse funcionar, Becky já teria mostrado algum sinal de melhora àquela altura.

— Meu bem, você pode ficar aí hoje. Fique. — Chris tinha dito na noite anterior.

Ele não ia para Tamarisk havia semanas porque precisava monitorar a habilidade de Becky em fazer o trânsito de volta para este lado.

— Não, pai, não quero — Becky disse com muita ênfase, como ela dizia sobre tudo nos últimos dias.

— Becky, você tem de fazer isso. Como você pode deixar que os sentimentos pessoais da sua mãe, ou os meus ou de qualquer outra pessoa, estejam acima da sua própria vida?

— Pai, pare. Por favor.

No fim das contas, isso não importava mais. Pela primeira vez desde que ele estava acompanhando o processo, Becky não conseguiu fazer a travessia. Ela não tinha dormido dessa vez, agora foi algo diferente. Os olhos dela flutuaram e então ela olhou para ele de um jeito triste.

— Não consigo me concentrar — ela disse. — Não consigo fazer a minha mente escurecer. — Então ela soluçou enquanto ele a abraçava, e só parou quando adormeceu.

Se Becky não estava sendo forte o suficiente para controlar seus pensamentos — algo que ela sempre havia dominado brilhantemente nos últimos meses —, havia uma grande chance que ela não fosse mais para Tamarisk.

Será que era tarde demais para ele participar da fantasia de Polly àquela altura?

Eles deveriam estar de volta à casa dela às dez da manhã. Como sempre, Chris acordou às seis, verificou a filha adormecida e então tentou se ocupar. Como era de costume, no entanto, ele se deitou no sofá numa forma de meditação que ele havia começado a praticar, a cabeça para trás, os olhos para o teto e seu mantra eram pensamentos contínuos sobre Becky. Às nove e quinze ele se levantou do seu transe e percebeu que Becky ainda estava dormindo. Ele detestava ter de acordá-la, mas ele sabia que o desconforto de tirá-la da cama era preferível do que acrescentar uma tensão adicional à sua condição se ele a levasse depois do horário para a casa de Polly.

Quando ele entrou no quarto de Becky ela estava deitada de costas, exatamente na mesma posição de quando ele tinha ido vê-la naquela manhã. Ele beijou a testa dela e passou a mão pelo seu cabelo.

— Meu bem, precisamos ir logo.

Becky não se moveu. Sua pele estava quente e ele pôde perceber que ela estava respirando superficialmente, mas suas palavras não conseguiram despertá-la de modo algum.

— Becky? Becky, precisamos ir.

Chris havia lido bastante sobre a doença da filha e ele sabia como os estágios avançavam no final. Às vezes o paciente entrava em coma e seu corpo falhava. Outras vezes acontecia tudo ao mesmo tempo.

— Becky? Meu bem?

Os olhos dela se abriram um pouco e se fixaram nele.

— Você acha que pode levantar?

Becky fechou os olhos novamente e pareceu perdida por alguns momentos, então reabriu os olhos um pouquinho.

— Acho que não.

Ele poderia carregá-la até o carro e levá-la para a casa de Polly, mas ele pensou que a viagem poderia ser horrível. Ele poderia chamar uma ambulância e ir para o hospital, mas ele sabia que Becky realmente não queria isso. Ela não queria passar seus últimos dias num ambiente impessoal.

— Volto logo — ele disse e foi para o telefone que estava em seu quarto.

Ele demorou um pouco para apertar o botão da discagem rápida. Ele sabia o que era receber uma ligação desse tipo e ele não desejava isso para ninguém. Por fim, ele apertou o botão e esperou a sua ex-mulher atender.

— Polly, você precisa vir pra cá.

— O que houve? — Polly perguntou, as três palavras expressando todas as emoções que ele tinha acabado de sentir.

— Não consigo fazer ela se levantar. Você precisa vir e vê-la e então a gente decide o que fazer.

* * *

Um acidente havia fechado o tráfego na ponte numa das pistas. Polly ficou sentada no carro suspensa entre Moorewood e Stanbridge imaginando se a falha de algum motorista ia lhe custar a possibilidade de passar os últimos momentos em que a filha estivesse acordada junto a ela.

A conversa com Chris tinha durado menos de um minuto, mas sua mensagem foi inequívoca. Becky estava entrando nos estágios finais da doença. Talvez ela lutasse um pouco mais, mas não era mais possível acreditar que qualquer tentativa de luta contra essa doença tivesse algum sucesso. Polly havia pensando tantas vezes nos últimos meses em como seria a vida sem Becky e agora ela percebeu que não estava pronta para enfrentar isso. Quando passou pelo gargalo da ponte e se aproximou do apartamento de Chris, ela percebeu que havia subestimado tudo: a mágoa, a dor, o desejo desesperado de parar o tempo e impedir que isso acontecesse. Enquanto esses sentimentos foram se amontoando e ameaçando sufocá-la ela lutou contra a vontade desesperada de parar o carro e sucumbir. Apenas a necessidade de falar com a filha novamente — ou segurá-la enquanto Becky ainda podia senti-la — impediu Polly de se entregar à dor. Isso poderia acontecer mais tarde. Então ela não ia lutar.

Ainda assim, enquanto subia no elevador até o andar de Chris, ela sentiu um momento de hesitação. Um último fiapo de esperança lhe dizia que se ela não entrasse no apartamento não ia acontecer nada. Então as portas do elevador se abriram e esse fio se rompeu e ela caminhou em direção ao inevitável.

— Ela está mais alerta que quando liguei pra você — Chris disse quando abriu a porta do apartamento. — Mas ela fica indo e voltando.

— Demorei tanto pra chegar aqui. Estava preocupada... — Ela não conseguiu terminar a frase.

Chris deixou o caminho livre para ela.

— Vá vê-la.

Becky estava deitada com a cabeça apoiada em dois travesseiros quando Polly entrou no quarto. Ela estava afundada na cama e pálida, mas os olhos dela ainda tinham um brilho, nem que fosse só de relance. Becky levantou uma das mãos lentamente e Polly correu para o seu lado, segurando-a e abraçando-a de encontro ao peito. Ela tinha conseguido não chorar desde a ligação de Chris, mas agora ela não conseguia se segurar mais. Ela afundou a cabeça no cabelo da filha e permitiu que as lágrimas escorressem.

— Venha comigo, mãe — Becky disse suavemente.

Polly apoiou Becky novamente nos travesseiros e pegou a mão dela.

— Ir com você aonde, meu bem?

— Pra Tamarisk.

Polly fechou os olhos e sentiu as lágrimas molharem seu rosto.

— Você sabe que não podemos ir pra lá.

— Podemos, mãe. Deixe eu levar você.

Polly não havia percebido que Chris havia entrado no quarto até vê-lo parado ao lado delas.

— Polly, por favor.

Ela havia lutado muito contra esse momento. Ela não queria provar para a filha que Tamarisk nada mais era que um voo da sua imaginação. De certo modo, Becky e Chris compartilhavam essa ilusão — de certo modo eles sempre compartilharam —, mas Polly não seria capaz de fingir como eles fingiam. Ela nunca seria capaz disso.

— Becky, Tamarisk é uma fantasia. É uma fantasia maravilhosa que você criou com o seu pai, mas não é real.

Becky fechou os olhos e uma lágrima escorreu por seu rosto.

— Você precisa acreditar em mim. Precisa saber que eu vou ficar bem lá.

Polly apoiou a cabeça perto da cabeça de Beck e soluçou. O que ela podia fazer para consolar a filha? Quanto tempo mais ainda restava? Havia tantas decisões difíceis a serem tomadas, e ela não podia fazer nada para melhorar isso.

Chris colocou a mão no braço dela.

— Posso falar com você ali fora por um segundo?

Polly não queria deixar Becky nem por um minuto.

— Agora não, Chris.

— Tem de ser agora.

Polly queria desesperadamente ficar onde estava, mas ela se levantou lentamente e beijou Becky na testa.

— Volto num minuto, meu bem.

Becky parecia confusa e desamparada. Polly não conseguia nem imaginar o que estava se passando na sua mente. Se afastar dali exigiu um esforço enorme. Polly olhou para Chris por entre as lágrimas. Ele parecia surpreendentemente composto naquelas circunstâncias. Como isso era possível? Ela conhecia Chris muito bem para saber que isso estava acabando com ele. Desviou então o olhar e foi até a sala.

Ela ouviu a porta do quarto de Becky se fechar. Quando se virou, Chris estava atrás dela.

— Você tem de deixá-la partir — ele falou firmemente.

Polly deu uma risada amarga.

— Eu não sabia que tinha escolha.

— Não é isso que quero dizer, acho que você entende. O que quero dizer é que você tem de deixá-la ir pra Tamarisk.

Polly colocou a mão na cabeça e fechou os olhos. Tentou respirar normalmente, mas não conseguiu segurar o soluço.

— Chris, nossa filha está morrendo ali. Esses talvez sejam seus últimos momentos acordada. Se você tem alguma compaixão, não comprometa esses momentos com outros desses argumentos ilusórios.

Chris a segurou pelos ombros. O gesto a surpreendeu o bastante para fazê-la abaixar a mão e abrir os olhos.

— Polly, isso não tem nada a ver nem com você nem comigo, nem com nada que tenha acontecido conosco no passado, nem com o que vai acontecer no futuro. Isso é exclusivamente sobre a Becky. Você pode dizer que eu estou iludido, Polly. Você pode dizer que eu preciso de ajuda profissional. Mas, no fundo, você sabe que a Becky acredita em Tamarisk. Não importa se você acredita que ela pode ir lá ou não, do mesmo jeito que não importa se você acredita que ela vai ter uma vida melhor lá. A única coisa que interessa é que a Becky quer e precisa da sua bênção. Ela precisa acreditar que você não vai pensar nela como morta.

— Como eu posso fazer isso?

— Juntando todas as forças que você encontrar para convencê-la.

Polly olhou para o chão. Ela sentia que o ar ao redor a estava puxando para baixo.

— Não posso fingir, Chris. Esta é a sua especialidade.

— Você tem de tentar. Você tem de fazer isso pela Becky. Ela precisa saber que você concorda com a travessia. Se você deixá-la ir, desde que não seja tarde demais, ela pode ter um futuro extraordinário.

O corpo de Polly sacudiu quando ela pensou em quão pouco futuro Becky tinha pela frente.

— Não posso acreditar nisso, eu nunca vou acreditar nisso.

— Acredite — Chris falou bruscamente. — Olhe, Polly, talvez você esteja certa, talvez a Becky e eu estejamos envolvidos no meio de uma enorme alucinação conjunta. Eu não sei se esse é o caso, mas mesmo que seja, mesmo que nós estejamos completamente loucos, a sua bênção vai dar a Becky um pouco mais de paz e esperança no final. O que pode haver de errado nisso?

Polly levantou os olhos para os de Chris. Havia uma firmeza que ela nunca tinha visto antes. Ele sabia que estava certo. Definitivamente.

E pela primeira vez, Polly entendeu que ele estava certo. Ela tinha estado tão preocupada em provar para Becky que Tamarisk era um sonho, que ela não pensou na possibilidade de Becky ter consolo em acreditar que a mãe também acreditava no sonho. O que Chris disse era verdade. Não importava se Tamarisk era real para ela. Tamarisk dava a Becky algum tipo de consolo, e isso era um presente.

— Será que ela vai acreditar em mim?

— A expressão de Chris suavizou.

— Ela vai acreditar se você permitir que ela acredite.

Polly fechou os olhos novamente e então cruzou as mãos. Olhou para Chris mais uma vez, e caminhou junto dele para o quarto de Becky. Os olhos da garota a encontraram assim que ela entrou no corredor.

Por mais doente que estivesse ela ainda trazia um traço de esperança. Ao ver isso, Polly percebeu que Becky ia acreditar nela com certeza. Becky queria desesperadamente acreditar nela. Polly se ajoelhou ao lado da cama, apertou a mão da filha e disse:

— Me conte alguma coisa sobre Tamarisk.

Becky sorriu com esforço.

— Parece música.

— Boa música?

— Música mágica.

Polly beijou a mão de Becky.

— E é bonito lá?

Os olhos de Becky conseguiram ter um pouco de brilho.

— Maravilhoso, eles têm todas as cores que você nunca viu antes.

Polly sorriu do modo mais encorajador possível.

— Isso parece ser maravilhoso.

Becky apertou de leve a mão dela.

— É de verdade, mãe.

Novamente Polly apoiou a cabeça da filha no seu peito.

— Eu sei que é, meu bem. Eu levei muito tempo pra acreditar, mas acredito agora. Eu sei que você pode ir pra lá e ficar bem.

Polly sentiu o peito de Becky inflar.

— Eu devo ir logo.

— Eu sei que você deve. Mas vamos ficar assim um pouco mais, tá bom?

— Tudo bem, mãe.

Becky estendeu o braço e apoiou a mão no cabelo de Polly. Ao fazer isso, Polly se sentiu mais forte.

— É o tipo de música que eu ia gostar ou o tipo de música que você e seu pai gostam?

— É o tipo de música que todo mundo gosta.

Polly apertou Becky com um pouco mais de força. Ela tinha feito tudo que podia. Talvez isso fosse representar algo bom no final.

24

Becky dormiu bastante depois da conversa com a mãe. Chris e Polly ficaram sentados ao lado da cama dela sem dizer quase nada na maior parte do tempo. Chris disse a Polly que quando Becky acordasse ele ia ajudá-la a fazer a transição. Sua ex-mulher não discutiu. Ela simplesmente perguntou o que ia acontecer caso Becky não conseguisse "cumprir a jornada". O que ele interpretou como sendo um código para "quando ela descobrir que ela estava imaginando tudo isso". Mas ela não discutiu quando ele respondeu dizendo que eles não tinham que se preocupar com isso.

Al tinha chegado ao apartamento havia alguns minutos. Ele e Polly foram para a sala. Chris podia ouvir os dois conversando, mas não podia distinguir o que estavam dizendo. Chris ficou feliz de os dois terem um ao outro, Polly ia precisar de apoio muito mais do que ele.

De repente ocorreu a Chris que a cada minuto que Becky dormia, ela ficava um pouco mais fraca. Será que ela estaria forte o suficiente para fazer a travessia? Será que ia acordar afinal de contas?

Às duas da tarde ele decidiu que ia tentar acordá-la. Nos últimos anos ele vinha usando a parada do tempo, esperando retardar a evolução de Becky para a vida adulta. Agora, ironicamente, ele estava com pressa de avançar as coisas. Não porque ele quisesse que ela se fosse, mas porque sabia que ela tinha de ir antes que fosse tarde demais.

Ele deu um beijo na sua testa e alisou o seu cabelo. Ela não respondeu imediatamente, mas se mexeu um pouco e abriu ligeiramente os olhos.

— Oi, meu bem, como você está? — Becky gemeu e se mexeu um pouco mais.

Chris a ajudou a se sentar e colocou vários travesseiros nas suas costas.

— A mamãe realmente aceitou tudo isso?

— Aceitou sim, meu bem. Ela me disse que sim.

— Então agora ela acredita em Tamarisk?

Chris beijou novamente a sua testa.

— Eu acho que ela está terrivelmente ciumenta por não ter aceitado seu convite pra fazer uma visita.

Uma nova preocupação surgiu no rosto de Becky.

— Eu ainda posso levá-la.

— Não podemos correr esse risco, meu bem. Não queremos esperar até amanhã pra você ir sozinha.

Becky olhou para baixo, para o edredom que cobria a cama e então olhou em volta do quarto.

— Eu sei. Você está certo.

Chris foi para a sala para chamar Polly e Al e os três retornaram para ficar ao lado da cama dela. Ninguém disse nada por um bom tempo. Chris se sentia em suspensão, como se o tempo tivesse parado. De repente ele achou difícil seguir em frente. Por fim, Al se inclinou e fez um afago na perna de Becky.

— Pelo que entendi você vai fazer uma pequena mágica.

Becky deu um sorriso.

— Você não sabia que eu era bruxa, sabia?

— Não é verdade. Eu sempre soube que você tinha uns truques escondidos.

Becky sorriu para Al e seus olhos pareceram mais brilhantes. Chris estava preocupado com o relativo estado de alerta da filha. Talvez eles tivessem mais um dia ou dois assim. Talvez ele pudesse ter um pouco mais de tempo com ela. Ele sabia que era errado pensar desse modo. A qualquer momento, poderia ser tarde demais.

— Acho que é uma boa ideia a gente começar — ele disse.

Becky concordou.

— Sim, você tá certo.

— Você quer se encostar em mim como nós fizemos ontem?

Becky tentou se sentar um pouco mais reta.

— Acho que é bom.

Chris ajudou Becky a se sentar na beirada da cama. Ela ainda não conseguia se segurar e quando eles se olharam ele percebeu o quanto isso a perturbava.

— Tudo bem, querida. Em breve você vai estar brincando com o chestatee novamente. Talvez logo depois daquele imenso jantar real que eles vão fazer pra receber você na sua nova casa.

Ele se sentou ao lado dela e ela se encostou nele. Polly se sentou do outro lado e afagou o braço de Becky. Até aquele momento, Chris não tinha certeza de como Polly planejava participar, ou se ela ia participar.

No entanto, ele ficou feliz por ela estar ali para apoiar a filha.

Al se aproximou e abraçou Becky.

— Acho que esse é um momento de você ficar com a sua mãe e seu pai — ele disse com a voz embargada. Becky olhou para ele com carinho. — Obrigada por ter sido uma excelente companheira — ele disse.

Becky se inclinou e ele a abraçou novamente.

— Não se esqueça de fazer a mamãe sorrir.

— Farei isso Becky, eu prometo. — Ele a apertou mais uma vez, beijou Polly no alto da cabeça e se retirou.

Becky se apoiou em Chris e então se virou para a mãe e se apoiou nela também. Polly a puxou para perto e virou o rosto de Becky para colocar suas cabeças juntas.

Chris ficou pensando se deveria deixar as duas sozinhas por algum tempo, mas não quis interromper.

— Você é o meu coração — Polly disse. As palavras saíram hesitantes. — Sabe disso, né?

— Amo você, mãe.

— Você é a coisa mais perfeita que já me aconteceu. Vou guardar isso pra sempre.

Becky começou a chorar e as duas ficaram com os rostos colados e as lágrimas se mesclando. Chris não ouvia Polly dizer "você é meu coração" para Becky havia muito tempo, desde bem antes do divórcio. Ele de repente se lembrou de uma imagem de Polly embalando a filhinha ainda bebê depois de alimentá-la e dizendo essas palavras. O futuro acabou sendo bem diferente do que eles tinham planejado. Polly segurou o rosto de Becky em suas mãos e a beijou nos dois lados do rosto.

— Vá em frente e se apoie no seu pai — ela disse. — É assim que funciona, certo?

Becky se aproximou dele e ele a abraçou.

— Você quer que eu conte mais uma história de Tamarisk antes de você ir? — ele perguntou.

Becky fungou.

— Acho que eu não aguento.

Ele apertou seus braços em volta dela.

— Tudo bem se eu contar pra mim mesmo uma história todas as noites antes de dormir? Todas elas vão ter você, é claro.

— Acho isso ótimo.

Chris a apertou e a beijou ainda mais de encontro ao seu peito.

— Amo você, meu bem.

— Amo você, pai.

Ele apoiou a cabeça dela em seu peito e a segurou lá por um longo tempo. Ele sabia que teria de deixá-la partir, mas isso estava sendo mais difícil do que havia esperado. Finalmente, ele se afastou e deixou que ela se apoiasse nele sem fazer nenhuma pressão.

— Pai? — ela disse suavemente.

— Sim, meu bem.

— Obrigada.

— Sempre, Becky.

Ela não disse mais nada e Chris supôs que ela estava começando o processo de escurecimento. Ele não tinha ideia do que faria se Becky tivesse dificuldade em fazer a travessia. O apoio que ele ofereceu a ela nessas últimas semanas não representava nada, a não ser o fato de lhe dar uma pouco mais de segurança. De repente veio a sua cabeça que ele não tinha ideia do que aconteceria se ela fosse bem-sucedida. Como ele ia saber a diferença entre a travessia segura de Becky para Tamarisk e algo completamente diferente? E se ela fosse puxada de volta? Como ele ia ajudá-la nos seus últimos dias se a teoria de Miea estivesse errada?

Vários minutos se passaram e Chris sentiu o corpo de Becky relaxar. Ele não queria se mover, caso ela ainda estivesse viajando, mas seus pensamentos voaram. Será que estava tarde demais para chamar uma ambulância? Será possível que o hospital pudesse mantê-la viva tempo bastante para procurarem mais um milagre? Será que existia alguma coisa que a ciência pudesse fazer por ela que Tamarisk não ia poder?

Chris percebeu a mudança antes mesmo de vê-la. O pânico tinha começado a crescer dentro dele, mas subitamente diminuiu como se uma onda tranquilizadora tivesse passado sobre ele. Ele respirou profundamente e então respirou de novo, soltando a respiração lenta e tranquilamente. Uma onda de sentimento o cobriu, mas, em vez de derrubá-lo, ela o envolveu.

Chris olhou para baixo para a cama e sua alma se comoveu.

— Ela está lá — ele disse para Polly. — Ela conseguiu e pode ficar lá pra sempre.

Miea estava certa.

— Como você sabe disso? — Polly perguntou passando a mão carinhosamente pelo rosto sem vida da filha, com as lágrimas escorrendo livremente.

— Olhe pro edredom.

Polly se afastou de Becky e sua respiração ficou presa na garganta.

— Este era aquele velho edredom dela, né?

— Era.

Era. Mas não era o mais mesmo.

O edredom branco de Becky tinha se transformado no tom de azul mais profundo de Tamarisk.

25

Gage absorveu a presença desse mundo plenamente vivo, e sentiu um intenso nível de alegria. Ganhando centro, Gage sonhou com as possibilidades. Essa história foi tão inesperada, tão profundamente enriquecedora que Gage tinha apenas começado a entender as suas implicações. Era um novo lar. Uma casa para aqueles que vinham de lares errados. Pelo menos aqueles que podiam imaginá-lo.

Havia novos dons nesse mundo. Talvez por causa desse mundo houvesse novas chances. Isso era algo a se explorar.

Seria uma jornada agradável. O mais novo capítulo na história de Gage.

Ele se maravilhou novamente com o potencial humano.

* * *

Becky fechou os olhos e ouviu a música que estava sempre no ar em Tamarisk. Os sons eram sempre interessantes, embora estivessem sempre sendo reinventados. Contudo, ao contrário de quando ela era uma visitante, não havia nada dissonante nele.

Ela olhou para o céu azul-turquesa. Será que sua casa original estava por ali em algum lugar? Ou será que estava em outro lugar? Ela parava para pensar nisso pelo menos uma vez todos os dias, imaginando o que o pai, a mãe, Al, Lonnie e seus outros amigos estariam fazendo. Miea havia lhe contado um truque onde ela imaginava conversas com o pai, e Becky tinha começado a fazer isso. Era incrível como essas conversas pareciam reais. Agora Becky "conversava" com seu pai todas as noites, deixando-o a par das novidades que estavam acontecendo em Tamarisk e perguntando a ele sobre sua vida.

Ela sabia que ele estava bem. Todo mundo estava. Nos seus últimos minutos, antes de partir para Tamarisk para sempre, Becky percebeu que eles ficariam bem. No entanto ela ainda sentia falta deles.

— Procurando aqueles pássaros invisíveis novamente? — Rubus perguntou batendo nos ombros dela e inclinando a cabeça para cima de um jeito exagerado.

— Você não o está enxergando? Estou muito preocupada com você.

Ela deu um sorriso e o empurrou de um jeito brincalhão e eles continuaram a caminhada.

O garoto thorn foi uma das grandes surpresas que ela teve logo depois que começou a morar ali. Ela estava caminhando por um corredor com Miea quando ela o viu vindo pela outra direção carregando uma pilha de livros.

— Rubus — Becky falou alegremente quando o viu.

Ele parou e olhou para o rosto de Becky por uns instantes e então seu queixo caiu.

— Você está visitando *este lugar*? — ele exclamou.

Becky sorriu para Miea.

— Na verdade eu não estou mais visitando, eu simplesmente me mudei.

— Pro palácio?

— Este é o novo lar de Becky — Miea explicou.

Rubus pareceu pensar por um momento e então seus olhos se arregalaram.

— Você é a... a garota.

— Bem, eu sou *uma* garota.

Rubus estalou suas mãos juntas.

— Eu sabia que havia alguma coisa em você.

Becky deu um sorriso envergonhado.

— Vou tentar encarar isso como um cumprimento. Então agora nós sabemos o que eu estou fazendo aqui, mas o que você está fazendo aqui?

— Estou trabalhando para a rainha — ele disse respeitosamente, curvando a cabeça na direção dela.

— Eu denunciei minha pátria e desertei pra Tamarisk. Eu não servia pra ser um thorn. Eu faço parte daqui.

Becky balançou o corpo.

— Uau.

— Rubus está estudando nossa cultura — Miea explicou. — A minha esperança é que assim que ele consiga ter uma perspectiva imparcial do nosso povo, e que possa ajudar no corpo diplomático.

— A maior parte dos thorns é gente boa — Rubus comentou —, com exceção daqueles no governo como os meus pais. Isso pode ser uma loucura, mas talvez eu possa reunir os dois povos novamente.

Becky lhe deu um grande sorriso.

— Isso não parece uma loucura, parece um grande sonho. — Ela hesitou e sentiu seu rosto esquentar. — Então você trabalha no palácio?

Rubus apontou na direção de onde tinha vindo.

— No fundo do corredor.

— Uau. Que legal.

Rubus sorriu.

— Talvez a gente possa se encontrar novamente.

Como era de se esperar, eles se encontraram bastante, mas chegar a esse ponto exigiu muito trabalho da parte de Becky. No princípio, Miea tentou paparicá-la. A rainha havia lhe dito que sua única responsabilidade era se acostumar com as escolas de Tamarisk e se sair bem. Becky deixou bem claro que ela não tinha nenhum desejo de ser um membro mimado do palácio, por uma razão: ela tinha tanta energia que precisava gastar. Ela estava dormindo apenas quatro ou cinco horas por noite, mas ainda se sentia completamente desperta e alerta o tempo todo. Becky não tinha ideia de como era possível se sentir tão bem.

Mas o melhor é que havia muitas coisas a fazer. A praga havia desaparecido rapidamente, mas as pessoas, a flora, a fauna, toda Tamarisk haviam sofrido muito durante os tempos ruins e eles precisavam de ajuda agora na recuperação. Então havia outras coisas a fazer, como dar assistência a Miea em alguns dos projetos que ela nunca tinha tempo de fazer sozinha. Tamarisk era um lugar incrível, mas sempre podia ficar mais maravilhoso. Só precisava de imaginação e convicção, e Becky tinha enormes quantidades das duas coisas.

Miea entendeu tudo isso bem rapidinho, e disse a Becky que ela tinha conhecido alguém bem parecido com ela naquela idade. Nos finais de semana, ela mandava Becky em missões de ajuda para as microfazendas. Durante a semana depois da aula, ela trabalhava com Rubus ajudando-o a aprender a cultura e a desenvolver um modo de se relacionar diretamente com os cidadãos de Gunnthorn. A princípio eles fizeram a maior parte do trabalho num escritório do palácio, mas ultimamente eles estavam saindo para longas caminhadas pelo campo.

Eles já estavam caminhando agora por cerca de vinte minutos quando ouviram um movimento a alguns metros adiante. Becky esperava ver um animal sair dali ou talvez um pássaro. Em vez disso dois garotos extremamente magros — talvez de seis ou sete anos de idade — vestidos apenas com uns panos em volta da cintura saíram do meio das flores silvestres. Eles se entreolharam, olharam para o céu e então para a paisagem em volta deles antes de se olharem novamente. Pareciam embasbacados.

— Não sinto a mesma coisa — um dos meninos disse movendo e esticando suas pernas que mais pareciam uns gravetos.

— Eu também não — o outro garoto disse.

Ele respirou fundo.

— Eu me sinto... à vontade. Onde estamos?

— É como o lugar nas minhas histórias.

— Não tem nada a ver com os lugares nas suas histórias.

— Você está certo, não tem não. É diferente de qualquer coisa no mundo. — Eles deram uma risada alta, totalmente à vontade.

Becky e Rubus ficaram se olhando e então olharam para os garotos, sem conseguir dizer uma palavra. Um dos meninos pegou uma das flores silvestres e a comeu.

— Você come flores? — um menino perguntou.

— Não sei. Acho que sim.

O outro garoto também pegou uma flor e deu uma mordida, mastigando cuidadosamente.

Becky se aproximou deles lentamente.

— Oi?

Os meninos se viraram bruscamente em direção ao som da voz dela, jogando as flores no chão, como se tivessem cometido um crime terrível.

— Tudo bem — disse Becky. — Vocês não precisam ter medo.

— Nós não queríamos roubar, nós apenas estávamos com fome.

— Nós podemos dar um jeito nisso. Eu vou arrumar um pouco de comida pra vocês.

Rubus deu um passo e se aproximou de Becky.

— Comida tem um gosto muito melhor do que essas flores.

Os garotos pareceram fascinados com essa informação.

— As flores têm um gosto muito bom.

Becky estendeu uma das mãos.

— Então você vai realmente gostar do que a cozinha pode preparar.

Um dos garotos timidamente pegou a mão de Becky enquanto o outro pegou a de Rubus. Os quatro começaram a caminhar na direção do palácio.

— Isso aqui não é Awassa, é?

Becky sacudiu a cabeça.

— É Tamarisk City.

— Nós temos de voltar?

— Não sei ainda. Acho que vamos ter de descobrir.

— Você disse que tem comida aqui?

— Temos montes de comida.

O garoto pensou sobre isso um minuto e então virou sua cabeça para o céu e riu mais abertamente do que antes.

— *É* como o lugar das minhas histórias. O Amare não acreditou em mim quando disse a ele que tinha mais coisa.

Becky se virou para Rubus. Parecia que os olhos dele iam saltar da cabeça. Ele se aproximou dela.

— O que está acontecendo aqui?

— Não faço ideia. Aparentemente você não parece o único que tem muito a aprender sobre essa cultura. Isso não é maravilhoso?

* * *

As sextas-feiras sempre foram o maior desafio. Chris costumava passar as sextas à noite no campo — o que ele adorava —, mas o trabalho o levava até os condados de Fairfield e Westchester. O que significava enfrentar a hora do rush na maior parte da volta para Standridge, incluindo passar por uma faixa interminável na 95. Ele sabia que não deveria reclamar, já que sua viagem diária nos outros quatro dias da semana consistiam em vinte minutos agradáveis até o rio Connecticut. Mas era difícil se lembrar disso quando se viajava a 24 quilômetros por hora durante os trinta quilômetros até em casa às seis e quinze da tarde, com um jantar marcado para as sete e trinta da noite.

Quando chegou em casa, ele percebeu que se saísse do apartamento nos próximos cinco minutos e não houvesse nenhum tráfego na ponte ele ia chegar apenas levemente atrasado. Ele ia ligar para Nigella assim que entrasse no carro.

No último ano tinha desenvolvido alguma reputação como médico de plantas. Ele havia voltado para o trabalho um mês depois que Becky fizera a travessia e de repente achou surpreendentemente fácil fazer uma coisa que ele deveria ter feito anos antes. A primeira vez que o seu chefe deu a entender que seu enxuto departamento não estava se saindo muito bem por causa das suas longas ausências, Chris simplesmente limpou a mesa. Ele não queria um tratamento especial por causa do que ele havia passado, mas a total falta de empatia mostrava como seu escritório tinha ficado sem alma e como ele realmente não fazia parte dali. Seria bem difícil trabalhar na administração, mesmo para uma empresa em que ele acreditasse. Nessas circunstâncias seria impossível. Ele fez algumas ligações para alguns contatos que tinha feito ao longo dos anos, e ficou sabendo que uma fazenda do lado sul de Connecticut precisava de ajuda para curar, entre outras coisas, uma praga que estava afetando a plantação de tomates. Alguns meses como *freelancer*, trabalhando para alguns agricultores, levou-o a um emprego em tempo integral com a maior rede de viveiros da região. Havia agora muita terra por debaixo das suas unhas, mas nenhum relatório de orçamento.

O lado ruim era a limpeza para os jantares de sexta-feira, que exigiam um tempo extra — um tempo que ele não tinha naquela noite. Quando terminou de se esfregar o telefone tocou. Chris olhou de relance para o identificador de chamadas, viu que era Lisa e atendeu.

— Não posso falar — ele disse como cumprimento.

— Se você não pode falar por que atendeu o telefone?

— Depois de tanto tempo eu ainda não consigo dizer não pra você.

Lisa deu uma gargalhada do outro lado.

— Eu bem que gostaria de treinar o Ben da mesma maneira. Seis meses depois de casados, ele decide voltar pra estrada. Parece que vou ser uma esposa de meio período.

— Outro dia você estava reclamando que achava que vocês dois estavam juntos tempo demais.

— Eu não estava falando sério quanto a isso.

Chris pegou uma camisa nova e lutou para vesti-la enquanto estava ao telefone

— Prometo ser mais simpático amanhã. Agora eu realmente tenho de correr.

— Outra noite sensual com *Nigella?* — Lisa esticou a última sílaba do nome da Nigella para fazê-lo soar especialmente exótico.

— Este é o plano. Desde que eu consiga sair desse telefone com você.

— Ela é perfeita pra você, meu bem. A vida sem diversidade é massante.

— Estou disposto a tentar. E, no fundo, você está chateada porque eu consegui encontrar Nigella por minha conta.

— Culpada. Eu arrumei encontros pra você com muitas mulheres maravilhosas. Se você tivesse me dito que estava pronto pra tentar novamente, eu teria arrumado muitas mais.

Chris calçou os sapatos e pegou as chaves do carro.

— Provavelmente é verdade, mas agora não importa. Sem mencionar o fato de que eu não fazia ideia de que estava pronto pra tentar novamente.

— Bom, vá a esse incrível encontro e tente não pensar em mim definhando por aqui.

— Ben já foi embora?

— Ele só vai sair pra primeira viagem em algumas semanas. Mas eu estou definhando antes da hora. Dê um beijo na Nigella por mim.

Chris desligou o telefone e foi para a porta, se lembrando ao agarrar a maçaneta, de que ele tinha deixado o celular na outra gaveta. Ao ir para o quarto pegá-lo, ele ouviu uma batida.

Nunca vou conseguir sair essa noite.

Ele pegou o celular e atendeu à porta. Polly estava parada do outro lado.

— Ah, você está saindo, sinto muito, eu devia ter avisado.

Chris abriu um pouco mais a porta e ficou de lado para Polly entrar. Ela lhe deu um beijo no rosto, algo que ela começou a fazer pouco dias depois do evento que Chris nunca pensaria como um funeral.

— Não, tudo bem. O que aconteceu?

Polly inclinou a cabeça para a esquerda.

— Eu simplesmente senti uma das minhas necessidades urgentes de passar um tempo no quarto dela. Sabe, eu sinto uma coisa quando estou lá. Você acha que eu posso ficar alguns minutos?

Nigella iria entender. Se ele ligasse no celular dela agora, ele provavelmente a pegaria antes que ela chegasse ao restaurante, e eles poderiam remarcar o jantar para as oito horas. Ele deveria ter feito isso desde o começo. Algumas das nuances do namoro ainda lhe escapavam.

— Sim, é claro, entre.

A visão daquele edredom azul no momento em que Becky fizera a travessia tinha estabelecido um nível renovado de comunicação entre Chris e Polly. Polly nunca tinha falado abertamente que acreditava que Becky estava vivendo feliz em Tamarisk, mas talvez ela não precisasse fazer isso. Eles falaram bastante nos dias seguintes, compartilhando histórias da garota com quem conviveram juntos por dez anos e independentes nos últimos quatro. Apesar de Chris sentir horrivelmente a falta de Becky, Polly parecia estar tendo mais dificuldade para lidar com isso. Chris sentia pena dela e queria encontrar algum modo de aliviar sua dor.

Ocorreu a Chris que ele tinha a vantagem de ter o quarto de Becky no seu apartamento. Ele costumava passar um tempo ali todas as noites e as "conversas" que ele tinha com Becky eram extremamente vívidas. Os detalhes surgiam na sua mente e com certeza ele não poderia ter imaginado tudo. Chris percebeu que uma versão do caminho para Tamarisk ainda devia estar aberto. Não o suficiente para levá-lo até lá — ele havia tentando em várias ocasiões —, mas o bastante para manter um equivalente cósmico de uma linha telefônica. Isso lhe dava uma sensação de paz e conexão com a filha. E, embora não fosse possível substituir a presença dela, isso lhe dava mais consolo do que ficar olhando um álbum de fotografias, um DVD ou um dos seus jogos de tabuleiro favoritos. Sabendo que ela poderia demorar mais para fazer essa conexão, Chris convidou Polly para passar algum tempo no quarto de Becky, e disse a ela que poderia vir quando quisesse.

Chris ligou para Nigella, e então foi para o quarto de Becky para se juntar a Polly. O ar estava diferente ali, mais quente e com um fraco aroma de chocolate e framboesas. Como acontecia todas as vezes que ele entrava no cômodo, Chris sentiu seus músculos relaxarem e o tempo parecia correr mais devagar. Ele passava a maior parte do dia imaginando o que Becky estaria fazendo. Imaginando-a na corte com Miea. Imaginando ela voando na waccasassa ou estudando poesia na escola. No entanto, quanto a essas coisas, ele sabia que não estava simplesmente imaginando.

Ao ver Polly sentada no edredom azul, ele percebeu que ela havia começado a sentir algumas das mesmas coisas. Ele se sentou ao lado dela, fechou os olhos e deixou as imagens aflorarem na sua mente. Algo parecido com uma sinfonia de norbecks. Algo parecido com um festival de colheita. Algo parecido com um casamento real.

— Realmente parece que ela está aqui, não é? — Polly disse com uma sensação de encanto que o lembrou seus primeiros dias com ela.

Chris passou a mão pelo edredom azul.

— Ela está. Ela está sempre aqui.

Nota do Autor

Muita coisa passava na minha cabeça enquanto eu escrevia este livro, e tentei colocar o máximo que pude nas páginas que redigia, sem que ficasse pesado demais. Vários leitores leram este romance antes da publicação e cada um deles fez uma interpretação diferente do livro.

Gostaria muito de saber qual é a sua. Se você tiver um tempinho, me mande um e-mail para laronica@fictionstudio.com com as suas observações.

Obrigado.